Sherrilyn Kenyon

Fille unique au sein d'une fratrie de huit garçons, elle aime à dire que l'humour a été son rempart contre l'hégémonie masculine. Passionnée d'écriture, elle publie sous son propre nom et sous le pseudonyme de *Kinley MacGregor* des romances historiques. De renommée internationale, elle a été récompensée à de nombreuses reprises ; ses livres ont été publiés à plus de vingt millions d'exemplaires. Chaque année, Sherrilyn tient un salon à La Nouvelle Orléans à l'occasion duquel des fans du monde entier se réunissent. Elle est l'un des plus grands auteurs contemporains de paranormal et sa série culte des *Dark-Hunters* et le monde onirique qu'elle a créé ont marqué un tournant dans le genre paranormal.

D1444100

Le dieu déchu

SHERRILYN KENYON

LE CERCLE DES IMMORTELS

DARK-HUNTERS – 11

Le dieu déchu

Traduit de l'américain
par Dany Osborne

Titre original
DEVIL MAY CRY

Éditeur original
St. Martin's Press, New York

© Sherrilyn Kenyon, 2007

Pour la traduction française
© Éditions J'ai lu, 2011

Remerciements

Je tiens à exprimer ma reconnaissance au Dr Carol Pierce-Davis pour son aide et sa perspicacité. La profondeur de ses vues et de ses connaissances en psychologie a largement contribué à la construction des personnages de ce roman.

À Neco, qui vivra toujours dans mon cœur. Tu me manques tant... J'aimerais tellement pouvoir te dire : « Appelle-moi quand tu auras un moment » encore une fois. À mes fans, les Kenyon Minions et les RBL Women, dont l'amour et le soutien m'ont permis de tenir bon dans tant de tempêtes. À Retta, Rebecca, Kim, Vic et Dianna pour m'avoir épaulée quand j'en avais le plus besoin. À Kia, Jack, Jacs, Alex, Carl, Bryan, Soteria, Cee, Judy et Aimée pour le travail qu'ils ont fait. À Merrilee, Monique, Sally, Matthew, Matt, John, Brian, Anne-Marie et tous les autres du SMP, qui se démènent pour que paraissent les livres et ne me rendent pas la vie infernale lorsque je remets un manuscrit en retard. Mais, par-dessus tout, merci à ma famille de m'avoir permis d'être tranquille. Merci à mon petit frère Steven, qui compte tant pour moi, d'avoir écrit une chanson pour Ach. Et, enfin et surtout, merci à mon mari, mon ancre, d'avoir toujours été là. Ce livre est pour vous, et j'espère qu'il vous plaira.

Prologue

Vengeance.

Pour certains, elle est un poison qui s'infiltre dans l'âme, la met à nu et détruit celui qui l'assouvit.

Mais pour d'autres, elle est le lait nourricier qui leur donne une raison d'exister lorsque plus rien ne les retient sur terre.

Cette histoire est celle d'un de ces êtres qui ne vivent que pour se venger. Né dieu en des temps où l'espèce humaine n'en était encore qu'à ses balbutiements, Sin, également appelé Nana, gouvernait l'univers. Il siégeait au sommet du panthéon, et tous ceux qui l'entouraient lui rendaient hommage.

Puis arriva le jour où d'autres dieux défièrent sa suprématie. Des siècles durant, il mena une guerre sanglante, qu'il aurait gagnée si une trahison ne l'avait privé de son état de divinité.

Dépossédé de ses pouvoirs divins, il en fut réduit à vivre parmi les humains, comme l'un d'eux, mais aussi comme une créature différente. Une créature glaciale, ténébreuse, meurtrière.

Toutefois, rien n'était joué. La défaite alimente la part de l'âme qui crie vengeance. Tant qu'il y a de la vie, il y a de l'espoir. Et tant qu'il y a de l'espoir, il y a de la détermination.

Pendant des siècles, le dieu déchu attendit son heure, sûr que l'autosatisfaction béate et l'arrogance de ses ennemis lui permettraient de regagner ce qu'il avait perdu.

Et maintenant, la victoire était à portée de main.

1

— Il faut le détruire. Je préférerais que ce soit rapide et douloureux, mais je suis ouverte à toute autre suggestion.

Acheron Parthenopaeus se tourna vers la déesse grecque Artémis, qui avançait vers lui. Pendant des siècles, tous deux avaient été liés, et lors de moments comme celui-ci, elle pensait l'avoir encore sous sa coupe.

La réalité était bien différente.

Vêtu uniquement d'un pantalon de cuir noir, Acheron était assis sur la rambarde d'un des balcons du temple de la déesse, adossé à une colonne. Le balcon de marbre blanc étincelant surplombait une chute d'eau arc-en-ciel sur fond de sublime paysage forestier. Rien de surprenant dans la mesure où l'on était sur l'Olympe, domaine des dieux grecs.

Si seulement ses habitants avaient pu être aussi parfaits que le paysage qui les entourait…

Avec ses cheveux roux, son teint de porcelaine et ses grands yeux verts, Artémis était très belle. Le problème, c'était qu'Acheron haïssait le moindre soupir qu'elle exhalait.

— Pourquoi est-ce que tu te fous en rogne dès qu'il est question de Sin ? lui demanda Acheron.

— Je déteste quand tu parles comme ça !

C'était précisément pour l'agacer qu'il s'exprimait ainsi. Les dieux lui en soient témoins, jamais il ne ferait quoi que ce soit qui plût à cette garce.

— Tu changes de sujet.

— Je l'ai toujours haï. Il était censé mourir, tu te rappelles ? Et toi, tu es intervenu !

Elle simplifiait vraiment cette partie de l'histoire.

— Il s'est débrouillé pour survivre. Je me suis contenté de lui donner un job après que tu l'as jeté.

— Oui, et maintenant, il devient fou. Ne sais-tu pas qu'il est entré par effraction dans un musée la nuit dernière, qu'il a assommé trois gardiens et volé un objet d'immense valeur ? Tu trouves que c'est la meilleure façon de garder secrète l'existence de tes précieux Chasseurs de la Nuit, ça ? Je suis sûre qu'il l'a fait exprès ! Il espérait se faire prendre pour pouvoir tout raconter sur nous aux humains. Il représente une menace pour tout le monde !

Ach ne prêta aucune attention à la colère de la déesse. Pourtant, il était d'accord avec elle. Sin avait agi bêtement. D'habitude, l'ancien dieu faisait preuve d'un peu plus de jugeote.

— Je pense qu'il voulait seulement toucher quelque chose provenant de chez lui. L'objet qu'il a emporté devait lui appartenir autrefois, à lui ou à l'un des siens. Il n'est pas question que je le tue sous prétexte qu'il a eu un accès de nostalgie, Artie. Ce serait trop moche.

Les mains plaquées sur ses hanches rondes, Artémis le défia du regard.

— Tu vas donc laisser tomber ?

— Si tu entends par là que je n'ordonne pas son exécution immédiate, la réponse est oui.

— Pff… Tu deviens mou.

— Pas mou, Artie. Doux. C'est ce que tu voulais dire, n'est-ce pas ?

— Peu importe. L'Acheron dont je me souviens aurait taillé cet imbécile en pièces pour dix fois moins que ça.

Acheron inspira profondément avant de répliquer :

— Je l'aurais fait frire, Artie ! Essaie de parler clairement, veux-tu ? Ça me donne mal au crâne, d'essayer de comprendre ce que tu veux dire. Et de toute façon, je n'aurais jamais fait frire quelqu'un pour une raison aussi futile.

— Oh que si.

Il prit le temps de réfléchir avant de confirmer :

— Non. Absolument pas. Il n'y a que toi qui sois capable de me pousser à tuer pour si peu.

— Tu n'es qu'un salaud.

Bon, sur ce point, elle avait raison, songea-t-il en appuyant la tête contre la colonne pour lever les yeux vers elle.

— Pourquoi, Artie ? Parce que je ne fais pas tes quatre volontés ?

— Oui. Tu me dois cela. Tu m'as obligée à me débarrasser de mes hommes de main, et maintenant, je n'ai plus les moyens de contrôler ces créatures qui…

— Stop, Artie ! Ces créatures sont ton œuvre ! Sans toi, les Chasseurs de la Nuit n'existeraient pas. Et, pour que les choses soient bien claires, laisse-moi te rappeler que c'est toi qui m'as pris le pouvoir de ressusciter les morts. Je n'avais pas besoin des Chasseurs de la Nuit pour m'aider à combattre les Démons et à protéger les humains. Je m'en sortais très bien tout seul. Mais toi, ça ne t'allait pas. Tu as créé les Chasseurs et tu m'as collé sur le dos la responsabilité de leur vie. Cette responsabilité, je la prends très au sérieux, alors désolé, mais non, je ne les tuerai pas sous prétexte que madame souffre de SPM inversé !

— De quoi ?

— De syndrome prémenstruel ! Sauf que toi, à la différence des autres femmes, tu es emmerdante vingt-huit jours par mois !

Elle leva la main pour le gifler, mais il fut plus rapide qu'elle et lui bloqua le poignet.

— Tu n'as pas négocié le droit de me frapper.

Elle se dégagea rageusement.

— Je veux qu'il meure !

— Je ne serai pas ton bras armé.

Une chance pour Sin qu'Acheron soit là... Sans lui, Artémis l'aurait déjà tué. Acheron et la déesse avaient conclu un pacte des siècles auparavant, après qu'elle avait fait griller un Chasseur de la Nuit qui avait eu le malheur d'émettre un commentaire désobligeant. Elle avait promis de ne plus jamais toucher à un cheveu de la tête d'un Chasseur sans l'assentiment d'Acheron.

— Sin est sur le point de faire une bêtise, je le sens, assura-t-elle, les yeux flamboyants.

— Oh, ça, je n'en doute pas. Il cherche le moyen de te liquider depuis que tu l'as privé de son état de dieu. Tu as de la veine que je fasse tampon entre vous deux.

— Cela m'étonne que tu ne l'aides pas à me tuer.

Que répondre ? Lui aussi, il s'en étonnait. Mais il avait besoin d'Artémis pour exister. S'il mourait, le monde deviendrait un véritable enfer, et c'était bien dommage que cela le retînt, car il rêvait de botter les jolies fesses de la déesse, puis de s'en aller sans se retourner.

— Ne comptes-tu pas au moins lui demander ce qu'il fichait au musée ? Et pourquoi il a agressé les gardiens ?

Acheron entrevit une lueur d'espoir.

— Vas-tu me laisser régler cette affaire ?

— Tu me dois encore trois jours de service.

Au temps pour l'espoir. Il aurait dû s'en douter. La garce n'avait pas l'intention de lui ouvrir les portes de son temple avant la fin des deux semaines qu'il lui devait. Un marché qui avait un goût amer – deux semaines d'esclavage sexuel en échange de deux mois de liberté. Il détestait jouer à ce genre de jeu avec elle, mais il lui fallait en passer par là, même si cela lui faisait horreur.

— Donc, le problème Sin peut attendre, Artie ?

La déesse poussa un grondement sourd et serra les poings. Quel poison, cet Acheron ! Pourquoi diable tenait-elle autant à lui ?

Eh bien, parce que même dans son entêtement il demeurait l'homme le plus sexy qu'elle eût jamais connu. Rien ne lui plaisait plus que le spectacle de son sublime corps en mouvement. Quoique... Même assis et immobile comme il l'était en ce moment, il était irrésistible. Sa beauté virile était inouïe. Ses longs cheveux blonds réunis en une tresse qui retombait sur son épaule, les bras croisés sur sa poitrine nue, il tapait du pied par terre en cadence, suivant un rythme entendu de lui seul.

Téméraire et puissant, il ne cédait à la pression d'Artémis que contraint et forcé. Et même alors, il se montrait farouche et plein de morgue. Les dieux savaient qu'elle avait essayé, au cours des siècles, de prendre le pas sur lui, de l'obliger à se soumettre, mais rien n'avait marché. Et cela la mettait en rage.

— Ça te démange de lui demander de me tuer, hein ?

Il eut un petit rire narquois.

— Oh que non. Je tiens à le faire moi-même.

Mais comment osait-il ?

— Misérable...

— Ne m'insulte pas, Artie : nous savons tous les deux que tu n'en penses rien. Et j'en ai marre d'assurer le service en chambre.

— C'est étrange, moi, je ne m'en lasse pas.

Elle tendit la main et, du bout du doigt, lui caressa les lèvres, la seule partie de son corps qui fût douce – de vrais pétales de rose. Sa bouche la fascinait.

— Tu as la plus belle des bouches, Ach. Surtout quand elle court sur mon corps.

Acheron lâcha un grognement en voyant la lueur d'excitation dans les yeux de la déesse.

— Tu n'es donc jamais rassasiée ? Je te jure que si j'étais un mortel, je serais complètement cassé, après notre dernier round.

Trop tard. Elle était déjà sur lui, à califourchon sur ses cuisses. Il serra les dents et lui offrit son cou, qu'elle entreprit de lécher. Il sentit son pouls s'emballer lorsque, brusquement, des incisives bien acérées se plantèrent dans sa jugulaire.

Artémis se mit à boire son sang.

— Katra !

Kat Agrotera se dressa tout d'une pièce dans son lit.

— Qu'est-ce que j'ai fait ?

Artémis était en colère. Pourquoi ?

— Tu dormais ?

Kat cilla. La déesse venait de se matérialiser dans la chambre obscure. La seule lumière provenait du halo bleuté qui émanait du corps de la visiteuse. Kat regarda le lit aux draps en désordre, son pyjama rose, passa la main dans ses cheveux emmêlés et railla :

— Je suis réveillée, maintenant.

— Bien. J'ai une mission pour toi.

Kat réprima un rire sarcastique.

— Désolée d'avoir à te le rappeler, mais tu m'as placée au service d'Apollymi. Et maintenant, la maléfique créature que tu crains tant m'interdit de t'obéir. Sans doute parce que ça te met en pétard et que ça l'amuse.

— Katra… souffla Artémis d'un ton menaçant.

— Je n'ai rien demandé, moi ! C'est toi qui as passé ce marché avec Apollymi, et je dois vivre avec. Personnellement, ça me rend dingue d'avoir été traitée comme une marchandise sous prétexte que ça te cassait les pieds de m'avoir dans les parages. Mais cet accord, tu l'as conclu, et maintenant, je joue dans l'autre équipe. Désolée.

Artémis se rapprocha, et Kat s'aperçut alors qu'elle était effrayée.

— Il y a un problème ?

— Oui, Kat. Il va me tuer.

— Acheron ?

L'hypothèse la plus logique.

— Mais non. Jamais Ach ne me ferait de mal. Il veut que je le croie, mais c'est tout. As-tu gardé des souvenirs de ta jeunesse ?

Dans la mesure où cette jeunesse s'était déroulée dix ou onze mille ans auparavant, Kat fut obligée de faire un gros effort de mémoire.

— Oui. J'essaie de ne rien me rappeler, mais certains moments restent bien ancrés dans ma tête. Pourquoi ?

Artémis s'assit sur le lit et s'empara du tigre en peluche que tenait Kat.

— Le dieu sumérien Sin, cela te dit quelque chose ?

— Celui qui est entré de force dans ton temple il y a une éternité pour te voler tes pouvoirs et a essayé de te tuer ?

Les mains d'Artémis se crispèrent autour du tigre.

— Oui. Il est de retour, et il veut de nouveau me tuer.

Comment était-ce possible ? Kat s'était personnellement occupée de cet ennemi.

— Je pensais qu'il était mort.

— Non. Acheron l'a sauvé in extremis et a fait de lui un Chasseur de la Nuit. Sin est persuadé que c'est moi qui l'ai privé de ses pouvoirs et l'ai laissé pour mort.

Les yeux de la déesse étaient écarquillés de terreur.

— Il va m'assassiner, Kat, j'en suis sûre ! Et le monde disparaîtra. Nous allons entrer dans l'ère de l'apocalypse sumérienne. Sin va une nouvelle fois tenter de se débarrasser de moi et de prendre ma place. Comprends-tu ce que cela signifie ?

— Qu'on va bien s'amuser ?

— Katra !

— Pardon. OK, il veut se venger.

— Oui, mais il veut se venger sur moi d'un acte que je n'ai pas commis ! J'ai besoin que tu m'aides, Kat. S'il te plaît.

Kat s'accorda un long moment de réflexion. Cela ne ressemblait pas à Artémis de demander quelque chose, en suppliant de surcroît. Elle exigeait toujours. Mais là, elle était visiblement terrifiée.

Il y avait certainement autre chose derrière cette histoire de vengeance. Artémis était une dissimulatrice consommée.

— Pourquoi ne me dis-tu pas tout ?

— Je ne vois pas ce que tu sous-entends, Kat.

— Bien sûr que si. Alors, avant que tu m'envoies au casse-pipe, je veux que tu joues cartes sur table.

— Serais-tu en train de me dire que tu refuses de m'aider après tout ce que je t'ai fait ?

— Je crois que ce que tu veux dire, c'est « après tout ce que j'ai fait pour toi ».

— Quelle importance ? Allons, réponds-moi !

Artémis avait une manière bien étrange de formuler sa requête... Mais si elle s'y était prise autrement, Kat se serait encore plus méfiée.

— Qu'attends-tu de moi ?

— Qu'est-ce que tu imagines, Katra ? Que tu le tues, bien entendu.

— Que je... Mais que me demandes-tu là ?

— De me sauver la vie. C'est bien le moins que tu puisses faire pour moi. Qui sait ce que Sin infligera à l'espèce humaine s'il retrouve son état de dieu ? Il fera atrocement souffrir les humains. J'ai déjà sollicité Acheron, mais il ne veut rien entendre. Tu es mon seul espoir, Kat.

— Pourquoi ne t'occupes-tu pas de ça toi-même ? Tu en es capable, je le sais.

— Pff... Parce qu'il a le *Tuppi Shimati*. Tu te rappelles ce que c'est ?

— La Table du Destin sumérienne, ouais.

Celui qui la possédait était en mesure d'anéantir les pouvoirs de tout autre dieu. De tuer n'importe lequel d'entre eux. Autant dire que les divinités ne tenaient pas à ce que le *Tuppi Shimati* tombe entre de mauvaises mains.

Kat prit sa décision.

— Ne t'en fais pas, *matisera*, je lui reprendrai la Table.

Artémis parut soulagée.

— Je tiens à ce que personne n'apprenne notre passé. Tu sais mieux que personne à quel point il est important que cela reste secret. Ne me déçois pas, cette fois, Kat. Respecte ta parole.

Kat fit la grimace en se souvenant de la seule et unique fois de sa vie où elle avait échoué lors d'une mission pour Artémis.

— Je te le promets, *matisera*.

Artémis hocha la tête, puis disparut.

Kat se rallongea et se repassa mentalement le film de cette étrange rencontre. D'un côté, elle ne doutait pas un instant que la déesse ait dit vrai en affirmant que Sin détenait la Table : c'était le panthéon sumérien qui l'avait créée. Si quelqu'un était en mesure de s'en emparer, c'était bien Sin.

Mais, d'un autre côté, Artémis restait Artémis.

Ce qui signifiait que des éléments importants de l'histoire manquaient. Avant que Kat se lance aux trousses d'un dieu, même déchu, il fallait qu'elle en sache un peu plus sur lui.

Elle prit sur la table de nuit son téléphone portable, l'ouvrit et regarda l'heure. Une heure du matin. Donc minuit à Minneapolis. Elle appuya sur la touche 6 et attendit jusqu'à ce qu'une douce voix féminine s'élève.

Kat sourit en entendant son amie.

— Salut, Cassandra ! Comment va ?

À une époque, Kat avait été le garde du corps de Cassandra pour le compte d'Artémis. Mais lorsque la jeune femme était devenue immortelle et avait épousé l'ex-Chasseur de la nuit Wulf, Kat avait eu une autre affectation. Puis elle avait été mutée du service d'Artémis à celui d'Apollymi.

Cependant, elle était restée amie avec Cassandra, à laquelle elle allait fréquemment rendre visite.

— Salut, petite, répondit gaiement Cassandra. On va bien. On regardait un film. Ton intonation et l'heure qu'il est m'amènent à penser que tu ne fais pas que vérifier si je suis OK.

L'intuition de Cassandra fit sourire Kat.

— C'est vrai. Je t'appelle dans un but précis. Peux-tu me passer ton mec ? J'ai quelques questions concernant les Chasseurs de la Nuit à lui poser.

— Bien sûr. Une seconde.

Kat attendit en glissant les doigts dans ses cheveux bouclés. Wulf. La première fois qu'elle l'avait vu, il était un Chasseur de la Nuit, l'un de ces protecteurs immortels qui avaient accepté de servir Artémis en échange du droit d'exercer un Acte de Vengeance. Soldats de la déesse chargés de veiller sur le salut de l'espèce humaine, les Chasseurs de la Nuit passaient leurs nuits à détruire les Démons voleurs d'âmes.

Mais Wulf avait gagné sa liberté et vivait désormais avec sa femme, son fils et sa fille à Minneapolis. Il ne prêtait main-forte à ses collègues Chasseurs que lorsque des Démons se manifestaient dans sa ville.

— Salut, Kat. Tu voulais me parler ?

Même après tant de siècles, il conservait un fort accent norvégien.

— Ouais. Tu connais un Chasseur du nom de Sin ? Le Sumérien ?

— Le dieu déchu ?

— Oui.

— Attends… Je ne le connais pas personnellement, non. Mais j'ai entendu des bruits sur lui. Ils disent qu'il est fou à lier.

— Qui ça, « ils » ?

— Tout le monde. Tous les Chasseurs qui l'ont approché, tous les Écuyers qui ont eu le malheur de croiser son chemin. C'est un foutu salaud qui ne supporte absolument personne.

Eh bien, voilà qui n'augurait rien de bon. Mais cela corroborait les craintes d'Artémis.

— Tu vois quelqu'un qui le connaîtrait et pourrait m'en dire davantage sur lui ?

— Ach.

Embêtant, ça. Artémis n'accepterait jamais que Kat approche le dieu atlante.

— Personne d'autre ?

— Non. Kat, je te répète qu'il est complètement asocial et farouchement solitaire. On raconte qu'un jour, il a regardé mourir un Chasseur massacré par un Démon sans rien faire. Il riait. Jette un coup d'œil sur le site des Chasseurs, dailyinquisitor.com/bbs. Tu trouveras peut-être quelque chose qui t'aidera à te rapprocher de lui. Je doute que tu y arrives, mais le site est le seul moyen auquel je pense.

Parfait. Un vrai bonheur.

— Merci, Wulf. Retourne à ton film. *Ciao*, les amis. Prenez soin de vous.

— Toi aussi, Kat.

Elle raccrocha, puis apporta son ordinateur portable sur le lit et suivit le conseil de Wulf. Elle passa plusieurs heures sur le site des Chasseurs de la Nuit, mais sans résultat. Ses recherches ne firent que confirmer ce qu'elle savait déjà : Sin était un psychopathe solitaire.

Apparemment, il ne chassait même pas les Démons. Il était rapporté qu'il était une fois passé au beau milieu d'un groupe de Démons occupés à festoyer sur un humain et qu'il n'avait pas bougé un cil. Il y avait aussi d'autres sinistres histoires, par exemple qu'il s'infligeait d'atroces brûlures et envoyait au diable tous ceux qui tentaient de l'approcher.

Un charmant personnage, vraiment. Elle brûlait d'impatience de le rencontrer. Il n'était guère porté sur les contacts humains, mais cela lui convenait très bien : enfant unique, elle-même avait parfois du mal avec les autres.

Mais qu'il s'automutile la choquait. Quel genre de créature faisait cela ? Avait-il perdu sa santé mentale en même temps que ses pouvoirs de dieu, ou bien était-il né ainsi ?

Elle éteignit son portable en soupirant et s'obligea à quitter le confort de son lit pour s'habiller. Il n'était que 3 heures du matin. Quelques heures encore avant l'aube. Sin errait probablement toujours dans les rues, indifférent aux Démons avides de tuer.

Elle ferma les yeux et se concentra jusqu'à ce qu'elle trouve ce qu'elle cherchait.

L'essence de Sin.

Il n'était pas là où elle pensait le trouver. Pas à Las Vegas, mais à New York. Dans Central Park.

Elle se téléporta et prit la forme invisible d'une Ombre. Ainsi, personne ne pourrait la voir. Seul un rai de lumière dardé droit sur elle ferait apparaître les contours phosphorescents de son corps. Elle resta donc sous le couvert d'épais feuillages, afin que l'ex-dieu ne la repère pas.

Puis elle réfléchit tout en l'observant.

D'après ses recherches, Sin aurait dû se trouver à Las Vegas. Que faisait-il à New York, en plein milieu de la nuit ? Comment était-il arrivé là, et quand ?

Il se déplaçait dans la partie la plus obscure du parc. Sa façon de marcher évoquait un fauve sur une piste, stimulé par l'odeur d'une proie. Il avançait tête baissée, scrutant les alentours entre ses paupières mi-closes. Il avait une allure très impressionnante, avec sa carrure large et ses cheveux noir corbeau bouclés qui frôlaient le col de son long manteau de cuir noir. Ses yeux étaient différents de ceux des autres Chasseurs de la Nuit. Au lieu d'être couleur encre de Chine, ils étaient ambrés, comme ceux des lions. Et ils scintillaient, formant un contraste frappant avec son teint mat.

Ses traits étaient parfaits. Rien d'étonnant à cela : il était né dieu. Les dieux étaient toujours beaux. Si d'aventure l'un d'eux venait au monde un peu défavorisé, il se servait de ses pouvoirs pour modifier son apparence. Par vanité pure, trait de caractère commun à tous les dieux et passablement déconcertant.

Sin semblait âgé d'une trentaine d'années. Il bougeait avec une grâce et une souplesse félines. Ses sourcils froncés et sa barbe de deux jours accentuaient sa mine sévère.

Il était dangereusement séduisant, songea Kat, qui ressentait une excitation inhabituelle. Regarder cet homme produisait le même effet que boire un vin capiteux. Cela lui laissait la tête légère et le souffle court... et cela lui donnait envie de toucher cette créature dont elle savait pourtant qu'elle la tuerait à la première occasion.

Il s'immobilisa soudain et tourna la tête dans sa direction. Elle retint son souffle, le cœur battant à tout rompre. L'avait-il entendue ? Avait-il perçu sa présence ? Normalement, il n'aurait pas dû en être capable, mais il était un dieu... Enfin, il en avait été un.

Peut-être avait-il ce pouvoir.

Mais lorsqu'elle distingua une ombre mouvante sur sa gauche, elle comprit. Sin fixait les arbres devant elle. Quelque chose ou quelqu'un murmurait dans une langue inconnue. L'intonation était basse, sinistre, à mi-chemin entre le roulement métallique et le crissement.

— *Erkutu*, chuchota Sin avant d'enlever son manteau, révélant un corps d'où émanait une puissance à faire froid dans le dos.

Il portait un tee-shirt noir aux manches découpées, un pantalon de cuir et des bottes de motard. Kat resta bouche bée à la vue des muscles saillants, des poignards attachés à ses biceps et du manche d'une antique dague qui sortait de sa botte gauche. Un brassard d'argent ceignait chacun de ses avant-bras.

Il déroula une cordelette jusque-là enroulée autour de son poignet droit. À chaque extrémité de cette cordelette pendait une boule de métal de la taille d'une balle de golf.

Les boules cliquetèrent quand il se remit en marche.

Il était manifeste qu'il allait se battre. Pourtant, il n'y avait aucun Démon à proximité. Si ç'avait été le cas, Kat l'aurait perçu.

L'étrange murmure continuait.

Kat s'avançait à travers les arbres pour suivre le Chasseur quand quelque chose passa soudain en sifflant au-dessus de sa tête. Il venait de lancer sa corde munie de balles comme un cow-boy son lasso ! Un cri déchira la nuit.

Kat se figea lorsqu'elle vit la femme qui avait crié.

Une jolie femme, lui sembla-t-il tout d'abord. Puis elle distingua dans sa bouche ouverte une double rangée de crocs. Du sang dégoulinait sur son menton. Du sang humain, d'un rouge assorti à celui des yeux de la femme.

Et elle n'était pas seule ! Ils étaient trois. Deux hommes l'accompagnaient. Non, pas des hommes, rectifia Kat en elle-même. Deux êtres à l'apparence humaine mais qui appartenaient manifestement à une autre espèce. Ils communiquaient entre eux par le biais d'un langage aux curieuses sonorités métalliques.

Ils se jetèrent sur Sin, qui esquiva l'attaque. Il fit passer le premier agresseur par-dessus son dos, sortit prestement la dague de sa botte et taillada le deuxième, qui lui agrippa le bras et plongea ses crocs dans sa main.

Sin lâcha un juron, expédia un coup de genou dans l'estomac du Démon et pivota sur ses talons pour faire face à la femme. Elle bondit en arrière, évitant la lame qui allait lui couper la gorge.

Le premier homme revint à la charge : il s'abattit sur le dos de Sin, qui se baissa. Emporté par son élan, le Démon s'effondra donc dans les bras de celui qui avait mordu Sin, lequel détacha une deuxième cordelette de son bras gauche et l'enroula autour du cou de la femme. Elle poussa un hurlement très bref, avant que sa tête sectionnée tombe sur le sol.

Kat se détourna, la bouche envahie de bile.

Les deux autres Démons glapirent puis s'enfuirent à toutes jambes. Sin prit les poignards attachés à ses biceps et les lança. Ils se fichèrent dans le dos des fuyards, exactement à la base de leur colonne vertébrale. Le duo de monstres s'affala dans l'herbe. Ils poussèrent une longue plainte d'agonie, puis restèrent immobiles.

Kat était horrifiée par le spectacle auquel elle venait d'assister. Il était effrayant, macabre, insoutenable, et le pire, c'était que Sin semblait y avoir pris un infini plaisir. Comme s'il s'était délecté d'infliger d'atroces souffrances.

Quel salaud...

Sin considéra les deux Démons quelques instants, puis se dirigea vers l'humain sur lequel ils s'étaient nourris. Il s'agissait d'une femme, et même de loin, Kat voyait qu'elle était morte, avec ses yeux vitreux dardés vers le ciel. Son corps n'était plus qu'une masse de chairs déchiquetées.

Pauvre femme.

Impavide, Sin lui ferma les yeux et murmura une prière en sumérien pour que son âme repose en paix malgré l'extrême violence qui lui avait arraché la vie.

Kat fut étonnée de le voir faire cela. Voilà qui ne correspondait pas à son comportement précédent. Il retira l'un de ses couteaux du dos des Démons, fit jaillir une boule de feu dans sa main droite et y chauffa la lame à blanc, avant de la plaquer sur la plaie laissée par la morsure du Démon. Kat retint une plainte, alors que lui restait impassible. L'écœurante odeur de la chair brûlée s'éleva dans l'air.

Il n'en avait pas terminé, s'aperçut Kat : une fois la blessure cautérisée, il se pencha sur l'humaine et lui trancha le cou. Horrifiée, Kat se retint à grand-peine de hurler. Il était fou ! Il n'y avait pas d'autre explication ! Sinon, pourquoi aurait-il infligé pareille abomination à cette malheureuse victime ?

Le cœur au bord des lèvres, elle le vit ensuite décapiter les deux Démons mâles, empiler leurs cadavres l'un sur l'autre et les brûler. Puis, stoïque, il regarda le feu les consumer. Les flammes illuminaient ses traits figés dépourvus d'émotion. Ses yeux restaient dans l'ombre, orbites ténébreuses qui lui donnaient davantage l'apparence d'un Démon que d'un Chasseur.

Pas une seconde il n'eut l'air ému ni apitoyé. Il attendit que les corps soient carbonisés, puis répandit leurs cendres du bout de sa botte jusqu'à ce qu'il ne reste plus la moindre trace de l'existence des Démons. Personne ne saurait jamais qui avait assassiné l'humaine.

Kat n'arrivait pas à chasser sa sensation de nausée. Comment cet homme avait-il pu avoir le droit de vivre alors que tant de sauvagerie grondait en lui ? Acheron savait-il ce qu'il faisait la nuit ? Était-il au courant qu'il profanait des restes humains ? Impossible d'imaginer le dieu atlante pardonner un tel acte. Ach n'était pas comme cela, et elle non plus.

Pour une fois, peut-être Artémis n'avait-elle pas menti. Un homme tel que Sin ne devait pas rester en liberté. Il était trop dangereux.

Kat envisagea de l'attaquer, puis renonça. Il fallait d'abord qu'elle sache exactement quels étaient ses pouvoirs. D'après ce qu'elle venait de voir, il maîtrisait le feu et était très doué pour le combat à mains nues et à l'arme blanche.

Le supprimer ne serait pas facile… Pourquoi ne pas le plonger dans le coma, alors ? Oui, elle allait l'endormir.

Il serait comme mort. C'était la meilleure solution, qui lui éviterait de le tuer.

Sin alla récupérer son manteau, le renfila et... se volatilisa.

Oh non !

Kat ferma les yeux et essaya de le localiser de nouveau, afin d'achever sa mission. Sans succès. Aucune trace de lui. Comment était-ce possible ? Il avait forcément une essence, et l'essence de tout être laissait une empreinte derrière elle. Toujours.

Pas dans le cas de Sin, manifestement. Il semblait avoir disparu de la surface de la terre. Elle n'avait aucune idée de l'endroit où il pouvait se trouver.

Pareille chose ne lui était jamais arrivée.

— Où êtes-vous, Sin ?

Et, plus important encore, qu'était-il en train de faire ?

2

Sin se projeta dans sa chambre d'hôtel. Il lui aurait été aussi facile de se projeter chez lui, mais il n'avait pas envie que Kish ou Damien le dérangent. Il avait besoin d'être seul pour se préparer mentalement à ce qu'il avait à faire.

Il était couvert de sang. Autrefois, il s'en serait réjoui, mais ce temps-là était révolu. Il était las de ces combats sans fin, las de mener une guerre perdue d'avance.

Il n'existait qu'une personne dont il voulût faire couler le sang. Ce sang-là, il se réjouirait qu'il poisse ses mains.

La seule idée de couper la tête à Artémis amena un sourire sur ses lèvres tandis qu'il se dirigeait vers la salle de bains pour y prendre une longue douche chaude.

Il ouvrit le robinet et se débarrassa de ses armes, qui tombèrent en cliquetant sur le carrelage. Puis il se déshabilla, attendit que l'eau qui coulait soit brûlante, entra dans la cabine et laissa l'eau chasser la sueur et le sang – le sien et celui de ses adversaires – qui souillaient sa peau. Baissant la tête, il regarda les tourbillons rouges qui se formaient autour de la bonde puis disparaissaient. La chaleur faisait du bien à ses muscles endoloris, mais n'avait aucun effet sur les turbulences de son esprit. Le *Kerir*, ou Jour du Jugement, approchait, et il devait trouver celui qu'on appelait la Lune Maudite avant que les Démons gallus le trouvent, lui, et le détruisent. Sans la Lune, il n'avait aucune chance de les vaincre – non qu'il eût beaucoup plus de chances avec la Lune, mais c'était tout de même mieux que de n'avoir aucun espoir.

Il serra les mâchoires en visualisant mentalement le *Kerir*. À minuit le soir du Nouvel An, quand la fête battrait son plein, sept Démones, les Dimmes, créées par Anu pour venger le panthéon sumérien déchu, seraient libérées. Le seul être capable de les combattre serait Sin, et dans la mesure où il ne possédait plus ses pouvoirs divins, il ne réussirait pas à les repousser.

— Sois maudite, Artémis, grommela-t-il.

Quelle stupide garce ! Par pur égoïsme, elle les avait tous condamnés, et elle s'en moquait totalement. Elle s'imaginait que sa propre divinité la protégerait des nouveaux Démons.

Elle n'était qu'une idiote.

Mais pourquoi se souciait-il de tout cela ? Se battre ne ferait que prolonger son agonie. Le problème, c'était qu'il était incapable de rester impassible quand des innocents se faisaient massacrer. Ne pas agir alors que la terre était à feu et à sang, ce n'était pas dans sa nature. Et puis, cela faisait trop longtemps qu'il se battait contre les Gallus pour abandonner maintenant.

Le hic, c'était que les Sallus étaient très difficiles à vaincre. Quant aux Dimmes, elles le mettraient en pièces et riraient en le faisant.

Il soupira, coupa l'eau et prit une serviette. La blessure sur sa main attira son attention. Que les Gallus soient maudits pour cela ! À la différence des Démons créés par le dieu grec Apollon, qui les avait condamnés à voler des âmes humaines pour survivre, les Gallus pouvaient faire d'un humain leur semblable. Leurs morsures empoisonnées avaient même le pouvoir de changer Sin en Démon lui aussi. Voilà pourquoi il cautérisait par le feu chaque plaie, afin de neutraliser le poison, et décapitait et brûlait les cadavres des Démons comme de leurs victimes. C'était le seul moyen d'anéantir ces monstres.

Ils se multipliaient si vite, et si aisément ! Une morsure, un échange de sang, et le tour était joué. Ils n'étaient même pas obligés de tuer les humains pour faire d'eux des Démons. Mais ils tuaient quand même, juste pour le plaisir. Une fois infecté, l'humain mort devenait la chose des Gallus, une créature sans âme, un esclave qui leur obéissait au doigt et à l'œil.

Onze mille ans plus tôt, les Sumériens avaient formé des troupes de guerriers capables de détruire les Gallus. Mais lorsque le nombre de guerriers avait chuté, les Démons existaient toujours. Sin, sa fille et son frère avaient alors capturé et enfermé les Gallus pour les empêcher de nuire. Malheureusement, le temps passant, après la chute du panthéon sumérien, les Gallus s'étaient débrouillés pour s'évader de leur prison, et ils en étaient ressortis encore plus malins et mieux organisés qu'avant.

Et maintenant, les Gallus s'efforçaient de mettre la main sur les objets que le frère de Sin avait cachés. Grâce à ces objets, ils réveilleraient les Dimmes, tablant sur le fait que ces dernières les récompenseraient pour leur loyauté.

Dans trois semaines, il ne ferait pas bon être humain sur cette terre.

Sin se sécha les cheveux en se disant qu'il ne servait à rien de réfléchir plus avant cette nuit. Il avait trouvé la Table du Destin. Demain, il s'occuperait de la Lune. En attendant, il allait s'offrir quelques heures de repos.

Il se glissa tout nu entre les draps et essaya de se vider l'esprit. Sans résultat. Le film des Gallus réunissant leurs forces et faisant muter des humains défilait sous ses paupières closes. Ils ne mettraient pas longtemps à dominer le monde. Les mères infectées se retourne-raient contre leurs enfants, les frères contre les frères. Leur soif de sang était sans limites.

Les Gallus avaient été créés pour combattre les Démons charontes, dont le père de Sin pensait qu'un jour ils les anéantiraient tous. Ce que son panthéon n'avait pas envisagé, c'était que l'Atlantide disparaî-trait, et les Charontes avec elle. Sans autres Démons pour les occuper, les Gallus, affamés, s'en étaient pris aux humains. Ils avaient dévasté des villes entières avant que Sin, Ishtar et Zakar les maîtrisent.

Sin revoyait les cadavres humains devenus zombies se relever pour aller se battre.

Pire, il revoyait ses propres enfants se retourner contre lui.

Non, ces souvenirs-là, il n'en voulait pas. Ils ne lui fai-saient que du mal, et il avait déjà assez souffert comme cela. Le passé était révolu.

Lutter pour l'avenir, voilà ce qui importait désormais, et il avait besoin de toutes ses forces pour y parvenir.

Il se concentra, s'efforçant de faire le vide en lui, de ne penser à rien, de ne rien éprouver. Il était hors de ques-tion qu'il laisse des sentiments parasites comme le désir de vengeance ou la haine interférer dans ses projets.

Kat arpentait les rues de New York en essayant de capter quelque élément de la présence de Sin.

Il n'était peut-être déjà plus dans la ville.

L'inquiétude lui arracha un frisson tandis qu'elle se mêlait à la foule des vacanciers de Noël. Tout comme son père, elle aimait New York à cette période de l'année. Il faisait froid, mais la cité bouillait de vie et d'énergie, avec tous ces gens qui faisaient leurs courses, travaillaient, vivaient pleinement.

Elle adorait les vitrines décorées, le choix de thèmes amusants. Tous ces gosses qui bousculaient les adultes pour passer de vitrine en vitrine en riant l'enchantaient.

Son enfance n'avait pas été heureuse et insouciante. Bien qu'elle ait été protégée, elle avait vu des choses qu'aucun enfant ne devrait voir. La gaieté de ces jeunes êtres qui n'imaginaient pas que le monde puisse être laid, voilà ce qu'elle devait défendre. C'était pour eux qu'il était impératif qu'elle trouve Sin et l'empêche de leur nuire. À aucun prix il ne devait leur faire subir ce qu'il avait infligé à cette femme la nuit précédente. Pourquoi avait-il profané son corps ? Elle ne comprenait pas. Elle souffrait pour la malheureuse et pour sa famille, qui ignorerait toujours ce qui lui était arrivé et ne pourrait jamais faire son deuil.

C'était cruel, horrible et injuste.

Elle s'était arrêtée lorsqu'une fillette passa devant elle en courant. Un homme de haute taille la bouscula. Kat lui jeta un regard menaçant. Il marmonna quelques paroles inintelligibles, les yeux rivés sur la fillette, puis souffla comme un chat furieux. Il ressemblait à un prédateur convoitant un morceau de choix.

Il fit un pas vers l'enfant, mais la mère la rattrapa et la gronda. L'homme eut l'air furieux, et le sang de Kat se glaça dans ses veines lorsqu'elle s'aperçut qu'une lueur écarlate brillait dans ses yeux. Quelque chose n'allait pas. Cette lueur était anormale. Jamais elle n'avait assisté à pareil phénomène.

Cet homme n'était pas un humain. Il parut sur le point de sauter sur la mère et sa fille, mais se ravisa et s'éloigna.

Intriguée, Kat lui emboîta le pas. Il faisait grand jour. Un Démon voleur d'âme à cette heure-ci ? Non. Impossible. Apollon avait jeté un sort à cette race. Les Démons ne pouvaient sortir en plein soleil, sous peine d'être carbonisés.

Mais alors, qu'était cet homme ? Et à quel panthéon appartenait-il ? S'il n'était ni humain ni Démon, c'était qu'un dieu l'avait créé, mais dans quel but ?

Kat fit appel à tous ses pouvoirs extrasensoriels. Tout ce qu'elle perçut fut un esprit humain et de la fureur.

Peut-être l'homme était-il fou, tout simplement.

Il tourna dans une rue moins fréquentée. Kat songea à renoncer à le suivre pour reprendre sa quête : c'était Sin qu'il lui fallait. Pourtant, elle resta derrière l'homme, à quelque distance, discrètement. S'il s'agissait d'un être maléfique, elle faisait partie des rares personnes capables de le neutraliser. Elle ne ressemblait pas à sa mère. Elle était incapable de laisser souffrir autrui sans bouger un cil.

L'homme s'enfonça dans la rue de plus en plus déserte. Soudain, il se retourna et gronda, tel un fauve furieux d'être dérangé. Et cette fois, dans ses yeux, c'était une flamme rouge qui tournoyait autour de la pupille. Il ouvrit la bouche, montrant une double rangée de crocs, avant de fondre sur Kat, de l'empoigner par les épaules et de la projeter contre un mur.

Bien que prise par surprise, elle riposta, mais il esquiva le coup, la saisit à la gorge et la jeta de nouveau contre le mur, avec une telle force qu'elle en eut le souffle coupé. Si elle avait été humaine, elle aurait perdu connaissance. Ou pire. Mais elle avait juste atrocement mal et était très en colère.

— Mais qu'êtes-vous ? s'écria-t-elle.

Sans répondre, il la souleva aussi aisément que si elle avait été une plume et l'expédia sur le capot d'une voiture garée, qui s'enfonça sous l'impact. L'alarme se déclencha. Du sang emplit la bouche de Kat.

Elle essaya de bouger, mais comprit qu'elle avait le bras cassé. Pour ne rien arranger, elle était encastrée dans le pare-brise défoncé.

Les yeux écarlates, l'homme fonça.

À la seconde où il allait s'abattre sur elle, Kat distingua quelque chose qui tombait du sommet d'un immeuble. Une masse noire, qui atteignit si lourdement le sol que le bitume se fissura.

La chose était bien plus effrayante que la créature qui l'avait agressée.

C'était Sin, tout de cuir noir vêtu. Tapi par terre, il se préparait à bondir sur l'homme.

— Gallu, dit-il d'une voix caverneuse, bats-toi plutôt avec un adversaire à ta hauteur !

L'homme se détourna de Kat et décocha un crochet à Sin, qui para le coup en levant son bras protégé d'un brassard d'argent. Il frappa l'homme au menton. Celui-ci recula, et Sin en profita pour cogner à la poitrine. L'homme recula encore en chancelant.

Tandis que l'homme encaissait le coup, Sin sortit une longue dague de sous son manteau. L'autre revint alors vers lui, la bouche grande ouverte, avec la manifeste intention de le mordre. Sin se jeta par terre, fit un roulé-boulé et balaya les jambes de l'homme, qui s'effondra. Sin se redressa et lui planta sa lame droit entre les deux yeux.

L'homme hurla et se mit à se tordre sur la chaussée tout en battant l'air des bras et des jambes.

— Oh, la ferme, saloperie ! s'exclama Sin avant d'extraire la dague pour la planter derechef, cette fois dans la poitrine.

Kat s'arracha au pare-brise et se laissa glisser le long du capot. Mais, handicapée par son bras cassé, elle se découvrit incapable d'arrêter Sin lorsqu'il décapita l'homme puis mit le feu à la dépouille.

Comment pouvait-il faire cela ? En plein jour, de surcroît ? Il risquait d'être surpris, mais, apparemment, il s'en moquait.

Un instant plus tard, Sin était devant elle et lui agrippait le bras.

— Avez-vous été mordue ?

Elle n'eut pas le temps de répondre : il inspectait son corps, tâtant ses membres, son buste, son cou, allant même jusqu'à écarter les pans de son chemisier pour regarder son ventre.

Elle lui tapa violemment la main.

— Ne me touchez pas !

— Vous a-t-il mordue ?

Il leva les yeux vers son visage, ce qu'il n'avait pas encore fait. Et là, il parut sidéré. Le temps sembla s'arrêter l'espace d'un battement de cœur, puis Sin ferma des doigts de fer autour de sa gorge et serra.

3

Kat leva les jambes puis les détendit d'un coup. En un éclair, Sin fut propulsé deux bons mètres plus loin et se retrouva assis sur le macadam.

— Viens donc un peu ici, abruti ! le nargua-t-elle.

Les narines de Sin frémirent sous l'effet de la colère.

— Oh que oui, je vais venir ! Ça fait des siècles que j'en brûle d'envie !

Qu'entendait-il par là ?

Kat n'eut pas le temps d'approfondir la question : des sirènes hululaient non loin.

Sin réagit avant elle. Avec une célérité confondante, il l'attrapa... Une fraction de seconde plus tard, elle perdait connaissance.

Sin eut un sourire mauvais quand il vit Artémis évanouie dans ses bras. Cette saleté de déesse l'avait privé de ses pouvoirs de dieu, mais son frère avait veillé à ce qu'il lui reste assez de puissance pour se protéger. De tous, y compris des dieux.

Quelle chance, tout de même, que cette garce se soit trouvée sur son chemin. Maintenant, elle était à lui, et elle allait payer pour ce qu'elle lui avait fait.

La déesse serrée contre lui, il se téléporta dans son appartement de Las Vegas et la lâcha sans douceur sur son canapé de cuir noir. Après quoi, il se rendit dans sa chambre pour y prendre ce dont il avait besoin. Garder une déesse en otage n'était pas une sinécure. Dès son réveil, elle serait en pétard. Et elle voudrait voir le sang couler.

Son sang.

Mais il saurait neutraliser ses pouvoirs. Elle ne réussirait pas à lui arracher le cœur. Il ouvrit sa penderie et fit glisser ses vêtements d'un côté : derrière les cintres se trouvait un placard secret, une chambre forte fermée par une porte de bronze et dotée d'un scanner rétinien. Quelque chose de fort moderne, pour un ex-dieu sumérien. Mais quand on était coincé dans le monde d'aujourd'hui, il fallait bien s'adapter, n'est-ce pas ?

Il ouvrit la porte et entra dans la chambre forte, où il gardait les vestiges de son ancien temple à Ur. Il avait rassemblé là les rares objets qu'Artémis n'avait pas détruits. Pas grand-chose : une paire d'urnes d'or, l'autel sur lequel autrefois ses adorateurs déposaient des offrandes, quelques statues. Mais la plupart des objets provenaient du temple de sa fille. Après sa mort, il avait essayé de conserver tout ce qui portait son image et le gardait désormais enfermé dans les vitrines autour de lui.

Mais ce n'était pas pour cela qu'il était revenu ici. Le plus important dormait au fond de la chambre, dans un coffre recouvert de cuir qui grinça quand il en souleva le couvercle. Un sourire sarcastique étira ses lèvres dès qu'il trouva l'objet qu'il conservait précieusement depuis des siècles.

Le *diktyon*, le filet magique dont s'était servie Artémis pour le ligoter pendant qu'elle lui prélevait ses pouvoirs.

Il ressentait encore l'humiliation qu'il avait éprouvée en se retrouvant à sa merci.

Après l'avoir réduit à l'impuissance, la garce l'avait abandonné dans le désert, toujours prisonnier du filet.

— Merci de t'être montré si accommodant. Maintenant, que les autres dieux de ton pathétique panthéon s'affrontent jusqu'à ce qu'il n'en reste plus un seul.

Il entendait encore le ricanement de la déesse.

Aussi désarmé qu'un nourrisson, il avait été obligé d'appeler sa famille à la rescousse. Le voyant ligoté, son père s'était moqué de lui, puis lui avait tourné le dos… et tous les autres l'avaient imité. Seul son frère Zakar avait montré quelque pitié. Sans lui, à l'heure qu'il était, Sin serait toujours pris au piège en plein désert.

Évidemment, les rires avaient vite cessé, car Artémis avait tenu sa promesse : presque tous les membres de la famille de Sin avaient été détrônés par les dieux grecs, qui s'étaient emparés de leurs pouvoirs et avaient aussi alimenté leurs querelles intestines. Comme annoncé, ils s'étaient entre-tués jusqu'à complète extinction. Cela s'était passé trois mille ans auparavant.

Le moment était venu d'égaliser le score.

Il s'approcha de la couche où Artémis gisait, sans connaissance, et la regarda. Il aurait pu la tuer, là, tout de suite… La tentation était grande, mais quel plaisir en retirerait-il ? Elle était inconsciente. Elle ne sentirait donc rien, ne saurait pas ce qui lui arrivait. Et puis, elle était une déesse. La tuer alors qu'elle était toujours une divinité risquait de déclencher le chaos dans l'univers.

Il n'y avait qu'un moyen de détruire un dieu : fractionner ou absorber ses pouvoirs, puis le supprimer.

De toute façon, il tenait à la voir souffrir, à scruter ses yeux quand elle comprendrait que la mort allait la frapper, quand elle se rendrait compte qu'il s'appropriait ses pouvoirs et redevenait un dieu. Il ne voulait rien manquer de son humiliation, de sa terreur face à sa nouvelle vulnérabilité.

Cela exigeait qu'elle soit consciente et, bien entendu, vivante.

Et merde. Il allait devoir attendre.

Mais, avec un peu de chance, elle pleurerait, le supplierait d'avoir pitié d'elle – en vain. Elle serait hystérique, lui promettrait de faire n'importe quoi pour le satisfaire...

Il allait passer un moment délicieux.

Il fixa les liens autour de ses chevilles, puis considéra son visage. Cela le navrait, mais il était obligé d'admettre qu'elle était d'une beauté confondante. Un magnifique serpent venimeux. Dans ses rêves de vengeance, il avait occulté cette beauté, cette grâce, cette séduction.

Pourtant, de temps à autre lui revenaient des souvenirs qu'il avait refoulés au fond de sa mémoire. Trois mille ans plus tôt, il s'était un jour rendu à son temple parce que cette déesse l'intriguait. Toutes les déesses étaient belles, mais Artémis était une pure merveille. Elle lui avait dit être bien solitaire, avoir besoin d'un confident, de quelqu'un qui la comprenne. Et lui, stupidement, avait cru avoir trouvé l'âme sœur.

Et ensuite, à l'instar de tous les êtres qu'il avait connus, elle s'était retournée contre lui. Âme sœur, mon œil ! Elle lui avait ri au nez et avait fait de lui un immortel pathétique.

Alors maintenant, il ne lui trouvait plus rien de beau, à cette garce.

Un détail le troublait, cependant : la flamboyante rousse à la chevelure si célèbre était devenue blonde. Peut-être parce qu'elle était allée dans le monde des humains. Elle avait dû essayer de leur ressembler, de passer inaperçue.

Son corps, en revanche, était le même qu'autrefois. Artémis était toujours grande et élancée, et magnifiquement bâtie. Tout homme, immortel ou non, devait avoir envie d'approcher une femme comme elle. Lui-même, autrefois, aurait été prêt à satisfaire le moindre de ses caprices pour lui faire plaisir.

Eh bien, c'était terminé. Il ne voulait plus que la tuer.

— Sin ?

Il se retourna. Son serviteur, Kish, entrait dans la pièce. Le colosse semblait avoir vingt-cinq ans, mais en avait en réalité trois mille. Il portait ses cheveux noir corbeau mi-longs et avait le teint olivâtre.

Il se figea en découvrant la femme sur le canapé.

— Eh ben, patron, qu'est-ce que tu fais ?

— À ton avis ?

Kish fit la grimace.

— M'a tout l'air bizarre. Aurais-tu oublié que kidnapper une femme, de nos jours, et surtout dans ce pays, c'est un délit fédéral ?

— Je sais, et à l'époque où tu es né, c'était un crime qui valait au ravisseur d'être castré puis décapité.

La mention de la castration fit tiquer Kish, qui, par réflexe, plaqua les mains sur son entrejambe.

— Alors, pourquoi as-tu kidnappé celle-là ?

— Qui dit que c'est ce que j'ai fait ?

— Elle est inconsciente et attachée… tout habillée. Si elle avait coopéré, elle ne serait pas habillée, pas attachée, et elle serait éveillée.

Un point pour Kish, qui s'approcha pour regarder la femme de plus près.

— C'est qui ?

— Artémis.

— Artémis qui ?

— Tu le sais bien, enfin ! La déesse grecque. La garce qui m'a volé mes pouvoirs.

Kish eut un rire nerveux.

— La déesse, troussée comme une dinde, sur ton canapé ? Tu es dingue ou quoi ?

— Pas du tout, répliqua Sin, furieux. J'ai su tirer parti d'une certaine situation.

Kish blêmit.

— Et quand elle se réveillera, elle nous fera griller tous les deux ! On va déguster. Elle commencera par nous coller son pied au cul, et je n'ai aucune envie de me faire botter les fesses par une déesse ! Par Angelina

40

Jolie en combinaison moulante noire, chaussée d'escarpins à hauts talons, OK. Je la laisserais me piquer tout le corps avec ses talons. Mais elle… elle m'éviscérera lentement, douloureusement, et ça, je ne veux pas !

— Calme-toi, Kish ! On dirait que tu vas mouiller ton pantalon. Elle ne va pas nous botter le cul : ce filet annihile ses pouvoirs. C'est avec ce truc qu'elle m'a coincé, autrefois.

— Oh. Tu en es sûr, patron ?

— Affirmatif. Le *diktyon* a été conçu comme un piège pour les dieux et les immortels. Tant qu'elle sera ligotée dedans, elle sera inoffensive, et nous, on sera OK.

— Je ne crois pas que « OK » soit le mot qui convienne. Moi, je dirais « baisés » ou « morts ». Quand elle rouvrira les yeux, elle ne sera pas très contente.

— Je m'en fous, qu'elle soit contente ou non. Une fois que j'aurai récupéré mes pouvoirs, ça n'aura plus la moindre importance. Elle sera bien incapable de s'en prendre à nous.

— Et comment vas-tu procéder ?

Sin n'en avait pas la moindre idée. Pour commencer, il ignorait comment Artémis s'était débrouillée pour le coincer. Elle lui avait fait boire un nectar dans son temple, ensuite la tête lui avait tourné… Ce qui s'était passé après, il l'ignorait. Il imaginait qu'Artémis lui avait volé ses pouvoirs en buvant son sang. Or il n'avait aucune envie de boire son sang à elle. Les dieux savaient de quelles maladies la garce pouvait être porteuse ! La rage, la parvovirose, l'herpès… Mais s'il le fallait, il le ferait.

En priorité, il devait découvrir si un échange de sang marcherait.

— Hé, Kish, tu n'as rien d'autre à faire ?

— Si je n'avais pas peur que tu ne me dépèces ou que tu ne me brises les os un par un, j'appellerais les flics. Mais je préfère tenter de faire entrer un peu de bon sens dans ta cervelle.

— Kish, si tu tiens à la vie, barre-toi.

Le serviteur esquissait un pas de recul quand Sin s'inquiéta : Kish était terrifié, et la terreur était mauvaise conseillère. Les gens effrayés commettent des actes idiots. Appeler la police, par exemple. Ou, pire, appeler Acheron.

Sin pétrifia Kish sur place. Puis il regarda son imposante silhouette immobile.

— Voilà. Maintenant, laisse-moi tranquille.

Kish n'allait plus l'enquiquiner, et ainsi, il ne serait pas obligé de le tuer.

Satisfait, il condamna la porte en la scellant, afin que personne d'autre ne vienne le déranger.

Lorsque Kat reprit conscience, son bras lui faisait un mal de chien. Elle essaya de le soulever, sans résultat. Elle était enfermée dans un filet à peine palpable. Un filet qu'elle ne connaissait que trop bien.

Le *diktyon* d'Artémis.

Quelle horreur ! Elle se rappelait cette servante, des siècles auparavant, qui l'avait capturée dans le filet pour s'amuser. Et voilà qu'elle avait recommencé ! Cette imbécile ne comprendrait donc jamais que ce jeu n'était pas drôle ?

— Ça va, Satara. Arrête tes bêtises et libère-moi ! s'écria-t-elle.

Mais... elle n'était pas chez elle ! s'aperçut-elle soudain. Et Satara n'était pas là, à rire comme une bécasse. En revanche, il y avait un homme qui la fixait avec haine.

Sin.

— Bon sang, qu'est-ce que vous me voulez ?

— C'est simple : retrouver mes pouvoirs.

Évidemment. Quel dieu ne l'aurait pas voulu ? Mais il gèlerait en enfer avant qu'elle permette à un psychopathe du calibre de celui-là de retrouver un seul atome de ses pouvoirs.

— Allez vous faire foutre.

— Tss, tss… Pas de ça avec moi, Artémis. Je ne suis pas d'humeur.

— Et moi non plus, abruti. Petite précision : je ne suis pas Artémis.

Sin resta interloqué, puis examina de près le visage de sa captive. Il y avait bien quelques petites différences, mais c'étaient les mêmes yeux verts, les mêmes traits. Et il percevait le pouvoir qui grondait dans ce joli corps.

— Ne mens pas, sale garce.

Elle essaya de lui donner un coup de pied. Peine perdue.

— Je t'interdis de me traiter de garce, espèce de con. Je ne supporte ça de personne, alors encore moins de toi !

Puisqu'il la tutoyait, autant faire de même.

— Rends-moi mes pouvoirs, et tu seras libre.

Et il la tuerait…

— Écoute-moi bien, andouille. Je ne peux pas te rendre ce que je n'ai pas ! Je-ne-suis-pas-Ar-té-mis ! Pigé ?

— Ouais, c'est ça. Tu crois que j'aurais pu oublier le visage qui me hante depuis trois mille ans ? La tête de celle que j'ai l'intention de décapiter ?

Elle gronda comme une bête fauve.

— Je ne suis pas Artémis !

— Tu n'es… Alors, qui es-tu ?

— Je m'appelle Kat Agrotera.

— Kat Agrotera, hein ? répéta Sin en gloussant. Bien joué, Artémis. « Agrotera » veut dire « chasseuse ». Tu pensais que je ne me souvenais plus du surnom que te donnent tes adorateurs ?

— C'est aussi le nom qu'on donne aux *koris* d'Artémis, crétin.

— Tu prétends être l'une de ses servantes ? Tu me prends donc pour un idiot ? Tu m'as dupé une fois, tu ne me duperas pas deux.

Kat lâcha un long soupir de frustration. Elle possédait le pouvoir de briser le filet, mais si elle faisait cela, Sin serait convaincu qu'elle était bien la déesse. De toute façon, mieux valait qu'il la croie dépourvue de tout pouvoir et donc inoffensive.

— Personne d'autre n'a des yeux pareils. Personne. Tu ne me tromperas pas, Artémis.

— Regarde-moi bien : je suis plus grande qu'elle.

Sin hésita. Il ne se rappelait pas exactement la taille de la déesse. Il ne l'avait pas revue depuis une éternité. Tout ce dont il se souvenait, c'était qu'elle devait faire environ un mètre quatre-vingts.

— Je m'en tiens à ce que j'ai dit : Artémis ne supporterait jamais dans son temple une *kori* plus grande qu'elle, s'obstina-t-il néanmoins.

La femme rejeta la tête en arrière et émit un grondement de colère.

— J'ai l'impression que tu as des projets dont je ne veux pas entendre parler. Laisse-moi partir, et nous oublierons tous les deux ce qui vient de se passer. Sinon, crois-moi, tu le regretteras.

— Oh, pas cette fois, Artémis. Si quelqu'un doit avoir des regrets, ce sera toi. Rends-moi mes pouvoirs ! Tu m'as spolié de tout ce qui m'appartenait, à part ma vie, et encore : tu m'as presque tué !

Un vague et lointain souvenir affleura soudain à la mémoire de Kat, sans qu'elle parvienne à le préciser.

— Ton projet, c'est de tuer Artémis, c'est ça ? Elle a dit qu'elle te haïssait, a raconté que tu étais entré par effraction dans son temple, que tu avais essayé de la violer...

Kat s'arrêta net : comment un dieu appartenant à un autre panthéon aurait-il pu s'introduire dans le temple d'Artémis sur l'Olympe sans y avoir été invité ? Elle n'avait pas encore songé à cela. À l'époque, elle était très jeune, et elle avait seulement eu peur que l'intrus fasse du mal à la déesse. En ce temps-là, une lutte sans merci opposait les dieux des différents panthéons. Artémis avait souvent été menacée de mort. Mais il y avait une chose rigoureusement impossible : un dieu extérieur au panthéon grec ne pouvait en aucune manière entrer sur l'Olympe sans invitation.

— Qu'est-ce que tu racontes ? lui demanda rudement Sin. Tu as perdu l'esprit ou quoi ?

Une vague de culpabilité assaillit Kat.

— Je ne suis pas Artémis. Laisse-moi partir.

— Pas tant que je n'aurai pas récupéré mes pouvoirs.

Voilà qui devenait lassant...

— Je te le répète une dernière fois : je ne peux pas te rendre ce que je n'ai pas !

— Dans ce cas, tu vas rester là jusqu'à la nuit des temps.

— Oh, que c'est intelligent ! Et qu'est-ce que tu comptes faire de moi ? Je te servirai de table de salon ? De sujet de conversation quand des amis viendront te rendre visite ? Et lorsque j'aurai besoin d'aller aux toilettes, hein ? J'espère que tu as un bon abonnement à « Nettoyage de canapé express » !

Sin hésitait entre le rire et la colère – cette femme savait être amusante, il devait l'admettre.

— Tu manies bien le sarcasme, remarqua-t-il.

— Et je ne fais que commencer.

Elle voulut ponctuer sa repartie d'un mouvement du bras, mais la douleur la bloqua. Sin ne put s'empêcher de se sentir honteux... et se le reprocha aussitôt : n'avait-il pas voulu qu'elle souffre ? Si. Et pourtant, il était très ému. Et très irrité : pourquoi ne demandait-elle pas son aide ? Son bras cassé, car il voyait bien qu'il l'était, ne guérirait pas tout seul.

Elle avait raison : la laisser empêtrée dans ce filet était une idée stupide. Pour elle comme pour lui.

— Écoute, Artémis... ou Kat, puisque tu prétends t'appeler ainsi, il faut absolument que je retrouve mes pouvoirs.

— Reçu cinq sur cinq : tu tiens à les retrouver pour pouvoir tuer Artémis et te venger d'elle.

— Je mentirais en affirmant que non. C'est exactement ça. Je la veux morte. Mais, dans l'immédiat, j'ai d'autres soucis. Tu viens d'en rencontrer un dans cette rue de New York.

Le souvenir de l'abominable créature avait hanté Kat toute la nuit.

— Tu veux parler de cette... chose qui m'a attaquée ?

— Oui. Les Démons gallus sévissent de plus en plus, les Dimmes sont sur le point d'être libérées, et je suis la seule personne capable de les repousser. Si je n'ai pas mes pouvoirs, ce sera l'apocalypse. Tu te rappelles ce qui est arrivé à l'Atlantide ? En comparaison de ce qui va se produire, c'est de la rigolade.

— Je te signale que l'Atlantide a été détruite bien avant ma naissance.

Mais elle savait comment avait sombré le continent.

Voyons, Artémis n'était pas fiable, réfléchit-elle. Et Sin ? Lui racontait-il des bobards, ou y avait-il quelque vérité dans son histoire ?

— Ces gens, la nuit dernière, pourquoi les as-tu brûlés et décapités ?

Elle comprit aussitôt qu'elle n'aurait pas dû poser cette question : il dardait soudain sur elle des yeux noirs de colère.

— Tu m'as espionné ?

— Artémis m'a dit de le faire. Ne me regarde pas comme ça ! Je peux espionner qui je veux quand je veux !

— Et pourquoi moi ?

Que lui répondre ? Lui révéler tout de go ce qu'Artémis désirait vraiment, à savoir qu'il meure, le rendrait encore plus furieux. Mieux valait donc fournir l'explication de manière plus... délicate.

— Artémis tenait à savoir ce que tu envisageais de faire. Elle pensait que tu projetais de la tuer.

— Exact, et c'est toujours le cas, mais dans l'immédiat, j'ai plus urgent à faire.

Il marqua une pause, puis ajouta :

— Je coupe les têtes des Gallus et je brûle leurs cadavres parce que sinon, ils reviennent, comme dans un film d'épouvante.

Un point éclairci. Bien.

— Mais l'humaine, pourquoi as-tu profané son corps ? demanda Kat.

— Qu'est-ce que tu imagines ? rétorqua Sin. Une morsure de Gallu, et la victime devient un Démon dépourvu de libre arbitre qui obéit au doigt et à l'œil à ces monstres. Chaque fois qu'un humain a été tué par un Gallu, il faut le décapiter et le brûler lui aussi pour l'empêcher de revenir.

Maintenant, Kat comprenait pourquoi la créature avait essayé de la mordre.

— C'est pour ça que tu as cautérisé ta main, cette nuit ?

— Oui. Si on s'y prend tout de suite, on neutralise le poison. Il ne se répand pas dans le corps.

Cela devait faire un mal de chien. Combien de fois Sin s'était-il déjà infligé ce supplice ?

— Pour satisfaire ma curiosité, Artémis est-elle au courant, pour les Gallus ?

— Je ne sais pas, Artémis. Et toi ?

Il persistait à la prendre pour la déesse.

— Je pensais que nous avions réglé ce problème.

— Tant que je n'aurai pas eu de preuve absolue, non. Je reste donc sur mon idée. Rends-moi mes pouvoirs, espèce de sale garce !

L'insulte attisa la colère de Kat. Bons dieux, mais que devait-elle faire pour qu'il la croie ?

Brise le filet puis brise-lui le crâne.

L'ordre avait jailli si fort dans sa tête qu'elle faillit crier de surprise.

Katra ?

Artémis !

Que se passe-t-il, Katra ? Pourquoi es-tu aussi en colère ? Est-ce qu'Apollymi t'embête ?

— Cesse de m'espionner !

Sin se méprit sur l'interlocuteur auquel s'adressait Kat.

— C'est difficile de ne pas t'espionner alors que tu es sur mon canapé ! D'ailleurs, c'est plutôt marrant que ça te choque, compte tenu de ce que tu as fait la nuit dernière.

Katra ? Dis-moi ce qui ne va pas, sinon j'arrive. Ça ne te ressemble pas d'être aussi furieuse.

La déesse se faisait du souci pour elle, maintenant ? Première nouvelle.

Kat ne savait pas ce qui la contrariait le plus : avoir été entortillée dans le filet par un ex-dieu sumérien ou être soumise à l'autorité d'une déesse grecque.

Tout est OK, matisera. *J'ai la situation bien en main.*

— Et pourquoi est-ce que j'ai du mal à avaler ça, hein ? s'exclama Artémis en se matérialisant dans la pièce, devant Kat.

En la voyant, vêtue d'un long fourreau blanc, ses flamboyants cheveux cascadant sur ses épaules et dans son dos, Sin resta sans voix.

Finalement, peut-être Kat ne lui avait-elle pas menti en niant être Artémis...

La déesse affichait une assurance confondante. Elle posa sur Sin un regard empreint d'ennui.

— Pff... Regardez donc ce que la pluie nous a amené... Que fait-il là, Kat ?

Sin jura *in petto* : il s'était fait duper par les deux femmes. Mais celle qui l'intéressait, c'était Artémis. Il fondit sur elle. À la seconde où il allait l'attraper, sa servante s'interposa.

Comment était-elle sortie du filet ? Il était bien placé pour savoir que c'était pratiquement impossible !

— Du calme, Sin, lui ordonna Kat en se massant le bras.

— Écarte-toi de mon chemin, petite. Pas question que tu m'empêches d'avoir ce que je veux !

— Et que veux-tu ? interrogea Artémis. Tes ridicules pouvoirs ?

Sin fonça, mais Kat le saisit par la taille et le jeta par terre, avec une force inimaginable chez une femme. D'autant qu'elle avait un bras cassé.

Puis elle s'abattit sur lui.

Il la repoussa en grondant.

— Je ne veux pas te faire mal, mais ça ne signifie pas que je ne t'en ferai pas !

— Pareil pour moi.

Il tenta de nouveau de se libérer, mais constata avec dépit que la femme s'accrochait à lui plus solidement que du Velcro. Impossible d'atteindre Artémis !

— Enlève-toi, Kat, que je le pulvérise, dit la déesse.

Sin cessa de lutter : il venait de prendre conscience de quelque chose d'extrêmement important. Son regard fit des allers-retours entre Artémis et Katra et, soudain, il sut ce qu'il devait faire.

Il sortit la longue dague de sa botte, plaqua la lame sur la gorge de Katra et darda un regard assassin sur Artémis.

— Rends-moi mes pouvoirs, sinon je prends la vie de ta fille.

4

Kat se plaqua contre Sin, éloignant autant que faire se pouvait son cou de la lame.

— Bon sang, à défaut de pouvoirs, tu as le don d'emmerder les gens ! s'exclama-t-elle. Tant que tu y es, pourquoi est-ce que tu ne lui dis pas que cette robe la grossit ?

Sin ignora Kat pour lancer à la déesse :

— Je ne plaisante pas, Artémis !

Le visage soudain de marbre, celle-ci rétorqua :

— Moi non plus.

Tout se passa ensuite si vite que Kat ne se rendit même pas compte que la dague n'était plus sur sa gorge. L'arme fut arrachée des mains de Sin et plongée dans la poitrine de l'ex-dieu à trois reprises. Au troisième coup, elle y resta enfoncée jusqu'à la garde.

Sin jura comme un charretier avant de l'extraire vivement. Kat leva la main dans une tentative d'apaisement.

— *Matisera...*

— Reste en dehors de ça, Katra. Rentre à la maison.

Le ton étant sans appel, Kat savait qu'il aurait été sage d'obéir. Mais elle ne pouvait abandonner Sin. Si ce qu'il avait dit à propos des Gallus était vrai, il fallait qu'elle reste.

— Il est temps d'achever ce que nous avons commencé, dit Artémis en s'avançant vers lui.

Sin, qui était tombé, se releva et se précipita sur la déesse, laquelle, d'un geste à peine perceptible, le projeta contre le mur. Il rugit, décocha un coup de poing… et la déesse chancela sous le choc. Kat était sur le point d'intervenir pour protéger sa mère quand celle-ci appela :

— Deimos !

Kat se figea : un homme à l'allure redoutable venait d'apparaître.

Il avait des cheveux noirs striés de mèches blanches. Il avait changé de look depuis la dernière fois qu'elle l'avait vu, songea Kat. Et il était terrifiant, surtout avec ce tatouage qui partait de ses yeux bleu électrique comme un trait d'eye-liner et s'étirait en zigzags de ses joues jusqu'à son cou. Beau et inquiétant, il se tenait bien droit, campé sur ses jambes écartées, tête inclinée sur le côté, tel un prédateur observant sa proie, les bras le long des flancs, les mains frôlant ses armes, une épée et un revolver, prêt à se battre.

— Vide-le de ses pouvoirs et tue-le, Deimos.

Kat laissa échapper une exclamation : une fois donné, l'ordre ne pouvait être annulé. Deimos était l'un des plus dangereux Dolophoni. Fils des terribles Érinyes, ce dieu était celui qu'on appelait lorsqu'on avait besoin d'un implacable Terminator. Il ne s'arrêterait qu'une fois Sin mort.

Il se tourna vers Sin et, d'une gifle, le jeta par terre.

— *Matisera*, qu'as-tu fait ? gémit Kat.

— Ce qui aurait dû être fait dès le début.

Artémis tenta de téléporter Kat hors de la pièce, sans succès : depuis qu'elle l'avait placée au service de sa grand-mère, elle n'avait plus ce pouvoir sur sa fille.

— Laisse-nous, Katra ! aboya-t-elle. Tout de suite !

Un ordre qui ne fut pas suivi d'effet : si Kat était là, c'était parce qu'Artémis l'avait lancée à la recherche de

Sin. Lequel était en train d'infliger à Deimos une belle correction. Mais cela ne changerait rien à l'issue du combat : Deimos vaincrait.

Sin était handicapé par ses blessures à la poitrine. Deimos, lui, pouvait demander aux Érinyes d'amplifier son pouvoir au-delà de toute limite, et il ne s'en privait pas.

Kat était consternée. Sin méritait peut-être de mourir, mais pas de cette façon. Pas si ce qu'il lui avait dit était vrai.

Les dieux avaient besoin de lui pour exterminer les Démons.

— Désolée, *matisera*, dit Kat.

Juste avant de se précipiter sur Sin, elle vit la consternation se peindre sur les traits de sa mère.

Il était acculé contre le mur et tentait de parer les coups de Deimos, qui venait de sortir son épée pour l'achever. Kat saisit le bras de l'ex-dieu et, en un éclair, tous deux se retrouvèrent à Kalosis, chez la jeune femme. Ils s'abattirent, membres enchevêtrés, au centre du salon obscur.

Sin réussit à s'écarter de Kat, qui, en dépit de la pénombre, vit qu'il saignait abondamment. Humain, il serait déjà mort – en fait, il souffrait sans doute tellement qu'il devait regretter de ne pas l'être.

— Il faut te soigner, dit-elle.

Il regarda autour de lui.

— Où sommes-nous ? Qu'as-tu fait ?

— Je t'ai sauvé la vie.

Elle avait posé la main à côté de sa plus profonde blessure. Il la repoussa.

— Je me serais débrouillé sans toi.

Kat s'assit en tailleur.

— Ouais, c'est ça. Tu faisais un super-boulot. J'ai beaucoup aimé la façon dont tu frappais ses poings avec ta figure… Encore quelques minutes et ton cœur aurait battu très fort, stimulé par l'adrénaline... mais arraché de ta poitrine !

— Qu'est-ce que tu en sais ?

— J'en sais beaucoup trop à mon goût, certains jours.

À en croire la note de lassitude dans sa voix, Kat en avait assez d'Artémis et de ses machinations. Même le plus endurci des immortels en aurait eu ras le bol.

Cela lui était fort désagréable de devoir l'admettre, mais elle avait raison : le colosse appelé par Artémis lui avait mis une raclée. Jamais il n'aurait dû s'opposer à Artémis alors qu'il était privé de ses pouvoirs. Il s'était montré stupide. Il avait de la chance que le Dolophonos ne lui ait pas arraché le cœur, comme l'avait dit Kat.

Il avait voulu se venger, à n'importe quel prix, et en avait perdu tout bon sens.

Kat se pencha sur lui, ouvrit sa chemise et examina les blessures causées par la dague. Il voulut la repousser, mais elle fit apparaître dans sa main un linge pour éponger le sang et nettoyer les plaies.

C'était incompréhensible, cette gentillesse. La fille d'Artémis, dotée de compassion ? Impossible.

De surcroît, il n'avait pas l'habitude qu'on l'aide. On lui avait toujours tourné le dos lorsqu'il souffrait. Les gens n'étaient pas gentils, à moins que cela ne leur rapporte quelque bénéfice.

— Pourquoi m'aides-tu ?

— Qui a dit que je t'aidais ?

Il baissa les yeux sur la main qui tenait le linge, puis les releva et la regarda d'un air entendu.

— Oh. C'est juste que je n'aime pas voir quelqu'un se faire piéger, marmonna Kat.

— C'est curieux, mais je n'en crois pas un mot. Oh, mais attends : tu fais ça parce que tu es la fille de la pire garce qui ait jamais vécu, celle qui consacre sa vie à faire tomber dans des pièges ceux qu'elle rencontre.

— Tu peux arrêter de dire ce genre de truc ? répliqua Kat entre ses dents serrées.

— C'est une garce !

— Pas ça. Le reste. Sinon, j'étale du sel sur tes blessures.

— Pourquoi ? Tu n'es pas fière de ta petite maman ?

Les yeux verts de Kat flamboyaient.

— J'adore ma mère ! Je serais prête à tuer ou à mourir pour la protéger ! Alors, arrête de dire du mal d'elle sinon je te tue !

Sin ne put s'empêcher de frissonner. Si Katra était réellement la fille d'Artémis...

Il se rappelait la déesse l'attirant dans son lit après l'avoir drogué. Elle lui avait arraché sa chemise et l'avait jeté sur le matelas.

Elle était censée être vierge...

Une affreuse pensée l'assaillit.

— Oh, merde ! Tu ne serais pas ma fille, par hasard ?

L'expression de Kat fut éloquente : l'idée la révulsait.

— Ne rêve pas. Tes gènes n'auraient jamais pu me créer.

Oh que si ! Elle était belle, grande, plus grande qu'Artémis, et elle aurait pu tenir sa haute taille de lui. Son teint était un peu plus mat que celui de la déesse.

— Alors, qui est ton père, si ce n'est pas moi ?

— Les hommes et leur ego ! souffla-t-elle, excédée. Ma mère ne t'ouvrirait pas son lit même si tu étais couvert de chocolat.

— Pardon ? s'exclama Sin, piqué au vif. Pour ta gouverne, sache que je suis très bon, au lit ! Ma réputation n'est pas usurpée. Je n'étais pas seulement le dieu de la lune, j'étais aussi le dieu sumérien de la fertilité ! Tu comprends ce que cela signifie, n'est-ce pas ?

— Que tu es jaloux de la taille du pénis des autres dieux de la fertilité ?

Repoussant les mains qui soignaient ses blessures, il tenta de se lever... et retomba comme une masse.

— Ne t'en fais pas, dit Kat, je ne parlerai pas aux autres dieux de ton problème de petit pénis.

— Tu es vraiment la fille de ta mère ?

— Je t'ai déjà dit d'arrêter de parler de ça.

— Pourquoi ?

— Parce que personne n'est censé le savoir.

— Tu crois que les gens sont aveugles ? Tu es sa copie conforme !

— Faux. Je ressemble à mon père. Je n'ai que les yeux de ma mère.

— Son timbre de voix aussi.

— Oh.

— Eh oui. Un accent différent, mais un timbre similaire.

Kat se mit debout et s'éloigna. Être près de lui la troublait bizarrement. Il était plus perspicace et intuitif que la plupart des gens. Quelqu'un avait-il déjà noté ces points communs entre Artémis et elle ? Si c'était le cas, cette personne avait été assez sage pour se taire.

— Merci pour ton aide, dit-il.

Ses plaies étaient refermées. Grâce à ses propres pouvoirs, du moins ceux qui lui restaient, il répara sa chemise, puis se concentra. Il voulait s'en aller. Il essaya de se téléporter. Et échoua.

— Mais que…

— Il faut que tu restes ici !

— Merde.

— Si tu files, tu es un homme mort. À la seconde où tu as parlé de faits que tu devais taire et où ma mère a appelé Terminator, ton arrêt de mort a été signé.

— Quoi ? rugit Sin. Pas question que tu me retiennes en otage !

Le voir tellement indigné fit rire Kat.

— C'est drôle d'entendre ça venant d'un homme qui m'a assommée puis entortillée dans un filet.

— Ça, c'est autre chose.

— C'est sûr ! Moi, je ne fais ça que pour te protéger. Toi, en revanche, tu voulais me tuer. Peut-être que je devrais te laisser partir. Ce serait bien fait pour toi.

— Alors, pourquoi ne le fais-tu pas ?

Kat dut prendre plusieurs profondes inspirations pour se calmer. La colère n'était pas bonne conseillère. C'était à cause de la colère que sa mère s'était retrouvée mille fois dans le pétrin jusqu'au cou.

— Parce que je veux connaître la vérité au sujet de ce qui s'est passé la nuit où tu es venu sur l'Olympe. Artémis a dit que tu avais tenté de la violer.

Il eut une mimique de dégoût, comme si la seule idée de poser la main sur Artémis le révulsait.

— Tu crois ça ? s'enquit-il.

— Je n'en sais rien. Tu n'as guère montré un sens moral très élevé jusqu'ici. Il se peut qu'elle dise vrai.

Il réussit à se lever pour aller se placer face à Kat.

— Fais-moi confiance, bébé, je n'ai jamais eu à forcer une seule femme. Mais imaginons, pour les besoins de la discussion, que ta mère ne mente pas. Tu crois que j'aurais été assez idiot pour faire ça sur l'Olympe, au nez et à la barbe des autres dieux ?

Un point pour lui, songea Kat.

— Tu es assez arrogant pour avoir osé, oui, dit-elle néanmoins.

— Arrogant mais pas stupide ! tonna Sin.

— Alors, pourquoi étais-tu là ?

Aussitôt, le visage de Sin se ferma. Que cachait-il ? Il s'était passé cette nuit-là un événement dont il ne supportait même pas le souvenir, elle le sentait.

— Ça ne te regarde pas. Maintenant, si tu veux bien m'excuser...

Il se dirigea vers la porte. Kat ferma le poing et la porte disparut.

— Je ne plaisantais pas. Tu ne peux pas partir.

Aussitôt, elle fut soulevée de terre et plaquée contre le mur. Sans qu'il la touche.

— Moi non plus, je ne plaisantais pas. Laisse-moi m'en aller, sinon tu le regretteras.

— Tue-moi, dit-elle en secouant lentement la tête, et tu seras à jamais enfermé ici.

Elle sentit la pression qui la maintenait contre le mur s'amenuiser. Elle retomba sur ses pieds, en douceur, ce qui l'étonna.

— Merci.

— Il faut que je m'en aille. Il ne reste que trois semaines avant Armageddon et j'ai à faire avant. Je dois me préparer.

— Et moi, j'ai un bras cassé qui doit être soigné. Voilà donc ce que je te propose. Tu restes gentiment assis là à réfléchir à l'assassinat d'Artémis et à Armageddon, et moi, je reviens dans quelque temps. Mais ne casse rien, ne touche pas à mes affaires, sinon je te flanque dehors.

Il s'apprêtait à répondre quand elle se volatilisa.

Une fraction de seconde plus tard, elle se trouvait dans le plus grand palais de Kalosis. Il lui fallut un moment pour localiser sa grand-mère. Apollymi était dans le jardin.

Par respect pour sa grand-mère, Kat parcourut à pied la courte distance qui la séparait de la salle du trône, traversa l'immense pièce et gagna le jardin par l'une des portes-fenêtres – Apollymi détestait les visites inopinées. Kat était la seule à savoir pourquoi : enfant, elle avait surpris sa grand-mère en pleurs. Apollymi ne voulait pas qu'on soit témoin de sa détresse.

Sa fierté de Grande Destructrice exigeait qu'elle se montre forte et impitoyable. Mais elle n'était pas que cela. Elle avait un cœur et souffrait, comme tout un chacun.

Tout ce que souhaitait Apollymi, c'était que son fils, le père de Kat, revienne vers elle. Un fils qu'elle adorait et n'avait serré contre elle que deux fois au cours de son existence. Une première, brièvement, juste avant qu'il ne naisse. On le lui avait alors enlevé pour le remettre à une autre femme, qui avait poursuivi la grossesse à sa place. Et une seconde fois le jour où le dieu grec Apollon l'avait tué.

Il ne se passait pas un jour sans qu'Apollymi pleure sa perte. Mais elle se refusait à montrer sa faiblesse. À sa petite-fille comme aux autres. Cela n'empêchait pas Kat de percevoir sa tristesse, son amertume. L'empathie dont était doté son père, elle en avait hérité, mais elle veillait à ne pas mettre dans l'embarras ceux qui prenaient soin de cacher leur chagrin.

Elle s'approcha sans se presser de sa grand-mère, afin que celle-ci ait le temps de se donner une contenance. Une légère brise soufflait sur le jardin entouré de hauts murs de marbre noir poli dans lequel l'image de la jeune femme se reflétait comme dans des miroirs.

Apollymi, assise sur un siège noir, lui tournait le dos. Elle était flanquée de deux Démons charontes, un mâle et une femelle, aussi figés que des statues. Tous deux étaient pourvus d'ailes. Le mâle avait les yeux noirs, la femelle, rouges. Leur immobilité ne trompa pas Kat : ils savaient qu'elle était là et surveillaient chacun de ses mouvements.

Vêtue d'une ample robe noire qui laissait ses épaules nues, Apollymi serrait un coussin sur son giron. Un cadeau de Simi, la Démone charonte personnelle d'Acheron. Le coussin portant l'odeur d'Acheron, Apollymi avait l'impression d'être plus proche de ce fils dont elle était privée.

Avec ses longs cheveux blonds constellés de perles scintillantes, ses yeux couleur argent, sa peau pâle et lumineuse, elle était d'une beauté rare et semblait âgée d'à peine vingt-cinq ans. Elle paraissait sereine. Elle tourna la tête vers Kat et esquissa un sourire qui s'éteignit quand elle vit que sa petite-fille avait le bras cassé. Elle se leva, posa le coussin sur son siège et alla à la rencontre de la jeune femme.

— Mon enfant, qu'est-il arrivé à ton bras ?

— J'ai été prise dans une bagarre.

— Si cette garce d'Artémis a...

— Non ! J'en ai assez qu'on insulte ma mère ! Serais-je donc la seule à l'aimer, en ce monde ?

— Évidemment. Tous les autres la voient telle qu'elle est.

— Grand-mère, sans elle, tu ne m'aurais pas. Alors, s'il te plaît, évite de l'insulter aujourd'hui et soigne mon bras, d'accord ?

L'expression d'Apollymi s'adoucit.

— Bien sûr, mon bébé.

Elle posa la main sur l'épaule de Kat et, instantanément, le bras fut guéri.

— Aaah... Merci.

Kat avait hérité des pouvoirs de guérison de sa grand-mère. Malheureusement, ils étaient sans effet sur elle-même. Elle pouvait soulager n'importe qui, mais quand elle était blessée, elle était obligée de venir trouver Apollymi. Laquelle lui souriait, à présent.

Apollymi déposa un baiser sur son front.

— Cela fait un moment que je ne t'ai vue, *agria*. Tu m'as manqué.

— Je sais. Je suis désolée. Le temps me file entre les doigts.

— J'aimerais pouvoir dire la même chose, dit Apollymi tristement en lui caressant le dos.

Kat percevait l'extrême solitude de sa grand-mère. Commander une armée de Démons et de Charontes n'y changeait rien : Apollymi était seule. Sans sa famille près d'elle, elle souffrait.

Les membres de sa famille s'étaient ligués pour la garder emprisonnée dans son palais, une assignation à résidence qui durerait tant qu'Acheron vivrait.

— Comment cela se passe-t-il avec Stryker ? s'enquit Kat.

Stryker était le fils d'Apollon. Il était à la tête de l'armée de Démons d'Apollymi. Lorsque Apollon avait frappé d'un sort terrible la race des Apollites, il avait sans le vouloir également condamné son fils et ses petits-enfants : tous mouraient le jour de leur vingt-septième anniversaire. Stryker haïssait son père et avait comploté pour le détruire.

Si Stryker était encore en vie, c'était parce que Apollymi l'avait adopté, ce qu'elle avait fait pour se servir de lui contre Apollon et Artémis. Durant des siècles, tous deux avaient partagé la même haine des dieux grecs.

Mais, trois ans auparavant, après une violente dispute avec Apollymi, Stryker avait commencé à se retourner contre elle. Un combat sans fin entre êtres non humains.

— Nous sommes en guerre, *agria*, reprit Apollymi dans un rire sarcastique. Il n'a qu'une idée en tête : m'assassiner. Ce qu'il oublie, c'est que des types plus redoutables que lui ont déjà essayé de me supprimer. Je suis peut-être allée en prison, mais eux sont morts. Et Stryker mourra aussi le jour où il m'attaquera de front. Mais tu n'es pas là à cause de cela, n'est-ce pas ? Quel est ton problème, *agria* ?

Apollymi avait pris les mains de Kat entre les siennes.

— As-tu déjà entendu parler d'un Démon gallu, grand-mère ?

Les deux Charontes se mirent à siffler comme des serpents furieux, à la grande surprise de Kat. Jamais elle ne les avait vus aussi agités.

— Du calme, leur lança Apollymi. Il n'y a pas de Gallu ici.

Le Démon mâle cracha sur le sol puis s'exclama :

— Mort aux Sumériens et à tous leurs descendants !

Apollymi poussa un soupir d'agacement, lâcha les mains de Kat et s'éloigna des Charontes en entraînant sa petite-fille.

— Les Gallus ont été créés par Enlil, le chef des dieux sumériens, dans le but d'anéantir les Démons cha-rontes. Inutile de préciser que les Charontes ne suppor-tent même pas d'entendre prononcer le nom de leurs ennemis mortels, ces répugnantes créatures. Pourquoi m'as-tu posé cette question, Katra ?

— Sais-tu ce qu'il est advenu d'eux, grand-mère ?

— Oui. Après que j'ai détruit l'Atlantide, les Gallus, n'ayant plus de Charontes à combattre, s'en sont pris à leurs créateurs et aux humains. Trois dieux sumériens ont alors décidé de les enfermer pour l'éternité – le même châtiment qu'on m'a infligé.

— Et les Dimmes ? Que sont-elles ? On m'a dit qu'elles étaient sur le point d'être libérées et de déclencher l'apocalypse.

Un sourire ravi se peignit sur les lèvres d'Apollymi.

— Quel beau spectacle ce serait…

— Grand-mère, voyons !

— Quoi ? Qu'est-ce qu'il y a ? Je suis la déesse de la destruction. Ne me dis pas que tu ne trouves pas excitante la perspective de millions de gens criant pitié sans personne pour les aider ! De la terre entière croulant sous une foule de Démons semant sur leur passage torture et mort, éventrant et déchiquetant les humains, animés d'une haine et d'une violence frénétiques ! Aaaaah… la sublime splendeur de la destruction… il n'existe rien de mieux !

Si Kat n'avait pas été habituée aux sinistres penchants de sa grand-mère, elle aurait été choquée.

— Techniquement, je ne suis pas une déesse, grand-mère, dans la mesure où je n'appartiens à aucun panthéon. Toutefois, je mets mes pas dans ceux de mon père, qui n'aspire qu'à protéger l'espèce humaine, et je n'ai pas envie de voir des masses de Démons dévorer les gens. Accuse-moi de sensiblerie si tu veux, mais c'est comme ça.

Apollymi manifesta son profond désaccord en secouant vigoureusement la tête.

— C'est la seule chose que je déteste chez ton père ! Tous les deux, vous êtes ce que les humains appellent des poules mouillées !

— Tu n'as toujours pas répondu à ma question, grand-mère. Que sont les Dimmes ?

La déesse trahit son irritation en attrapant l'une des poires noires qui poussaient sur l'un des poiriers noirs du jardin et l'écrasa entre ses doigts.

— Les Dimmes sont l'ultime revanche d'Anu et d'Enlil sur nous. Disons que les Gallus sont l'équivalent d'une bombe atomique qui aurait anéanti mes Charontes, et les Dimmes créées par Anu, d'une explosion nucléaire.

— Je ne comprends pas.

— Les Dimmes sont sept Démones que même les dieux ne peuvent contrôler. Elles sont tellement dangereuses que les Sumériens ne les ont jamais lâchées dans la nature. Ils les ont mises en prison. Tous les quelques millénaires, la pression exercée sur elles se relâche un peu. Si les dieux sumériens sont toujours vivants, ils renforcent cette pression. Mais s'il arrive quelque chose à leur panthéon, il n'y a plus personne pour garantir la solidité de la serrure qui ferme la porte des cellules, et les Dimmes s'égaillent dans le monde, avides de le détruire, ainsi que le panthéon régnant à ce moment-là. La dernière joyeuse vengeance d'Anu contre ceux qui les ont tués, lui et ses enfants.

Ainsi, Sin n'avait pas menti…

Songer au mal que pouvaient faire ces sept Démones bouleversait Kat. Elle savait déjà ce dont étaient capables des monstres ordinaires, ainsi que les Charontes. Or ces Dimmes étaient pires qu'eux.

Apollymi, dont Kat se demanda une nouvelle fois pourquoi elle haïssait Artémis, dans la mesure où les deux femmes avaient tant de points communs, lécha le jus de la poire sur ses doigts avant de reprendre :

— Explique-moi pourquoi tu me poses toutes ces questions, mon petit. Pourquoi cette curiosité à propos des Sumériens ? Jamais tu ne t'étais intéressée à eux jusqu'à présent.

— Eh bien, parce que j'ai leur dernier survivant enfermé chez moi.

— Tu... Quoi ?

— Sin est dans ma maison.

Les yeux d'Apollymi se mirent à scintiller, ce qui n'arrivait que lorsqu'elle était très nerveuse.

— As-tu perdu l'esprit, Katra ?

Kat n'eut pas le loisir de répondre : Apollymi s'était volatilisée.

Et zut.

Kat comprit tout de suite où elle était allée. Elle se téléporta chez elle. Bien entendu, Apollymi était là, et Sin collé au mur comme un insecte.

— Grand-mère !

— File !

Kat resta bouche bée. Jamais sa grand-mère n'avait haussé le ton avec elle.

Une fraction de seconde plus tard, Sin et Apollymi avaient disparu.

Par Zeus, mais que se passait-il ? Et où étaient-ils allés ? Kat se concentra. Rien à faire, elle ne parvenait pas à capter la moindre indication. Ils se trouvaient probablement quelque part dans le palais d'Apollymi. Et sa grand-mère devait s'occuper de Sin à sa façon. Nul doute qu'il y aurait du sang et de la douleur.

Dire que c'était là le sort qu'Apollymi réservait aux gens qu'elle aimait bien !

5

Sin jura entre ses dents quand il atterrit au beau milieu d'une fête de Charontes. Ils étaient une bonne centaine, et tous le regardaient, en silence, alors qu'il était allongé par terre. Les seuls sons perceptibles étaient de légers bruissements d'ailes.

La pièce dans laquelle il se trouvait évoquait une grande salle médiévale, avec ses voûtes, ses poutres apparentes et ses murs de pierre nue. L'air y était glacial, mais cela ne semblait pas gêner les Charontes, pourtant à moitié nus : ils se régalaient de cochons rôtis, de bœufs grillés et d'autres pièces de viande non identifiables.

— Il est là pour qu'on le mange ? demanda un jeune mâle à un plus âgé.

Apollymi apparut à la place d'honneur de la table de banquet. Les pupilles de ses yeux argent tournoyaient.

— Étripez ce misérable Sumérien ! ordonna-t-elle.

— Un Sumérien ? s'enquit un Charonte adulte.

Bons dieux ! Avoir un Sumérien parmi une bande de Charontes équivalait à organiser un duo entre Marilyn Manson et Ozzy Osbourne pour le meeting annuel des baptistes. Sin aurait aussi bien pu porter un tee-shirt décoré du slogan « Dévorez-moi ».

Il se mit debout. Il ne lui restait plus qu'à attendre la mort. Toutefois, il essaya de parlementer.

— Écoutez-moi ! Est-ce qu'on ne pourrait pas coopérer ?

— *Ekeira danyaha !* riposta une femelle en crachant par terre.

Autrement dit, « Va te faire foutre » en langage charonte.

Un mâle vint se placer derrière Sin, qui se saisit de lui et le jeta par terre. Fugace victoire : un deuxième Démon le mordit à l'épaule. Sin lâcha un cri de douleur et repoussa violemment son agresseur. Une femelle prit le relais. Il la souleva et la jeta sur les deux Démons qui la suivaient. Bon sang, n'existait-il pas un insecticide capable de détruire ces sales bêtes ?

Un nouvel attaquant se précipita sur lui. Sin pesa de tout son poids sur sa poitrine pour l'écraser, mais l'autre était trop fort. Il changea donc de stratégie, frappant à coups de pied les genoux du Démon, qui chancela en geignant. La manœuvre fut efficace : il lâcha Sin. Celui-ci le plia en deux d'un coup au plexus.

— Arrêtez !

Les Charontes obéirent immédiatement. Sin vit alors Kat, qui se dressait entre le groupe de Démons et lui. Elle paraissait horrifiée.

— Ne te mêle pas de ça ! lui cria Apollymi.

— Je ne le laisserai pas mourir, grand-mère. Pas ainsi et pas sans explication.

— Tu veux une explication ? Je suis allée voir *son* panthéon, autrefois, pour demander à ses membres de protéger ton père afin que *mon* panthéon ne le tue pas ! Et sais-tu ce qu'ils ont fait ?

— Ils t'ont ri au nez, répondit Kat, qui se rappelait l'histoire.

Apollymi se tourna vers Sin, les narines frémissantes. Qu'elle ne se serve pas de ses pouvoirs pour l'expédier contre le mur et l'y maintenir l'étonna. Puis il comprit : le tuer rapidement ne l'intéressait pas. Ce qu'elle voulait, c'était lui infliger une longue et douloureuse agonie.

— Mon fils a souffert comme personne ne devrait jamais souffrir ! Je vais te faire payer pour ça... au centuple.

Logique. Respectable, même. Le problème, c'était qu'il était innocent de ce dont elle l'accusait.

— Je ne vous ai pas laissé tomber, Apollymi. Je n'étais pas là, ce jour-là, je vous le jure. Si j'avais été au courant, je vous aurais aidée. Mais lorsque je l'ai été, il était trop tard.

— Menteur !

— Ce n'est pas un mensonge, répliqua-t-il alors qu'un autre Démon se rapprochait de lui.

Il se rappelait sa triste enfance. Une heure après que ses frères jumeaux et lui étaient nés, il avait été prédit qu'ils causeraient la fin de leur panthéon. Et la prophétie s'était avérée. Mais pas comme l'avait craint leur père. C'étaient la jalousie et les rivalités qui les avaient tous anéantis. Sa famille avait agi de telle sorte que Sin était devenu le maillon faible grâce auquel Artémis avait pu faire en sorte que les dieux grecs manipulent les dieux sumériens. Ces derniers s'étaient retournés les uns contre les autres, et ç'avait été leur fin. Le panthéon sumérien s'était effondré après que Sin avait perdu son état de dieu, et son frère survivant s'était réfugié dans la clandestinité.

— Mon père a tué mon frère à cause d'une prophétie et a bien failli me supprimer aussi. Je n'aurais jamais supporté qu'un autre enfant souffre à cause d'une telle stupidité. Je ne suis pas comme cela !

Kat se rendit compte que sa grand-mère était émue : son expression était éloquente. Quant à Sin, c'était son intonation qui trahissait son émotion.

— Comment puis-je être sûre que tu ne me mens pas maintenant ? lui demanda Apollymi.

— Parce que j'ai perdu mes enfants, moi aussi, et je sais que rien n'apaise jamais cette douleur. Je connais l'atroce frustration qu'on ressent quand on a les pouvoirs d'un dieu mais qu'on est impuissant à préserver ce à quoi on tient le plus. Si vous me croyez capable d'infliger cela à un autre être, vous vous trompez totalement. Je ne le ferais même pas à Artémis, alors que j'aimerais la torturer jusqu'à la nuit des temps. Alors, allez-y, lâchez votre armée sur moi ! Je mérite d'être tué.

Les larmes aux yeux, Kat déglutit avec peine en voyant la peine qui marquait les traits de Sin. Cet homme souffrait jusqu'au tréfonds de l'âme. Personne n'aurait dû subir pareil tourment.

Figée sur place, Apollymi fixait un point devant elle d'un regard hanté. Elle était livide.

— Je considère Acheron comme l'un de mes rares amis, continua Sin après avoir lancé un coup d'œil menaçant au Démon qui approchait. Je n'aurais pu supporter qu'on fasse du mal gratuitement à un être aussi estimable.

Apollymi finit par quitter sa place pour s'avancer vers Sin. Elle s'immobilisa devant lui, tendit la main et toucha son bras et son épaule qui saignaient. Aussitôt, le sang cessa de couler et les plaies disparurent. Lorsqu'elle reprit la parole, ce fut pour murmurer :

— Mon fils non plus n'a pas beaucoup d'amis, et peu d'entre eux le connaissent vraiment. Tant que tu veilleras sur lui, tu vivras, sumérien ou pas. Mais si je me rends compte que tu as proféré ne fût-ce qu'un seul mensonge aujourd'hui, ma colère s'abattra sur toi et tu passeras l'éternité dans une indicible torture. Tu rêveras de t'arracher le cerveau pour ne plus rien ressentir, je te le garantis.

— Maintenant, je sais de qui tu tiens ton sens de l'image, dit Sin à Kat, qui sourit : seuls son père et Sin pouvaient plaisanter dans des moments comme celui-là.

— Katra, dit Apollymi, Sin est ton hôte en ce monde. Emmène-le et assure-toi qu'il ne rencontre pas ceux qui veulent le tuer.

— Mais je pensais qu'on le mangerait au dîner ! se plaignit un jeune Charonte.

— Non, Parriton, lui dit gentiment Apollymi.

— Juste une bouchée ! insista le Charonte, s'adressant cette fois à Kat.

— Un autre jour, Parriton. Promis.

Soupirant lourdement, le Démon revint à son steak.

Kat tendit la main à Sin, contact nécessaire pour se projeter avec lui dans sa maison. Elle était persuadée qu'il allait la refuser et fut étonnée qu'il la prenne sans protester. Mais ce qui l'étonna encore davantage, ce fut la sensation de bien-être qu'elle éprouva lorsque ses doigts puissants enveloppèrent les siens. Indéniablement, cet homme était doté d'un incroyable pouvoir d'apaisement.

La sensation se dissipa à la seconde où ils furent chez elle, quand il lâcha sa main.

— Waouh ! Sacrément rapide, le transfert. Et marrant. Il y a d'autres endroits que tu aurais envie de me faire visiter, pendant mon séjour ici ? Un coin encore plus noir que celui où tu viens de m'emmener, peut-être ? ajouta-t-il, sarcastique.

Kat sourit.

— La Maison du Démon serait parfaite. Je suis sûre que Stryker adorerait plonger ses crocs dans ta gorge.

La menace amusa Sin.

— Stryker est un poltron. Quand il me voit, il mouille sa culotte.

La bravade fit rire Kat.

— Ouais, c'est ça. Moi, j'ai entendu dire qu'il t'avait botté les fesses.

Un mensonge, mais elle avait envie de le taquiner.

— N'importe quoi !

— Oh que non, le défia Kat en avançant vers lui, les mains sur les hanches. L'histoire a couru d'un Chasseur de la Nuit à l'autre.

— Vraiment ?

Kat s'aperçut que, sans s'en rendre compte, elle s'était rapprochée de lui, si près qu'elle aurait pu le toucher. Il la regarda, et elle sentit la chaleur de son haleine sur son visage.

Il était grand, sexy, et il avait des yeux extraordinaires, ombrés de longs et épais cils noirs. Elle se serait volontiers noyée dans leur eau.

Et si seulement il n'y avait eu que ces yeux ! Mais il fallait y ajouter la beauté de son grain de peau sans défaut, du dessin de sa mâchoire, de ses lèvres charnues, qu'il entrouvrait… et humectait du bout de la langue en un geste suggestif.

Elle dut plaquer les mains derrière son dos pour s'empêcher de le toucher.

Et lui aussi contemplait, fasciné, la bouche sensuelle de Kat, d'un rouge éclatant qui contrastait joliment avec son teint d'albâtre. Il ressentit soudain des picotements de désir au creux du ventre. Elle était belle. Comme sa mère. Et pourtant, plus il la connaissait, moins il trouvait qu'elle lui ressemblait.

Il y avait des lustres qu'une femme ne l'avait aguiché. Car c'était indéniablement ce que Kat faisait là. Il y avait également des lustres qu'il n'avait ressenti cette chaleur dévorante dans les reins.

L'élan qui le poussa à se pencher et à poser les lèvres sur celles de Kat le surprit lui-même.

Le baiser fit frissonner Kat, qui, éperdue, se demanda ce qui lui arrivait. Jamais on ne l'avait réellement embrassée : sa mère comme sa grand-mère l'avaient si bien surveillée qu'elle s'était rarement trouvée seule avec un homme.

Elle s'était toujours interrogée : à quoi pouvait ressembler un baiser ? Elle l'avait imaginé fulgurant, étourdissant, et avec Sin, elle n'était pas déçue. Sa bouche était exigeante, sa langue, pressante, son corps plaqué contre le sien, très parlant.

Elle posa la main sur sa nuque et l'attira plus près. Par tous les dieux, c'était grisant, merveilleux, hypnotisant... Elle aurait pu rester comme ça pendant des heures.

Brusquement, elle fut arrachée aux bras de Sin et projetée contre le mur, à quelques mètres de lui. Elle entendit Sin jurer, ouvrit les yeux et le vit en lévitation à deux mètres au-dessus du sol.

Si tu ne veux pas avoir la tête coupée, garde pour toi ta bouche et les autres accessoires de ton corps !

La voix désincarnée, vibrante de colère, d'Apollymi.

Un instant plus tard, Sin s'écrasait violemment par terre.

— Je vais retrouver mes pouvoirs, noms de dieux, ne serait-ce que pour... tonna Sin.

Kat l'interrompit.

— Chut... Sois prudent, elle t'entend.

Il roula sur lui-même sans se relever et regarda Kat, qui s'émerveilla : même dans cette position où il n'était guère à son avantage, il restait sexy.

— Comment te débrouilles-tu pour avoir une vie sociale ? demanda-t-il.

— Je n'en ai pas.

— Je m'en doutais. Ach doit être encore plus dur avec toi que les autres.

Cette remarque attrista Kat. Elle aurait donné n'importe quoi pour connaître son père. Hélas, sa mère l'avait gardée à l'écart de son géniteur. Kat comprenait pourquoi, même si cela lui faisait mal. Être séparée d'Acheron était son plus grand regret dans l'existence.

— Mon père ne sait pas qu'il a une fille. Il n'a pas été mis au courant de sa paternité.

Sin était ébahi. Acheron ignorait tout de Katra ? Sa colère serait effroyable le jour où il apprendrait qu'il avait une enfant, adulte de surcroît.

— Comment se fait-il qu'on lui ait caché ça ? Acheron sait tout !

— Presque tout. Bizarrement, ses proches lui sont invisibles. Nous avons un lien génétique, donc je ne lui apparais que sous la forme d'une créature fantomatique. Ma mère lui a dissimulé mon existence et ma grand-mère a fait la même chose, de peur qu'il ne souffre trop : ma mère se serait servie de moi sans vergogne pour faire pression sur lui. Crois-moi, mieux vaut que je reste dans l'ombre.

Cela tenait debout, estima Sin, mais ce n'était pas bien. À la place d'Acheron, il aurait tué quiconque lui aurait caché une chose pareille.

— Aucune de vous n'a songé que c'était une mauvaise idée, Kat ?

— Que veux-tu dire ?

— Qu'Ach en mourra s'il découvre qu'il a une grande fille depuis des siècles.

— Voilà pourquoi il faut que tu cesses de dire qu'Artémis est ma mère. Pour tout le monde, je suis l'une de ses servantes, qui a été abandonnée petite et élevée par Artémis.

Quelle horreur, songea Sin. Il y avait pire qu'avoir un enfant mort : en avoir un vivant et ignorer son existence. Acheron ne méritait pas cela.

— Toutes les trois, vous l'avez bien mystifié. Quelqu'un d'autre est-il au courant ?

— Personne, sauf Simi. Et toi. Et je compte bien que tu garderas le secret.

— Ne t'inquiète pas pour ça. Je ne tiens pas à être le messager qu'Ach abattra sous le coup de la colère.

Une image exquise surgit dans son esprit : Artémis foudroyée à mort par Acheron. Il eut un sourire diabolique.

— Je vois un bon côté à toute cette affaire, Kat. Tôt ou tard, Ach apprendra la vérité, et il liquidera Artémis à ma place. J'espère simplement être là pour voir ça.

Kat lui jeta un coup d'œil assassin qui, et il ne comprit pas pourquoi, lui donna un début d'érection.

— Très drôle, lâcha Kat entre ses dents serrées. Sauf que jamais il ne touchera à un cheveu de sa tête.

— Hélas ! Cet imbécile est toujours amoureux d'elle. Il y a un truc qui ne tourne pas rond chez lui.

— Non, rectifia Kat avec douceur, je ne crois pas qu'il soit encore amoureux d'elle. D'ailleurs, à mon avis, il ne l'a jamais vraiment été. Mais il sait comment elle fonctionne, il la comprend et évite de lui faire de la peine. C'est dans sa nature : il est profondément gentil.

Sin secoua la tête, dubitatif. Au fil des siècles, il avait vu Acheron réduire pas mal de gens en chair à pâté, une excellente raison pour éviter de le pousser à bout. D'autant que les fureurs auxquelles il avait assisté n'étaient dues qu'à des broutilles. Or, là, il aurait toutes les raisons du monde d'être fou de rage.

— Kat, tu ne le connais pas aussi bien que tu l'imagines.

— Parce que toi, tu es expert en la matière ?

— Disons que je comprends ce qu'est la trahison. On m'a trahi trop souvent. Et chaque fois, cela a déclenché une sacrée explosion.

— Artémis ne t'a jamais trahi !

— Qui a dit que je parlais d'elle ?

Kat ne riposta pas. Elle se concentra et essaya de lire en Sin, mais il était aussi fermé qu'un coffre-fort. Même ses émotions lui échappaient. D'ordinaire, elle parvenait à percevoir ce que ressentaient les gens, et son impuissance face à Sin la déconcertait.

— Alors, qui t'a trahi ?

Il croisa les bras sur sa poitrine.

— C'est ça le problème avec la trahison : on n'a pas envie d'en discuter avec des inconnus apparentés à son pire ennemi.

72

Il s'interrompit, regarda autour de lui, puis reprit :

— Où est-ce que tout ça va nous mener ? Ton plan, c'est de me garder ici jusqu'à ce que les Gallus lâchent les Dimmes ou quoi ?

Bonne question, songea Kat. Elle se la posait depuis un bon moment. Qu'allait-elle faire de lui ?

— Tu ne mens pas, à propos des Dimmes, n'est-ce pas ?

Il retira sa chemise, offrant le spectacle d'un sublime torse barré d'une infinité de cicatrices. Quelques-unes semblaient dues à des morsures, d'autres à des brûlures, d'autres encore à des déchirures de serres.

— Ai-je l'air de plaisanter ?

Non. Il avait tout d'un ancien guerrier qui aurait traversé mille guerres.

Un élan de compassion envahit Kat. Il était évident qu'il avait longtemps combattu pour le salut de l'espèce humaine. Et qu'il l'avait fait en solitaire, sans personne pour protéger ses arrières.

Comme c'était triste !

— Que puis-je faire pour t'aider, Sin ?

Il ne s'attendait visiblement pas à cette question. Il remonta sa chemise sur ses épaules.

— Renvoie-moi là où est ma place et reste à l'écart de mon chemin.

Kat secoua la tête. Comment avait-elle pu oublier qu'il était l'archétype du dieu macho ?

— C'est là que je me dois de te rappeler qu'il existe un certain dieu grec du nom de Deimos qui ne te veut pas que du bien. Il n'est pas du genre amical. Toutefois, il est obligé de m'écouter.

— Et pourquoi ça ?

— Parce qu'une fois, je lui ai collé mon pied aux fesses et qu'il ne l'a jamais oublié. Sin, il te faut un allié.

Il lui lança un regard glacial et effrayant.

— Ne le prends pas mal, mais la dernière fois où j'ai été assez idiot pour faire confiance à quelqu'un, j'ai été frappé dans le dos. Ça m'a servi de leçon.

— Il n'y a pas que des traîtres.

— D'après mon expérience, si. Et tu comprendras que, vu ton lien génétique avec une certaine personne qui m'a sacrément causé du tort, je ne t'inscrive pas sur la liste de mes amis.

— Je suis aussi la fille de mon père.

— Et tu ne le connais même pas. Alors, excuse-moi, mais je préfère garder mes distances avec toi.

Kat ne pouvait lui en vouloir de se montrer aussi méfiant : elle-même ne faisait pas la moindre confiance à sa mère.

— Il faut que je m'en aille, Kat. Je ne peux pas faire mon job pendant que je suis coincé ici.

— Et moi, je ne peux pas te laisser partir tant que je ne sais pas ce que tu projettes.

Il lâcha un soupir écœuré.

— Ce que je projette, c'est d'empêcher la destruction de l'espèce humaine et de la Terre. Simple, comme plan. Je peux y aller, maintenant ?

Son obstination donnait envie à Kat de le secouer comme un prunier.

— Pourquoi as-tu besoin de la Table du Destin ?

Il darda sur elle des yeux dorés qui semblaient soudain chargés de flammes.

— Laisse-moi partir, Kat. Tout de suite.

— Impossible.

— Alors, j'espère que tu dormiras bien quand tu auras la fin de l'humanité sur la conscience.

Du pouce, il désigna un canapé.

— Je vais m'asseoir là jusqu'à ce que tout soit terminé. Tu as de bons DVD ? Des trucs bruyants, histoire que je n'entende pas les hurlements des enfants : ce sont les plus difficiles à ignorer.

Ces mots bouleversèrent Kat : s'il était une chose qu'elle ne pouvait supporter, c'était la souffrance des enfants. Sin venait de la frapper en dessous de la ceinture, et cela faisait mal.

— Sois maudit !

Les traits de Sin se figèrent.

— Tu arrives trop tard, ta mère s'en est déjà chargée.

Que faire ? se demanda Kat. S'il disait vrai, elle ne pouvait le garder prisonnier. Mais si elle le libérait, Deimos allait le pourchasser.

— Comprends-tu ce que tu vas avoir à affronter ? lui demanda-t-elle.

— Si quelque chose d'aussi minable qu'un Dolophonos grec peut me vaincre au combat, je ne mérite pas de vivre.

— Et alors, qu'arrivera-t-il à l'espèce humaine ?

— Elle sera mal en point, hein ?

Qu'il tourne les choses en dérision irritait Kat au plus haut point. Il savait pertinemment ce qui le menaçait, et il le prenait à la légère. S'imaginait-il vraiment capable de s'en sortir sans aide ? L'espèce humaine avait besoin de plus d'un défenseur !

— Apprends-moi à me battre contre les Dimmes.

Sin n'aurait pas été plus étonné si elle s'était déshabillée et lui avait sauté dessus.

— Hein ? Répète, j'ai dû mal comprendre.

— Apprends-moi à combattre les Dimmes, et aussi les Gallus.

Il éclata de rire. D'accord, elle était grande et robuste, mais elle n'était pas de taille à affronter un Gallu, encore moins une Dimme. Elle se ferait dévorer toute crue.

— Tu n'as pas la moindre goutte de sang sumérien en toi, Kat.

— Il y a des moyens de contourner ce problème.

Un moyen... Il songea tout à coup à quelque chose.

— Vous êtes des buveurs de sang, dans ta famille ?

— Non, mais si nous procédions à un échange de sang, j'aurais ta force et ton sang sumérien.

Il ne lui transférerait pas seulement cela, et elle le savait.

— Tu aurais alors la mainmise sur moi. Va te faire voir.

— Sin, je t'en prie.

— Katra, je ne laisserai plus personne me déposséder de quoi que ce soit. Plus jamais.

— Dans ce cas, entraîne-moi. Montre-moi…

— Les meilleurs mouvements, comme ça tu pourras me tuer ? Pas question.

— Tu ne fais donc confiance à personne ?

— Je pensais que ce sujet-là avait été abordé et était clos. Je ne fais confiance à personne, non. Pourquoi le ferais-je ?

— Parce que nul ne peut rester constamment seul !

— Pff… C'est là que tu te trompes. J'ai été seul toute ma vie et j'aime ça.

Il s'éloigna d'elle, mais elle lui emboîta le pas.

— Écoute-moi, Sin ! Je ne veux que t'aider !

— Et tu me demandes de te faire confiance ?

Il s'arrêta si brusquement qu'elle lui rentra dedans. La douceur, la chaleur de son corps l'émurent, mais il se morigéna : le moment était mal choisi pour lâcher la bride à sa libido. Il repoussa Kat et la considéra durement. Il savait comment mettre un terme à toutes ces âneries.

— D'accord. Je vais te faire confiance, mais à une condition : dis-moi comment je peux te tuer.

Elle écarquilla les yeux, désorientée.

— Pardon ?

Il sourit : parfait. Il avait bien joué le coup. Elle allait lui ficher la paix. Car, bien entendu, jamais elle ne lui dévoilerait la source de sa puissance.

— Tous les dieux ont un secret qui peut les priver de leurs dons, les rendre totalement vulnérables. Quel est le tien, Katra ?

— Qu'est-ce qui me dit que tu ne me tueras pas, une fois que tu le sauras ? demanda-t-elle, méfiante.

— Ah ! Tu vois, ce n'est pas facile, d'accorder sa confiance.

Il avait cru avoir réglé le problème, mais non. Elle résistait, et il l'admirait pour cela.

— Tu possèdes la Table du Destin, qui peut me priver de tout pouvoir.

— Katra, la confiance n'a rien à voir avec ça. Dis-moi comment te tuer sans la Table.

Kat réfléchit. Si elle lui répondait sincèrement, quelles conséquences cela aurait-il ? Compte tenu de la haine que Sin vouait à Artémis, ce serait pure folie que de lui donner l'arme qui l'anéantirait. Il serait alors en mesure de la tuer n'importe quand, n'importe où. Elle se rappelait ce qu'elle avait lu dans la chronique des Chasseurs de la Nuit au sujet de Sin. Il était dépourvu de compassion comme de santé mentale.

Mais un homme pareil n'aurait pas affronté les Démons pour sauver l'espèce humaine. Et il ne serait pas venu à son secours.

Non, il n'était pas le monstre dépeint par les autres. Néanmoins, il n'était pas un saint non plus. Lui faire confiance risquait de lui coûter la vie… et ne pas le faire pouvait causer la destruction du monde.

Quel dilemme !

Pourtant, il fallait trancher. L'un d'entre eux devait céder. Or, elle était sûre que ce ne serait pas lui.

— Si je te donne la réponse, ensuite, tu m'entraîneras ?

— Ouais.

Elle prit une profonde inspiration.

— D'accord. Alors, voilà : mes pouvoirs me viennent à la fois du soleil et de la lune. Plus longtemps je reste éloignée de l'un ou de l'autre, plus je m'affaiblis. C'est pour ça que je ne peux pas demeurer trop longtemps avec ma grand-mère. Si je restais confinée ici, sans le ciel au-dessus de ma tête, cela me tuerait.

Sin la regarda avec incrédulité. Il n'arrivait pas à y croire.

— Sais-tu ce que tu viens de faire, Katra ?

— Oui. Confiance.

Elle était dingue. Seule une folle pouvait s'être mise à nu de la sorte.

— Tu n'as pas oublié à quel point je hais ta mère ?

— Ni ce que tu penses de mon père.

— Lequel ne sait même pas qu'il a une fille.

— Cela ne m'empêche pas de vouloir que tu fasses ce qui est juste. Si cela implique que je te donne la main-mise sur moi, alors je le fais.

Bon sang, mais qui était capable de faire un truc aussi stupide pour aider une race qui ignorait jusqu'à l'existence de Katra Agrotera ?

— Je peux te détruire quand bon me semble, maintenant. Tout de suite, si ça me chante.

— Oui, tu le peux, dit-elle en le regardant droit dans les yeux. Mais je suis sûre que tu ne le feras pas.

Personne, pas même sa femme, ne lui avait fait confiance à ce point. Kat, elle, se livrait à lui pieds et poings liés. Les dieux ne commettaient jamais cette erreur, quelles que soient les circonstances.

— Tu es un peu détraquée, n'est-ce pas ?

— Possible. On me l'a déjà dit. En tout cas, dans l'immédiat, je m'insulte mentalement bien plus méchamment que ça.

Il lui toucha la joue du bout du doigt. Sous tant de douceur se cachait une volonté de fer.

— Comprends-tu l'ampleur du danger auquel tu vas t'exposer ?

— Si je me base sur mon bras cassé et sur l'aspect de ton corps, je crois que j'en ai une petite idée. Mais je n'ai jamais été du genre à courber l'échine. Tu as besoin d'aide et j'entends bien t'en apporter, que tu le veuilles ou non.

Quelqu'un à ses côtés. Voilà qui était nouveau, pour Sin. Personne ne lui avait jamais fait pareille offre. Il hésitait à accepter. Mais il lui avait donné sa parole et n'était pas homme à se parjurer.

— Comment puis-je être sûr que tu n'utiliseras pas contre moi ce que je t'aurai appris ? demanda-t-il, encore méfiant.

— Tu sais désormais comment me tuer ! De nous deux, celui qui est en situation de faiblesse, c'est moi, pas toi !

— Mmm. D'accord. Alors, commence par me faire sortir d'ici, ramène-moi chez moi, et on se préparera pour la suite des opérations.

— Entendu.

En un clin d'œil, ils furent dans l'appartement de Sin à Las Vegas. Artémis n'était plus là, ni son Dolophonos. En revanche, ils trouvèrent Kish, pétrifié à côté du canapé. Kat fronça les sourcils.

— Ami ou ennemi ?

— Ça dépend de l'heure et du jour, répondit Sin.

Il claqua des doigts, et Kish se ranima.

— Oh non ! Tu ne m'as pas de nouveau congelé, quand même, patron ! s'exclama-t-il, outré.

— Tu m'enquiquinais.

— J'ai horreur que tu fasses ça. Et je… Par exemple ! Tu t'es rabiboché avec Artémis ? Bons dieux, combien de temps ai-je été out ? demanda-t-il en fixant Kat.

— Je ne suis pas Artémis, dit-elle en riant.

— J'ai commis une erreur, grommela Sin.

— Et tu le reconnais ? Ne me foudroie pas, patron ! Je m'en vais, je m'en vais. Rien de tout ça ne me regarde. *Ciao !*

Sur ce, il ouvrit la porte et fila en trombe.

— Intéressant serviteur, commenta Kat, amusée. C'est ton écuyer ?

— Non. Je ne suis pas un Chasseur de la Nuit. Je n'ai pas d'écuyer.

Kat s'avança de manière à le coincer devant le bar.

— Alors, comment se fait-il que tout le monde te considère comme un Chasseur de la Nuit ?

— C'était l'idée d'Acheron. Il a pensé que c'était la moindre des choses de me mettre sur la liste des salariés, après ce que m'avait fait Artémis.

— Mais tu ne chasses pas les Démons.

— Non. Ach m'a chargé d'une autre mission. Il savait que les Gallus se baladaient dans la nature, et il s'est dit qu'à nous deux, on pourrait les garder sous contrôle.

— Acheron t'aide ?

— Oui. Pourquoi ça t'étonne ?

— Je croyais que tu avais dit que personne, hormis ceux de ton panthéon, ne pouvait tuer les Gallus.

— Ouais, mais ton père est un peu différent des autres. Tu le sais, non ?

— Effectivement. Mais alors, pourquoi es-tu persuadé que moi, je ne le pourrai pas ?

— Tu n'es pas une Chthonienne. Si tu l'étais, il n'y aurait pas une once de faiblesse en toi.

Les Chthoniens étaient des tueurs de dieux – une façon d'équilibrer le système conçu par la nature. Eux seuls détenaient le pouvoir de détruire l'indestructible. Le problème, c'était que la seule personne capable de tuer un Chthonien était un autre Chthonien. Les dieux anciens le savaient, ce qui expliquait leur grande crainte des juges chthoniens, capables de les contraindre au silence et à la docilité. Malheureusement pour Sin, à l'époque où le panthéon de sa mère attaquait le sien, les Chthoniens se battaient les uns contre les autres, et personne ne protégeait son panthéon.

Kat se tourna vers l'immense baie qui offrait une vue à couper le souffle sur le Strip de Las Vegas.

— Pourquoi t'es-tu installé ici, en plein désert ?

— Organisation logistique. Mon père a exilé ici les Dimmes et les Gallus parce que autrefois la population en Amérique était clairsemée. Il pensait que, dans ce coin perdu, il serait à même de les contrôler. Hélas, il n'avait pas anticipé le développement du nucléaire au XXᵉ siècle. Les expériences dans le Nevada ont tout chamboulé et libéré les Gallus par douzaines, m'obligeant à les chasser, ainsi que leurs victimes.

Kat lui prit la main pour examiner les cicatrices qui en abîmaient la beauté. Elle se rappelait le jour où sa mère l'avait convoquée.

Il faut que tu le prives de ses pouvoirs, Katra ! Sinon, il reviendra, et alors… Que Zeus ait pitié de moi ! À son réveil, il m'assassinera.

Ce souvenir lui serra la gorge. Sin était inconscient. Et elle, jeune et influençable, avait accédé au désir de sa mère. Elle avait détruit l'homme qui se trouvait devant elle.

S'il avait su la vérité, il l'aurait abattue dans l'instant…

— Qu'est-il arrivé à ton père, Sin ?

Il lui caressa les doigts du bout du pouce avant de répondre :

— Querelles intestines et extérieures. Quel est le vieil adage grec, déjà ? « Méfie-toi des porteurs de cadeaux. » Apollon et ta mère se sont présentés comme des amis, puis ont répandu le mensonge. Ils nous ont amenés à nous bagarrer constamment, si bien qu'il n'est plus resté entre nous une once de confiance. Une fois que j'ai été privé de mes pouvoirs, j'ai essayé de prévenir les autres, mais ils ont tous pensé que ce qui m'était arrivé ne leur arriverait jamais et que moi, j'avais bien mérité mon sort. Ils se sont crus plus malins que moi.

— Et finalement, c'est toi qui es là et pas eux.

— Ma survie est ma plus belle revanche. Il ne reste que moi et les cafards.

— Et les Gallus ?

— Ouais. À combattre jusqu'à la nuit des temps.

Kat appréciait le sens de la dérision de Sin, son humour noir. Il était vraiment intelligent et drôle.

Auprès de lui, elle se sentait bien. Il était rare qu'elle tombe sous le charme de quelqu'un aussi vite. Peu importait ce qu'elle avait entendu sur lui : elle voulait le croire sincère, croire que c'était lui qui disait la vérité.

Pire, elle brûlait de le toucher, de le caresser, de l'embrasser de nouveau. Elle avait envie de savoir quel effet cela lui ferait, maintenant qu'Apollymi n'était plus là pour les séparer d'une décharge de foudre.

Elle amorçait un pas vers lui quand elle ressentit un désagréable frisson. Un signal qu'elle ne connaissait que trop bien.

Un Démon.

Un de ces Apollites maudits par Apollon, qui avaient choisi de vivre au-delà de leur vingt-septième année en volant l'âme d'humains. Il fallait chasser ces monstres, les détruire avant que l'âme meure et restituer celle-ci à sa victime.

Il y en avait un à proximité.

On frappa à la porte. L'adrénaline courut immédiatement dans les veines de Kat. Elle tenta de retenir Sin, mais il ouvrit tout de même la porte.

Un Démon grand et blond en costume noir se tenait sur le seuil.

Kat fit apparaître un couteau dans sa main et se rua sur lui.

6

Sin attrapa Kat au passage et la plaqua contre lui avant qu'elle ait frappé Damien Gatopoulos en plein cœur.

Damien bondit en arrière, les yeux écarquillés. Mais il se ressaisit vite, dès qu'il eut compris que Sin n'allait pas lâcher Kat.

— C'est un Démon ! cria-t-elle.

Damien lui jeta un regard indigné.

— Oui, admit Sin, et c'est aussi le directeur de mon casino.

Kat leva vers Sin des yeux effarés. Elle serrait toujours le couteau, mais Sin retenait sa main d'une poigne de fer.

— Qu'est-ce que tu dis, Sin ?

— Qu'il est le directeur de mon casino.

Un regain de fureur l'anima. Elle lutta pour se libérer, se contorsionna contre Sin, avec pour seul résultat de sentir son corps s'embraser. Bon sang, comment se concentrer sur quoi que ce soit quand des lèvres aussi exquises semblaient appeler ses baisers ?

— Un Démon travaille pour toi ?

Il leva légèrement la jambe, de façon à placer son genou entre elle et lui... loin de son entrejambe, surtout.

— Ne vous en faites pas, dit Damien à Kat d'un ton rogue, je ne dévore que les humains qui le méritent.

Réflexion qui n'améliora pas la situation.

— Quand je pense que je commençais à t'apprécier, lança Kat, écœurée, à Sin. Je ne peux pas croire que tu emploies un Démon !

Sin ne s'attendait pas qu'elle comprenne. Il n'avait aucun problème avec Damien et ses autres employés, des hommes et des femmes dont la vie avait été saccagée par la colère des dieux grecs – les malheureux Apollites, victimes du sort qu'Apollon leur avait lancé, non seulement mouraient prématurément, mais ne supportaient pas la lumière du jour.

Ce que venait de dire Damien était exact : ni lui ni les autres Démons qui faisaient partie du personnel du casino ne se fournissaient en âmes humaines innocentes. Ils ne prélevaient que celles d'êtres immondes qui méritaient la mort, et le monde n'en manquait pas. La malédiction d'Apollon devenait alors l'exécution d'une juste sentence.

— Damien est incroyablement honnête, rétorqua Sin à Kat. Depuis qu'il est à mon service, plus personne n'essaie de me trahir. Il bouffe ceux qui le font.

— Vous êtes répugnants, tous les deux !

Damien secoua la tête.

— Ça me blesse que vous me jugiez en vous basant sur un seul fait désolant. Je ne suis pas un mauvais type.

— Vous volez des âmes humaines. Comment est-ce que ça peut être bien, ça ?

— Croyez-moi, il ne s'agit pas de gens que vous aimeriez voir réincarnés. Hier encore, ma proie était un mec qui tabassait les femmes. Une âme bien trempée, d'ailleurs...

Sin retenait son envie de rire : Kat ne voyait visiblement pas le bon côté des choses. Mais il savait que Damien avait raison. Le Démon ne tuait que ceux qui

méritaient de mourir, et tant que ses forfaits se limi-
taient à cela, Sin n'y trouvait rien à redire.

— Si vous continuez à absorber des âmes noires,
vous serez aussi pourri que les humains qui les héber-
geaient, dit Kat. Tout le monde sait ça.

— Oui, tous les idiots. J'ai deux cents ans et je n'ai
pas muté. Quand on absorbe l'âme, il suffit de fredon-
ner pour ne plus percevoir ses mauvaises ondes. Pendant que le salopard meurt, moi, je chante à tue-tête. De
cette façon, je ne cours aucun risque d'être contaminé
par le mal que recelait l'âme.

— C'est infect ! s'exclama Kat en essayant de nouveau de se dégager de l'emprise de Sin.

— Comme si vous, vous n'aviez pas de vilaines
pratiques !

— Peut-être en ai-je, mais je ne dévore pas les gens,
moi !

— Mais moi non plus. Je me contente d'avaler leur
âme, ce que je ne saurais trop vous conseiller de faire
un de ces jours : c'est sacrément bon.

— Beurk ! vociféra Kat, avant de réussir, cette fois, à
fondre sur le Démon.

D'un claquement de doigts, Sin la souleva de terre et
la laissa en lévitation. Ce qu'il regretta aussitôt : dans
cette position, elle pouvait lui labourer les tibias à
coups de pied.

— Damien, pourquoi ne redescendrais-tu pas au rez-
de-chaussée ? Je t'appellerai quand j'aurai une minute.

— OK, patron.

Sin attendit que la porte soit bien refermée avant de
libérer Kat, qui se tourna alors vers lui, les narines frémissantes, les yeux luisants de rage.

— Ne t'avise pas de me téléporter de nouveau !

— Et pourquoi pas ? Tu me l'as bien fait, à moi.

Kat se calma un peu. Il disait vrai. Elle ne s'était pas
rendu compte qu'être téléporté était aussi désagréable... jusqu'à ce que cela lui arrive. Pas étonnant que

Sin ait été aussi furieux, à Kalosis. Mais cela n'y changeait rien : il avait tort à propos du Démon.

— Comment peux-tu tolérer ce que fait cet homme pour rester en vie ?

— Hé, ce n'est pas mon oncle qui a passé sa rage sur toute une race innocente ! Sans Apollon et son fichu sort, les Démons n'existeraient pas.

— Les Apollites ont tué son fils et sa compagne.

— Trois soldats ont tué son fils et sa compagne, rectifia Sin. Et combien Apollon a-t-il tué d'enfants apollites le jour où il s'est mis en pétard ? Il a condamné à mort ses propres enfants et petits-enfants. Il se moquait pas mal qu'ils soient innocents. Sous le coup de la colère, il a assassiné bien plus de malheureux que les trois soldats ne l'avaient fait. Beaucoup plus.

Kat était au supplice : une fois encore, Sin avait raison. Stryker, qui servait Apollymi, était le fils d'Apollon. Il avait dix enfants que le dieu avait maudits en même temps que lui. Les dix étaient devenus des Démons et avaient connu une fin brutale et violente.

— Dis-moi quelque chose, Kat. Imagine que tu sois condamnée à mourir à vingt-sept ans et que quelqu'un te montre un moyen d'échapper à ce sort. Choisirais-tu de préserver la vie d'un étranger au détriment de la tienne ?

— Bien sûr !

— Alors, tu es meilleure que moi. Ou bien tu n'as jamais eu à lutter pour ta survie. Tu ne peux donc pas imaginer ce que c'est que de regarder la mort en face et de savoir qu'elle va frapper.

La voix de Sin vibrait d'une telle intensité que Kat en eut la chair de poule. Toutefois, elle n'était pas prête à adopter son point de vue.

— Tu es immortel. Que sais-tu de la mort, Sin ?

Il la regarda avec froideur.

— Les immortels peuvent mourir. Et ils meurent. Certains d'entre nous plus d'une fois.

Il lui manquait un élément, songea-t-elle. Sans cet élément, elle ne pouvait répondre.

— As-tu jamais prélevé la vie d'un innocent pour gagner un jour d'existence supplémentaire, Sin ? demanda-t-elle en cillant sous l'éclat des yeux couleur ambre.

— J'ai fait dans ma vie bien des choses à contrecœur et je n'en suis pas fier, mais je suis toujours là et j'entends y rester encore longtemps. Ne juge pas les gens si tu n'as pas été à leur place.

Kat tendit la main pour le toucher, geste qu'elle se reprocha immédiatement mais ne put réprimer. Sous sa paume, elle perçut la souffrance de Sin. Ce contact fit naître des images dans son esprit : la fille de Sin qui hurlait de douleur, torturée à mort par des Démons. Sin assistait à son supplice, les cheveux plaqués sur les joues par la sueur, le visage ruisselant de sang, le corps martyrisé.

Elle retint un cri lorsqu'elle sentit une douleur atroce lui vriller le cœur.

Elle baissa les yeux, persuadée qu'elle allait voir couler son propre sang, mais ce fut la poitrine de Sin, transpercée d'une épée, qu'elle vit. Chaque battement de son cœur la torturait, et elle avait envie de pleurer. Pour Sin.

Ce souvenir-là n'était pas le seul qu'il gardait secret : elle se retrouva tout à coup dans un vestibule inondé de soleil, aux immenses baies dont les rideaux flottaient dans la brise. Sin se dirigeait vers l'arrière de son temple, à Ur. Il était heureux. Jusqu'à ce que les échos d'ébats sexuels lui arrivent aux oreilles. Sa joie se changea aussitôt en fureur vengeresse. Il se rua dans sa chambre et écarta les rideaux qui masquaient le lit.

Ce que découvrit Kat à travers les yeux de Sin lui coupa le souffle. Cela faisait mal… Atrocement mal. La femme de Sin était dans les bras d'un autre homme.

Puis elle vit son fils Utu et sa fille Ishtar agoniser sous les coups des Démons créés par le père de Sin.

Grands dieux, comment Sin pouvait-il supporter ce qui lui était arrivé ? On s'était moqué de lui, on l'avait humilié, et ses enfants étaient morts, le laissant totalement seul.

La souffrance et l'amertume rongeaient cet homme. La trahison et la culpabilité lui avaient laissé un goût de fiel dans la bouche, et rien n'avait jamais su l'atténuer.

— Aide-moi... chuchota Kat, incapable d'en supporter davantage.

Sin se tenait derrière elle et la regardait trembler... avec un certain sadisme. Il prenait plaisir à assister à son supplice. C'était bien fait pour elle. Elle n'aurait pas dû s'infiltrer dans ses émotions et dans sa mémoire.

Mais il n'était pas le salaud qu'il aurait voulu être. Son plaisir ne dura que quelques secondes. Il enlaça Kat et la serra contre lui pendant qu'elle sanglotait.

— Chut... Détends-toi, souffla-t-il en la berçant. Il ne faut pas que tu ressentes ça.

Il fit appel à ses pouvoirs pour la délester de cette terrible charge de douleur qu'elle avait puisée en lui.

Elle continua de trembler pendant que les images s'effaçaient. L'étreinte de Sin la réconfortait, estompait peu à peu le malaise. Son esprit se remit à fonctionner normalement, et elle put réfléchir.

Elle comprit alors qu'il ne réussissait à supporter sa souffrance qu'en luttant contre les Gallus. Une juste cause qui lui donnait une raison de vivre. Sa colère et sa détresse étaient un moteur puissant. Il les canalisait efficacement, mais elles l'empêchaient d'avoir une existence normale. À cause d'elles, il était seul.

— Il y a différentes sortes de morts, dit-elle.

— Oui. Les lâches ne sont pas les seuls à mourir plusieurs fois. Parfois, les héros meurent aussi.

Maintenant, elle comprenait cet homme, savait comment il fonctionnait. Elle s'écarta légèrement de lui et toucha son visage. Il était si beau, dans la pénombre. Ses traits altiers étaient parfaits. Mais ils continuaient à flotter, déformés par le désespoir, dans son esprit. Que n'eût-elle donné pour le soulager !

Sin retint sa respiration quand il se rendit compte que Kat était en totale empathie avec lui. Elle était malheureuse pour lui. Quand pour la dernière fois l'avait-on regardé de cette façon, avec tendresse, sollicitude ? On l'avait mille fois fixé avec haine, avec colère, mais pas ainsi. Cela l'émouvait. L'attendrissait. Et l'affaiblissait. Il se sentait nu devant cette femme. Elle savait désormais tout de son passé, et pourtant, elle ne s'était pas moquée de lui. C'était merveilleux. Et un peu effrayant.

Elle tendit l'index et suivit le contour de ses lèvres. Il frissonna. Il y avait si longtemps qu'une femme n'avait fait cela...

Il rectifia aussitôt à part lui : jamais une caresse aussi anodine n'avait éveillé en lui un tel émoi. Tout son corps lui semblait crépiter. Personne, pas même son épouse, ne l'avait attiré comme Kat. Il y avait en elle quelque chose d'irrésistible. S'il ne s'était pas retenu, il l'aurait déshabillée dans la seconde et lui aurait fait l'amour jusqu'à tomber d'épuisement.

Ou jusqu'à ce que les Dimmes les dévorent tous les deux.

Kat voyait les émotions se succéder sur le visage de Sin, un vrai livre ouvert. Le désir faisait scintiller l'ambre de ses yeux. Elle n'avait nul besoin de se servir de ses pouvoirs pour savoir ce qu'il ressentait.

Il allait l'embrasser... Elle ferma les yeux et attendit.

Il la serra ardemment et prit sa bouche. Elle posa la main sur sa gorge pour sentir bouger les muscles de son cou puissant pendant que sa langue se livrait à une danse torride avec la sienne. Sin avait un goût de vin et d'homme. Il était brûlant et rassurant. Chose étrange, son étreinte l'apaisait.

Et faisait monter la fièvre en elle.

Sin gronda sourdement. Ce baiser l'ensorcelait. Il s'attendait qu'Apollymi les foudroie, mais les secondes passèrent et rien ne se produisit. Il commença alors à se détendre. Rien ni personne n'allait le séparer de Kat.

Une immense allégresse s'empara de lui.

Par tous les dieux, cette femme était si douce, si exquise. Le parfum sucré de sa peau lui faisait tourner la tête. Il avait presque oublié quel bonheur c'était d'être apprécié tel qu'il était. Elle connaissait ses secrets, et pourtant, elle ne le rejetait pas.

Il prit son visage en coupe entre ses mains. Il était tellement excité qu'il craignait de ne pas réussir à se dominer. Il la voulait nue. Il voulait qu'elle le touche, que ses doigts fins courent sur son corps, s'arrêtent sur les points les plus sensibles, en exacerbent la sensibilité déjà à fleur de peau. Il voulait qu'elle noue ses longues jambes de danseuse autour de sa taille pendant qu'il la pénétrerait si profondément que jamais il ne s'extrairait d'elle.

Mais elle le repoussa, puis le regarda entre ses cils à demi baissés.

— Je suis désolée que tu aies tant souffert, Sin.

— Il ne faut pas. Tu n'y es pour rien.

C'était son grand-père, Archon, qu'elle avait vu dans le lit avec la femme de Sin. Apollymi avait-elle su que son mari lui était infidèle ? Cela aurait expliqué qu'elle voue une telle haine aux Sumériens.

Le comportement des dieux était toujours compliqué et tortueux, mais rarement autant que dans cette histoire.

Elle reprit la main de Sin et en examina les terribles marques. Comparée à la sienne, sa peau était si foncée… et il y avait tant de force dans ces doigts marqués par les brûlures et les coups. Oui, il avait souffert comme un damné, mais ce qui la bouleversait par-dessus tout, c'était la solitude qui était son lot depuis si longtemps.

Un jour, elle avait demandé au Chthonien Savitar pourquoi certains êtres devaient endurer tant de maux et d'autres non, et il avait répondu :

— L'acier le plus solide est forgé avec les feux de l'enfer, cogné à coups de masse répétés, tordu lorsqu'il est en fusion. C'est le feu qui lui donne pouvoir et flexibilité. Les coups lui donnent sa force. Ainsi, le métal peut se prêter à toutes les batailles.

Kat n'était qu'une enfant à l'époque. Elle avait trouvé cette comparaison cruelle.

Mais Sin, lui, avait été traité comme l'acier, et il était resté digne.

Elle embrassa son poignet gauche, là où les brûlures avaient laissé des marques aussi affreuses. C'était un geste tellement tendre que Sin en fut déstabilisé. Il savait comment répondre aux insultes et aux coups, mais pas à la tendresse. Il était même effrayé.

— Je pensais que tu me haïssais, Kat.

— Oh, mais c'est le cas, assura-t-elle en riant.

Après un silence, elle reprit :

— Sin, tu sais très bien que tu ne devrais pas faire travailler des Démons.

— Mes quelques Démons sont loin d'avoir tué autant de gens que ta mère et ton oncle. Pourtant, eux, tu continues à les aimer.

— Seulement les bons jours, dit Kat, contrariée qu'il ait marqué un point. Bon, cet entraînement au combat contre les Gallus, quand va-t-il commencer ?

Une image avait de nouveau assailli son esprit : Ishtar mise à mort par les monstres. L'expression de Sin lui apprit qu'il la voyait aussi.

— Ne t'inquiète pas, dit-elle. Je suis de taille à les affronter. Je suis la fille d'un couple de dieux.

— Ishtar l'était aussi.

Oui, mais Ishtar ne bénéficiait pas du même patrimoine génétique...

— Mon père est le grand messager de la mort, et ma grand-mère, la Destructrice. Ma mère est la déesse de la chasse. Je crois que je m'en sortirai.

— C'est sûr que tu portes en toi toute une histoire de terreur pure et de cruauté, dit Sin en reculant.

— Ouais. Souviens-t'en, s'il te prend l'envie de me piquer mon goûter.

— Promis.

Il ne semblait pourtant pas convaincu qu'elle ait l'étoffe d'une guerrière. À elle de lui montrer de quoi elle était capable.

— Revenons à tes Démons. Combien en as-tu, au casino ?

— Je ne sais pas exactement. C'est Damien qui s'occupe d'eux et les fait marcher droit. S'ils dévorent le mauvais touriste, il les tue.

— Et ça te convient ?

— Je fais confiance à Damien comme à personne d'autre.

Insensé, songea Kat... avant de se rappeler que sa grand-mère avait toute une armée de Démons sous ses ordres et les laissait sans sourciller prélever des âmes humaines pour rester en vie. Bon, d'accord, leur chef, Stryker, s'était désormais mis en tête de l'abattre, mais c'était une autre affaire.

Elle comprit soudain pourquoi l'indulgence de Sin la troublait tant. C'était parce que ses Démons évoluaient dans le même monde que les humains. Stryker et son armée, eux, devaient se déplacer dans ce monde pour se nourrir, et jamais elle n'avait été témoin de cela. Que Sin héberge des Démons au milieu des humains était choquant.

— Je croyais que tu ne faisais confiance à personne.

— Je n'ai jamais dit que je confierais ma vie à Damien. Seulement mon argent.

— Compris. Quel est le plan, à part éviter de tomber sur ma mère ou Deimos ?

— Il faut que nous trouvions le *Hayar Bedr*.

— Qu'est-ce que c'est que ça ?

— La Lune Maudite.

— Animal, végétal ou minéral ?

— Animal.

Tout s'éclairait…

— Ah bon ? Et quelle sorte d'animal peut donc porter le nom de Lune Maudite ?

— Mon frère jumeau.

Par exemple ! Un jumeau ! Elle n'avait pas lu cette information en lui.

— Vous êtes deux, alors ?

L'expression de Sin s'assombrit.

— Façon de parler. À l'origine, nous étions trois, nés d'une mère humaine, une paysanne séduite par mon père. Nous n'étions que des enfants lorsqu'il a été prédit que nous anéantirions le panthéon. De colère, mon père a tué l'aîné des triplés, puis il est venu s'en prendre à Zakar et à moi. Je n'avais que dix ans, mais j'étais fort. J'ai caché Zakar dans le royaume des rêves et me suis battu contre mon père pour conserver le droit de vivre. Je lui ai dit que je m'étais occupé de mon frère et que j'avais absorbé ses pouvoirs.

— Ce qui était faux.

— Oui. Mais l'idée que j'aie assez de pouvoir pour éliminer mon frère a terrifié mon père, et il a marqué le pas. Même s'il voulait encore que je meure, il a dit que la prophétie parlait des triplés, que du moment qu'il n'en restait qu'un, celui-ci pouvait être laissé en vie. J'ai donc pris ma place dans le panthéon, et Zakar est resté caché. Les humains le connaissaient, et chaque fois qu'ils mentionnaient son nom, je disais à mon père que, dans leurs rêves, ils se trompaient, que c'était moi qu'ils voyaient parce que je me faisais appeler Zakar.

— Et il t'a cru ?

— Quand on tient à sa vigueur, on ne rigole pas avec un dieu de la fertilité.

Exact. Les dieux de la fertilité avaient leur façon bien à eux de ruiner les nuits et les ego des hommes.

— Et maintenant, où est ton frère ?

— Aucune idée, lâcha Sin dans un lourd soupir.

Il alla se servir un whisky puis reprit :

— La dernière fois que je l'ai vu, c'est après qu'Artémis m'a privé de mes pouvoirs et laissé pour mort. Zakar m'a aidé à me libérer du filet, puis il est parti. Il m'a dit qu'il devait absolument s'occuper d'un truc, et il a disparu.

— Et tu ignores où il est allé.

— Oui. J'ai essayé à plusieurs reprises de le faire venir à moi, en vain. Pas une carte postale ni un signe de vie en des milliers d'années, rien. Je me demande s'il n'est pas mort.

— S'il l'est, qu'est-ce que ça change pour nous ?

— Beaucoup de choses : la dernière fois, c'est son sang que nous avons utilisé pour neutraliser les Gallus. Et nous avons encore besoin de ce sang.

— Mais puisque vous êtes jumeaux, ton sang ne ferait-il pas l'affaire ?

Il se servit un autre verre avant de répondre.

— Non. Je ne puis m'introduire dans les rêves. Zakar, si. C'est d'ailleurs dans un rêve qu'il a combattu le Démon Asag, le père biologique des Gallus. Au cours de l'affrontement, Zakar a absorbé certains de ses pouvoirs, ce qui explique qu'il puisse leur tenir tête tout seul. Il les comprend, connaît leurs faiblesses. C'est par Zakar que j'ai pu contrôler les Démons et me battre contre eux.

— Alors, comment se fait-il qu'ils aient tué Ishtar ?

Cette fois, il négligea son verre et but directement à la bouteille.

— Une fois que j'ai été neutralisé, elle s'est retrouvée seule contre eux. Une nuit, je l'ai entendue crier à l'aide. J'ai accouru. Pourtant, je savais que je serais impuissant.

La douleur hantait son regard.

— Il était trop tard, poursuivit-il d'une voix tremblante. Tu n'imagines pas ce que c'est que de serrer son enfant mourante dans ses bras, en sachant que si l'on avait encore ses pouvoirs, on pourrait lutter efficacement. La sauver. J'aurais pu pardonner à Artémis ce qu'elle m'a fait s'il n'y avait eu la mort de ma fille. Cela, jamais je ne l'en absoudrai. Si j'ai la chance de tuer cette foutue garce, crois-moi, je la saisirai. Et au temps pour les conséquences.

Un frisson glacé parcourut Kat. Elle comprenait Sin, elle avait vu les souffrances d'Ishtar dans sa mémoire. Aucun père ne méritait ce genre de souvenir.

Elle déglutit avec peine et fit un pas vers lui.

— Ne me touche pas ! protesta-t-il. Je n'ai pas besoin de réconfort, surtout venant de la fille de celle qui m'a tout pris !

Comment lui en vouloir de réagir ainsi ? se demanda Kat, consternée.

— Qu'est-il advenu des pouvoirs d'Ishtar quand elle est morte ?

Il vida la bouteille, s'essuya la bouche et répondit :

— Avant de rendre le dernier soupir, elle m'en a transmis une grande partie, ce qui explique que je parvienne à lutter contre les Gallus. Après sa mort, ce qui restait de ses pouvoirs s'est échappé d'elle, et il en a résulté une terrible éruption volcanique. Ensuite, Aphrodite est entrée dans notre panthéon en tant que déesse de l'amour et de la beauté pour remplacer Ishtar. Puis mon panthéon a été anéanti.

Kat se rappelait les dieux grecs discutant de cela. Aphrodite s'était servie de la jalousie comme d'une arme pour dresser les Sumériens les uns contre les autres jusqu'à ce qu'il n'en reste plus un seul. La tante de Kat avait été une habile manipulatrice. Comment les mensonges d'une nouvelle venue avaient-ils pu influencer des gens qui se connaissaient depuis une éternité ?

Kat avait du mal à le comprendre. Mais les Sumériens étaient tombés dans le panneau et s'étaient montrés prêts à tout pour supprimer l'innocent qu'ils prenaient pour un ennemi. Pour finir, ils avaient tous payé le prix fort.

Mais cela appartenait au passé. Pour l'heure, ils avaient un sacré problème : il leur fallait trouver quelqu'un qui soit capable de...

Un instant. Elle venait de se souvenir de quelque chose qu'avait dit Sin.

— Pourquoi ne peux-tu faire ce que Zakar a fait ?

— Si je possédais toujours mes pouvoirs, et pas seulement une partie de ceux d'Ishtar, je pourrais accomplir des miracles. Je pourrais... tuer ta mère, par exemple.

— Mmm. Et les Onerois ? Ce sont les dieux des rêves, dans le panthéon grec. Ne pourrions-nous en embaucher un pour trouver Asag et le combattre ?

— On peut essayer, mais on ne sait pas le mal que le venin d'Asag risque de faire à un dieu des rêves. Si ça ne marche pas, le dieu des rêves se changera en un nouveau type de Démon, et il nous faudra découvrir le moyen de le tuer. Qui suggères-tu, pour nous servir de cobaye ?

Sin avait raison. Nul ne savait ce qu'Asag pourrait faire à l'un de ses cousins.

— Bon, d'accord. Zakar est notre meilleur pion à jouer.

— Sauf si tu peux aller parler à ta mère et la convaincre de me rendre mes pouvoirs.

— Difficile, dans la mesure où je ne peux même pas la convaincre de t'épargner. Elle ne te porte guère dans son cœur, je te rappelle.

— Oh, pardon pour mes mauvaises manières, je suis en dessous de tout. Aimerais-tu que j'invite ta chère maman à prendre le thé ? Je te promets d'être très poli pendant que je la tuerai.

— Waouh ! Tu es vraiment marrant, patron. Plus drôle que les émissions de télé-réalité. Tu veux que je prépare du pop-corn pour l'entracte ?

Kish venait d'entrer. Sin lui jeta un regard assassin.

— Qu'est-ce que tu fous là, Kish ?

— J'ai éprouvé le soudain besoin de venir ici pour que tu me congèles de nouveau, patron. J'adore être une statue, du moment que tu ne me colles pas dans un parc où les pigeons me feraient caca dessus.

Le serviteur prit le temps de ricaner avant d'ajouter :

— En fait, je suis monté parce qu'il y a un type en bas qui veut te parler. Il assure que c'est urgent.

— Je suis occupé.

— Je le lui ai dit.

— Alors, pourquoi es-tu venu quand même ?

Kish tendit sa main ouverte.

— Il voulait que je te donne ça.

— Je n'accepte pas les pots-de-vin.

Kish laissa tomber ce qu'il tenait dans la paume de Sin. Un médaillon. Sin se calma aussitôt : le médaillon était en réalité une pièce de monnaie babylonienne.

— Il a dit son nom ?

— Kessar.

— Kessar ? répéta Kat, qui n'avait jamais entendu ce nom.

Sin restait muet. Une colère froide lui serrait l'estomac.

Après un silence, il expliqua d'une voix sourde :

— Il est aux Gallus ce que Stryker est aux Démons.

Il décrocha une canne du mur, puis se dirigea vers l'ascenseur qui descendait dans le casino.

7

Kat échangea un regard soucieux avec Kish avant de suivre celui-ci dans l'ascenseur, puis demanda à Sin, qui s'était rué dans la cabine :

— Que se passe-t-il ?

Sin ne répondit pas. Kish lança alors :

— Tu le connais, ce type, hein, patron ?

Il n'obtint pas davantage de réponse.

Kat n'avait nul besoin de ses pouvoirs pour sentir la rage qui bouillait en Sin. La seule mention du nom de Kessar avait réveillé le tueur en lui. Manifestement, le passé qu'il avait en commun avec cet homme n'était pas gai. Il haïssait Kessar autant qu'Artémis.

Les yeux plissés, les traits crispés, il serrait si fort sa canne qu'il en avait les phalanges blanches. Il était effrayant et réussissait pourtant à rester séduisant. Kat réalisa que la rage et la tension chez Sin mettaient anormalement ses hormones en émoi. Le sexe avec lui devait être ébouriffant, quand il était dans cet état. Sa colère lui faisait l'effet d'un aphrodisiaque.

Quelque chose ne tournait pas rond chez elle. Peut-être ne la laissait-on pas sortir assez souvent…

Pour ne rien arranger, le coup d'œil que lui décocha Sin fut sans ambiguïté : il lisait dans ses pensées. Quelle guigne !

Afin de ne plus rien trahir de ses émois, elle riva son regard sur la porte et resta immobile et muette jusqu'à ce que la cabine arrive au rez-de-chaussée. Mais elle soupçonnait Sin de continuer à lire dans son esprit.

Le problème, c'était son reflet dans les parois d'acier poli. Elle ne voyait que lui. Bon sang, qu'il était beau ! Son côté dur et impitoyable de prédateur ajoutait encore à son charme.

Une dangereuse combinaison, qui ne pouvait qu'affecter sa santé mentale, se désola Kat en elle-même.

Les portes coulissèrent, et Sin sortit de la cabine, Kish derrière lui. Ainsi, il faisait confiance au serviteur pour protéger ses arrières. Pour le protéger d'elle, qui venait ensuite, songea Kat.

Il faisait sombre dans le casino. Les seules lumières vives étaient celles des tables de jeu et des machines à sous. Des clochettes tintaient partout, signalant des gagnants qui riaient, criaient, dominant la musique douce en fond sonore. La plus totale anarchie semblait régner ici. L'ambiance était joyeuse, attirante. Kat ne s'était jamais trouvée dans un endroit comme celui-ci. Pour elle, c'était fascinant.

Sin, lui, ne paraissait rien voir de la salle. Il traversa l'immense pièce d'un pas décidé, louvoyant entre les tables et les gens. Il savait instinctivement où l'attendait son ennemi.

Les yeux de Kat allaient de droite à gauche. Elle essayait de distinguer qui, parmi toutes ces personnes, était un adversaire potentiel, ou une créature comme celle qui l'avait attaquée à New York. Mais elle ne voyait que des humains inconscients du danger. Plusieurs serveuses grandes et blondes en courte robe noire fixaient sur elle un regard malveillant – des Apollites. Parmi elles, elle repéra un Démon femelle, qui lui montra discrètement les crocs.

Mais le Gallu, où était-il ?

À peine s'était-elle posé cette question qu'elle sentit un frisson glacé remonter le long de son échine. Son sixième sens l'alertait. Là, sur sa gauche... Cinq hommes d'une beauté sublime, en costume noir. Leur teint sombre trahissait leurs origines perses. Trois d'entre eux avaient des cheveux bouclés, un quatrième des cheveux raides attachés en catogan. Et le cinquième...

Le chef.

Chevelure châtain rehaussée de mèches blondes, traits patriciens d'une extrême finesse. En dépit de la pénombre, il portait des lunettes noires. Pourquoi ces lunettes ? Kat se concentra et sut : il avait les yeux rouge rubis. Un sinistre sourire étira ses lèvres lorsque Sin s'arrêta devant lui.

Kat frémit. Kessar était superbe et maléfique. Le genre d'être qui, enfant, devait arracher les ailes des... eh bien, des Charontes. Et rire aux éclats quand ils pleuraient.

— Ça fait une paye, hein ? dit-il à Sin d'un ton presque jovial.

— Qui t'a laissé sortir ?

Kessar ricana et éluda la question.

— Les Dimmes se préparent. Je sais que tu es au courant.

Il ferma brièvement les yeux, comme s'il savourait quelque mets délectable, puis continua :

— Pendant que je parle, j'entends leurs ailes se déployer, le sang bouillonner dans leurs veines. Mes sœurs seront affamées, à leur réveil. Nous devons veiller à ce qu'elles aient un buffet bien garni.

Sin répliqua en considérant les Démons qui accompagnaient Kessar :

— J'ai ma petite idée sur ce qui va les nourrir.

— Allons, nous ne sommes pas des cannibales. Prends ma visite comme un geste amical pour te prévenir que tu ne trouveras pas ce que tu cherches. Ne perds pas ton temps. Nous détenons la Lune et l'avons mise en lieu sûr, dans un endroit où tu ne pourras pas l'approcher. Dès que mes sœurs seront réveillées, tu iras la rejoindre dans sa grande misère.

Sin pâlit. Kat perçut la panique qui montait en lui.

— Qu'as-tu fait à Zakar ?

Kessar ne répondit pas. Il prit le temps d'observer Kat, les sourcils légèrement froncés, avant d'aller se placer devant elle.

— Mais qu'avons-nous là ? Une Atlante ! Je croyais qu'ils étaient tous morts.

— Surprise ! dit Kat.

Il semblait se délecter du dégoût qu'il éveillait en elle. Il leva la main et lui toucha la mâchoire du bout de l'index. Kat recula vivement la tête, réprimant à grand-peine l'envie de lui cracher au visage. Sin brandit sa canne entre eux, et Kessar recula.

— Tu ne peux pas te servir de ça devant les humains, dit-il en montrant la canne d'un mouvement de tête. Que vont-ils penser ?

— Ce qui se passe à Las Vegas ne sort pas de Las Vegas. Après tout, on l'appelle Sin City – la ville du péché. *Ma* ville.

— Mmm… fit Kessar avant de claquer des doigts.

Le Démon qui se tenait derrière lui s'avança et posa une petite boîte dans la main de Kessar, lequel la tendit ensuite à Sin.

— Voilà un petit souvenir pour que tu ne m'oublies pas.

Kat regarda. Quelle horreur ! Un doigt coupé qui portait une bague. C'était répugnant.

Sin gronda et fit un pas en avant, mais Damien le retint.

— Non, patron, pas maintenant.

— Salopard ! lança Sin à Kessar. Tu ne perds rien pour attendre.

— Marrant : c'est également ce qu'a dit Zakar. Mais il n'a pas parlé depuis un sacré bout de temps. Tout ce qu'il fait, c'est geindre et pleurnicher. Et c'est ce que tu feras aussi, ajouta-t-il après une pause.

Kat était excédée. Elle était peut-être trop bien élevée pour cracher, mais elle était quand même la fille de son père ! Alors, sans sommation, elle projeta de toutes ses forces son genou dans l'entrejambe de Kessar.

Il se plia en deux et se redressa aussitôt, mais il était blême. Ainsi, les Démons étaient aussi sensibles que les hommes, à cet endroit...

Le Démon au catogan tenta de défendre son maître, mais Kat lui fit également goûter de son genou. Prudents, les autres ne bougèrent pas. Kat agrippa alors Kessar par les cheveux et lui souffla à l'oreille :

— Ne sous-estime pas les Atlantes. Nous jouons dans une autre catégorie que ton panthéon !

Une grosse veine palpitait sur le front de Kessar. Il entrouvrit les lèvres sur deux rangs de crocs impressionnants et tenta de mordre Kat, mais Sin le saisit à la gorge et le jeta dans les bras de Damien.

— Fous cette ordure dehors. Je ne veux pas qu'elle empeste mon casino.

Le visage de Kessar retrouva son aspect normal. D'une violente bourrade, il se débarrassa de Damien.

— Ne me touche pas, Démon ! Tu n'es pas digne de poser la main sur moi !

— Va te faire foutre, connard. Moi, je ne veux pas que ta salive de Sumérien me souille. Barre-toi d'ici.

— Nous reviendrons, et en force !

— C'est ça. À bientôt, répliqua Sin d'un ton glacial.

Les Gallus pivotèrent sur leurs talons comme un seul homme et s'éloignèrent, Kessar en tête, les autres derrière lui, formant un V parfait.

— On dirait un troupeau d'oies, commenta Kat en riant.

— Ouais, approuva Sin, et comme les oies, ils chient sur la pelouse d'autrui.

Il sortit de sa poche un petit vaporisateur pour l'haleine et l'actionna à plusieurs reprises autour d'eux.

— Dommage qu'on n'ait pas du parfum anti-Démons.

— Mais peut-être avons-nous un répulsif ! s'écria Kat. Qu'est-ce que ces créatures détestent le plus ? Les Charontes, pas vrai ? Figure-toi que je connais une Démone charonte qui adore faire des incursions à Las Vegas. Ne la privons pas de ce plaisir ! Invitons-la.

Sin et Damien échangèrent un regard.

— Qui est cette Démone ? demanda Damien. Et, plus important, est-elle séduisante ?

— Oh, elle l'est. Mais ne vous avisez pas de l'approcher. Le dernier homme qui l'a fait a tristement fini. Il faut dire qu'elle a constamment faim…

Kat décrocha d'autorité le portable de Damien de sa ceinture et composa un numéro, le seul qui ferait sonner un téléphone rose constellé de brillants.

— Allô ?

Kat sourit en entendant la voix familière qu'elle aimait tant.

— Simi ? Tu as un peu de temps libre ?

— Évidemment ! Mon *akri* est sur l'Olympe avec sa sale vache de déesse que je voudrais dévorer, mais il refuse toujours que Simi la fasse griller au barbecue ! Pourquoi tu m'appelles, ma minette ?

— Je suis à Vegas, et j'ai désespérément besoin d'un Démon de qualité. Apporte de la sauce barbecue, ma chérie. En grande quantité.

— Ooooh… Un buffet ?

— Oui, m'dame. Et on peut se servir à volonté.

Simi lâcha une exclamation enthousiaste.

— Simi est déjà en route ! Je prépare une petite valise et j'arrive.

Kat raccrocha et rendit son téléphone à Damien.

— Voilà. Une Charonte affamée nous rejoint.

Sin approuva d'un hochement de tête, mais il fixait toujours d'un œil navré la petite boîte dans sa paume. Pour le réconforter, Kat posa la main sur la sienne.

— Nous trouverons ton frère, Sin.

Il semblait si triste qu'elle en avait le cœur serré.

— Ouais, mais dans quel état ?

Elle percevait la rage qui montait en lui, une colère toute dirigée contre Artémis, responsable de la situation. Et il devait cogiter, en quête d'un moyen de punir la déesse. Difficile de le lui reprocher. Perdre ses pouvoirs lui avait fait tant de mal !

— Il fait jour, patron, remarqua Damien, mais ce soir, nous t'aiderons dans tes recherches.

— Non. Vous tous, restez en dehors de ça. Ils vous réduiraient en charpie.

Damien ne paraissait pas le moins du monde effrayé.

— Et Savitar ? demanda Kat. Il ne pourrait pas nous donner un coup de main ? Ou bien un autre des Chthoniens ?

— Ils ne l'ont jamais proposé. Depuis leur guerre civile, tout ce qui les intéresse, c'est de protéger leur territoire.

Sin appuya le bout de la canne sur le sol. Kat se rappela la façon dont avait réagi Kessar en voyant la canne. Cet objet l'avait immédiatement calmé.

— De quoi est-elle faite ? s'enquit Kat. De kryptonite anti-Démon ?

— Quelque chose dans ce genre, oui.

Il souleva légèrement la poignée, montrant une fine lame dissimulée dans le bâton.

— Elle a été créée par Anu, continua-t-il, et se rapproche des dagues conçues par les Atlantes pour tuer les Charontes. C'est grâce à cette arme que nous tenons les Gallus en respect.

— Super. Et tu en as d'autres ?

— Hélas non. Après tous ces siècles, elles sont devenues trop fragiles. C'est la dernière que je possède, et Anu n'est plus là pour en fabriquer.

Kat comprit tout de suite ce qu'il attendait qu'elle réponde.

— Une dague atlante marcherait donc ?

— Aucune idée. Tu en as une ?

— Non. Je réfléchis à voix haute, c'est tout. Je ne pensais pas que tu t'attendais que j'abatte toutes mes cartes !

— Navré. Kish, découvre tous les miroirs du casino. Et veille à ce que tous les halls d'entrée en soient munis.

— Pour quoi faire ? demanda Kat. Garder les Chasseurs de la Nuit à l'extérieur ?

— Non, les Gallus. Les miroirs les montrent tels qu'ils sont. Ils n'en approchent aucun.

— J'aime bien l'idée de garder les Chasseurs de la Nuit à l'extérieur, remarqua Damien.

— Je m'en doute, répliqua Kat. Je suis étonnée qu'aucun d'eux n'ait encore nettoyé cet endroit.

— Je n'entretiens pas de très bons rapports avec eux, dit Sin. Ceux qui vivent ici savent que je suis le propriétaire de cet endroit et ils gardent leurs distances. Ils n'ignorent pas que rien ne m'interdit de les tuer.

Kat arbora une mine mutine en rétorquant :

— Tu es si mignon… Je n'arrive pas à comprendre pourquoi les Chasseurs de la Nuit t'empêchent de t'amuser ! Ce sont de gros vilains.

Sin roula les yeux avant de s'adresser à Damien :

— Va voir si aucun Gallu ne traîne dans le coin avant que Kish ait fini de s'occuper des miroirs.

— OK.

Damien s'éloigna. Sin releva sa canne et se dirigea vers l'ascenseur, d'un pas si rapide que Kat dut courir pour le rattraper. Devant la cabine, il s'effaça courtoisement. Elle s'étonna de cette inattendue manifestation de galanterie.

— Merci.

Il inclina brièvement la tête, puis lâcha un long soupir. Elle sentait qu'il avait envie de dire quelque chose et qu'en même temps, il se retenait. Il fuyait son regard. Ce côté juvénile chez lui était attendrissant et extrêmement séduisant. Tellement en opposition avec le côté sombre de sa personnalité…

Il se décida enfin à la regarder, mais timidement.

— Tu as le pouvoir de localiser mon frère, Kat ?

Ah, voilà donc ce qui le troublait : être obligé de demander de l'aide. Cela devait rarement lui arriver. Peut-être même était-ce la première fois.

— J'aimerais bien, mais non.

Il jura entre ses dents.

— Toutefois, ma grand-mère a la *sfora*, s'empressa d'ajouter Kat. Elle pourrait réussir à voir où est ton frère.

— La… *sfora* ?

— C'est comme une boule de cristal. On lui demande de montrer des choses et elle le fait. En principe.

Kat nota la lueur de soulagement dans les yeux de Sin.

— Pourrais-tu essayer ? Pour moi… s'il te plaît ?

Dire « s'il te plaît » devait également être une première pour lui. Il était un peu gauche, et cet aspect de sa personnalité lui plaisait. Nul doute, elle pouvait être amie avec cet homme.

— Oui, répondit-elle.

Il la remercia d'un sourire, alors qu'il ne ressentait aucune joie. Il ne cessait de penser à Zakar, seul, endurant les tortures que Kessar et ses sbires lui infligeaient. Depuis combien de temps le détenaient-ils ? Dans quelles conditions s'étaient-ils emparés de lui ? Et surtout, était-il encore en vie ?

Oui, bien sûr, il l'était. Les Gallus aimaient trop torturer, supplicier pour se priver d'un prisonnier de choix tel que Zakar. Un ancien dieu à leur merci, quel coup de chance pour eux !

La fureur aveuglait presque Sin. Quand Artémis l'avait abandonné dans le désert, c'était Zakar qui l'avait retrouvé et lui avait rendu ses forces. Et de quelle façon avait-il remercié son frère ? En laissant les Gallus le prendre. Il méritait la mort pour cela. Même s'il parvenait à libérer Zakar, il ne se le pardonnerait jamais.

Plein de dégoût envers lui-même, il sortit de l'ascenseur et gagna son appartement. Là, il appuya la canne contre le bar et posa la boîte sur le plateau.

Il avait les nerfs à vif. Tant de frustration et de rage, c'était trop pour un seul homme.

— Ne t'inquiète pas, Sin, nous les aurons, dit Kat en lui caressant doucement l'épaule.

Incrédule, il se rendit compte que ce geste pourtant anodin l'apaisait – et faisait crépiter des étincelles brûlantes dans son bas-ventre. Le moindre contact avec Kat déclenchait des réactions disproportionnées et affolantes, mais il n'était pas dupe : cette tendresse, cette gentillesse, la jeune femme ne les lui manifestait que pour une seule et unique raison.

— Ta mère t'a envoyée pour me tuer, n'est-ce pas ?

La question la prit au dépourvu.

— Ne me mens pas, Kat. Artémis veut ma mort. Admets-le.

Kat décida d'être honnête. On avait trop menti à Sin au cours de son existence. Elle n'allait pas s'y mettre aussi.

— Oui, je l'admets.

Il eut un bref rire amer avant de sortir une dague de sa ceinture. Kat retint son souffle. Il allait se jeter sur elle...

Mais non. Il lui tendit la dague.

— Si ton intention est de me tuer, vas-y, fais-le. Je ne vais pas rester assis, à attendre que tu m'attaques quand je te tournerai le dos.

Pour quelque raison obscure, cette bravade amusa Kat. Sans que cela change d'un iota ses intentions : non, elle n'allait pas le tuer. Elle prit la dague et la posa sur le bar, à côté de la petite boîte.

— Je ne suis pas ma mère, Sin. Et je ne suis pas sous son contrôle.

Dans un premier temps, il parut se détendre. Puis il se crispa et cria :

— Et quand moi, j'irai la tuer, où seras-tu ? À mes côtés... ou derrière mon dos ?

— Je ne pense pas que tu iras la tuer, dit Kat avec un sourire.

Les yeux de Sin étaient soudain noirs de colère.

— Tu ne parierais pas ta vie là-dessus, si ?

— Si. Parce que tu sais que sa mort dévasterait la Terre et que tu n'es pas égoïste au point de déclencher un cataclysme pour satisfaire ton désir de vengeance.

Chaque fois qu'un dieu de premier plan était tué, ses pouvoirs allaient frapper l'univers comme un boomerang. Si personne ne les absorbait, ils explosaient à la manière d'une bombe atomique. Surtout lorsque le dieu en question était né du soleil ou de la lune. Ces dieux-là devaient être mille fois plus protégés que les autres.

— Peut-être que je ferai miens ses pouvoirs pour remplacer ceux qu'elle m'a volés...

— Pff... Si tu savais faire ça, tu l'aurais fait depuis longtemps.

Il secoua la tête.

— Tu es trop confiante.

— Et toi, trop méfiant.

Il fit une grimace.

— Ouais, tu as raison.

Kat décida de mettre un terme à cet échange acerbe. Il fallait qu'ils retrouvent l'ambiance amicale qui régnait entre eux avant que Kessar ne débarque.

Elle changea donc de sujet.

— Quand vas-tu me montrer comment combattre ces monstres ? La prochaine fois que Kessar franchira le seuil du casino, je veux qu'il reparte en boitant et en sang.

Une ombre de sourire se dessina brièvement sur les lèvres de Sin.

— Et toi, quand vas-tu te servir de la *sfora* pour retrouver mon frère ?

— Attends…

Kat ferma les yeux et visualisa sa grand-mère. Apollymi se trouvait dans son jardin. Elle ne pleurait pas mais elle était très triste, toujours en colère contre Sin, et elle se désolait à cause de ce qui était arrivé à Acheron.

— Pourrions-nous attendre un peu ? demanda Kat à Sin après avoir rouvert les yeux. Je ne pense pas que ma grand-mère ait envie de te voir – ni de me voir, d'ailleurs. Accordons-lui une heure ou deux, et avec un peu de chance, lorsque nous irons la voir, elle n'essaiera pas de te donner à manger à ses Démons. Ça te va ?

— Non. Mais je sais qu'il est préférable de ne pas brusquer une déesse en rogne, alors je vais essayer de patienter.

— Merci. Simi ne tardera plus. Il vaut mieux qu'on soit là pour l'accueillir.

— Là, je dis OK. Je n'ai pas le moins du monde envie qu'un Démon charonte affamé tourne autour de mes employés ou de ma clientèle.

Kat ne pouvait qu'être d'accord : livrée à elle-même, Simi se montrait féroce.

— Alors, on commence l'entraînement ?

— On y va.

D'un claquement de doigts, Kat se défit de sa chemise et de son tee-shirt et apparut en pantalon de treillis et haut noirs, les pieds dans des chaussures de tennis. Sin claqua des doigts à son tour et se retrouva aussitôt vêtu d'un bas de survêtement noir et d'un débardeur blanc qui mettait en valeur sa peau bronzée et sa superbe musculature.

Kat sentit son pouls s'accélérer. Bon sang, ce qu'il était beau… Vraiment craquant. Qu'est-ce que cela devait être quand il était nu… Une force sidérante émanait de tout son être. Il était bien plus puissant que les Chasseurs de la Nuit. Il avait peut-être perdu une grande partie de ses pouvoirs, mais il lui en restait quand même assez pour être exceptionnel.

Qu'allait-il lui apprendre ? se demanda-t-elle en le suivant le long d'un couloir jusqu'à la salle de gymnastique.

Acheron grogna dans son sommeil. Il rêvait, et il détestait cela. Les rêves n'avaient jamais le moindre sens, et celui qu'il faisait maintenant encore moins que les autres.

Deux femmes inconnues le tourmentaient. L'une était grande et blonde. Elle lui rappelait Artémis. Mais ce n'était pas elle : son regard était empreint de compassion et de bonté. Elle le considérait avec tristesse.

— Un jour, nous nous connaîtrons…

L'autre s'avança. De la brume masquait son visage, mais il pouvait voir qu'elle était mécontente. Furieuse, même.

— Qui penses-tu être ? Je te hais ! Fiche le camp ! Je ne veux plus jamais te revoir ! J'espère que tu passeras sous un autobus. Maintenant, file !

Le venin que recelait sa voix lui donna des frissons. Qu'avait-il fait à cette femme ? Et pourquoi le haïssait-elle ? Toutes les femmes l'aimaient, bon sang. Elles recherchaient sa présence.

Mais pas celle-là.

Elle voulait qu'on lui coupe la tête.

Acheron se réveilla, glacé de sueur froide. Il lui fallut un moment avant de se rendre compte qu'il était dans le lit d'Artémis, en sécurité. Il s'assit. Les draps de soie glissèrent dans un doux friselis autour de sa taille.

Par tous les dieux, ce qu'il pouvait détester dormir… De toute son existence, jamais il n'avait fait de beaux rêves. Mais au moins, auparavant, tous prenaient leur source dans son passé, alors que les derniers provenaient d'il ne savait où.

— Vaurien !

Un fracas de verre brisé... Artémis était en colère.

— J'ai fait de mon mieux !

— Tu es nul !

Acheron n'entendit rien d'autre, mais il se sentait tout à coup aussi mal que si on l'avait violemment précipité par terre. Son corps tout entier était douloureux. Il fallait qu'il sache pourquoi. Il se leva, fit apparaître ses vêtements, puis traversa la chambre et ouvrit la porte à double battant.

Deimos maintenait Artémis sur le sol en la tenant par la gorge. Dans la seconde, Acheron fut sur lui et l'expédia à l'autre bout de la pièce. Deimos s'effondra comme une poupée de chiffons mais se ressaisit aussitôt, prêt à riposter... jusqu'à ce qu'il comprenne qui était son adversaire.

Il essuya du revers de la main ses lèvres ensanglantées.

— Tu ferais bien de foutre le camp, dit Acheron. Tout de suite.

Deimos cracha du sang sur le dallage en marbre blanc puis regarda Artémis, assise là où il l'avait terrassée. Pour une fois, elle n'affichait pas son air arrogant.

— Si tu veux que ce salaud meure, Artémis, lui lança Deimos, envoie donc ton toutou que voilà s'en charger.

En temps normal, Acheron aurait laissé passer pareille réflexion sans réagir, mais pas aujourd'hui. Il tendit les mains, et Deimos fut instantanément attiré entre ses griffes.

— Je suis d'humeur à botter le cul à n'importe qui sans raison, Deimos. Et je suis bien content que ce n'importe qui, ce soit toi.

Il ponctua ses mots d'un coup de genou dans l'estomac de Deimos, qui se volatilisa.

— Oh, allez, ne te vexe pas ! s'écria Acheron. J'ai dit un truc qui ne t'a pas plu ?

Deimos se garda de riposter : où qu'il se soit réfugié, Acheron aurait pu le retrouver et finir le travail.

Abruti, se dit Acheron, pas du tout calmé. Il s'approcha d'Artémis et remarqua les marques rouges sur sa gorge et sa mine furieuse.

— Tu vas bien, Artie ?

— Comme si ça t'intéressait !

Il lui adressait une grimace moqueuse quand il remarqua la douleur dans ses yeux. Même si la relation qu'il entretenait avec la déesse était loin d'être idyllique, pas question d'en rajouter. Il avait été trop souvent blessé lui-même pour faire sciemment du mal à quelqu'un sans raison.

Il s'assit par terre à côté d'elle.

— Alors ? Que s'est-il passé ?

— Rien.

Acheron poussa un long soupir d'irritation. Il devinait ce qui l'attendait : elle voulait parler, mais allait l'obliger à lui arracher chaque mot. Charmant. Exactement ce dont il rêvait pour passer le temps. Mais bon, compte tenu de la façon dont elle lui faisait passer le temps d'ordinaire, il y avait du progrès.

— Tu as envoyé Deimos s'occuper de Sin, c'est ça ?

— Quel choix avais-je ? dit-elle en reniflant. Toi, tu n'aurais rien fait !

Bon sang, ne grandirait-elle donc jamais ? Juste une fois, il aurait aimé avoir une discussion d'adulte à adulte avec elle.

— Je ne peux agir tant que je suis ici et tu le sais fort bien. Tu as refusé de m'accorder un break pour que j'aille discuter avec lui.

— Pff… Tu ne ferais rien même si tu n'étais pas ici.

C'était probablement exact.

— Personne ne se soucie de ce qui peut m'arriver, geignit Artémis.

— Arrête ça, tu veux bien ? Inutile d'essayer de m'apitoyer. Si tu as envie que papa te dorlote, il est là-haut, dans la grande salle !

Les yeux soudain brillants de colère, la déesse s'exclama :

— Pourquoi restes-tu si tu te sens aussi mal, alors ?

— Tu le sais pertinemment.

Elle ne releva pas.

— Tu me hais ! C'est ça, Ach ?

Parfois. Ou plutôt, souvent. Mais dès qu'il percevait la vulnérabilité de cette femme, il ressentait le besoin de la rassurer. Décidément, il était vraiment idiot.

— Non, Artie, je ne te hais pas.

— Tu mens. Penses-tu que je ne me rends pas compte de ce qui a changé ?

De nouveau, elle pleurnichait, allant même jusqu'à laisser rouler une larme sur sa joue.

— Autrefois, tu te comportais comme si tu tenais à moi, poursuivit-elle.

Elle disait vrai. Il se rappelait avec tristesse un temps où elle comptait plus pour lui que sa propre vie. Mais c'était onze mille ans auparavant, et bien des choses s'étaient passées depuis.

— Avant, tu ne me tapais pas dessus, remarqua-t-il.

— Tu m'en voulais déjà avant ta mort.

Acheron n'avait pas envie de poursuivre cette discussion. Son passé avait été une douloureuse épreuve, et il n'avait vraiment aucune envie de le remuer.

Il se remit debout et se dirigea vers la chambre. Artémis lui emboîta le pas.

— Que t'est-il arrivé, Ach ?

Il rit : quelle question stupide !

— Comment as-tu pu oublier, Artie ? Tu ne te rappelles donc pas ce jour où tu m'as expliqué que, pour toi, je n'étais qu'un bon coup ? Et tu as précisé que si je révélais à quiconque notre relation, tu m'écorcherais vif et me laisserais baigner dans mon sang au beau milieu de ton temple jusqu'à ce que mort s'ensuive... Et, alors même que je n'avais rien dit à quiconque, tu as mis ta menace à exécution. Ce jour-là, tu as détruit tout ce qui vibrait dans mon cœur pour toi.

— Je te demande pardon de t'avoir battu.

Il fit la grimace. Des mots, rien que des mots, dont elle pensait qu'ils pourraient effacer l'humiliation et la souffrance, alors qu'il sentait encore la morsure du fouet sur sa chair nue, qu'il entendait encore les cris de sa sœur quand son père humain l'avait corrigé pour le punir de sa longue absence.

— Arrête, père ! Il est innocent. Il était avec Artémis. Dis-lui, Acheron, dis-lui ! Pour l'amour des dieux, dis-lui la vérité, qu'il cesse de te frapper !

Son père humain l'avait cloué au sol, le pied sur sa gorge. Acheron avait failli étouffer.

— Quel mensonge as-tu raconté à ta sœur, misérable ver de terre ?

Acheron avait tenté de repousser le pied, mais son père avait appuyé encore plus fort et il n'avait plus pu parler.

— Blasphémateur ! l'avait accusé son père avant de reculer. Emmenez-le au temple. Que la déesse soit témoin de son supplice. S'il était vraiment avec elle, elle le défendra ! Vas-y, Ryssa, bats-le sur l'autel jusqu'à ce qu'Artémis se montre.

Acheron n'avait jamais oublié la honte et la douleur. Les gens avaient encouragé son bourreau, lui criant de frapper sans pitié, les prêtres l'avaient giflé. Chaque fois qu'il avait perdu connaissance, on lui avait jeté de l'eau au visage pour le ranimer.

Artémis s'était enfin montrée, mais à ses yeux seulement. Les autres ne l'avaient pas vue. Elle avait assisté à son calvaire sans sourciller.

— Je t'avais bien dit ce qui se passerait si tu me trahissais, Ach.

Puis elle avait poussé sans qu'il s'en rende compte le bourreau à faire preuve de plus de violence.

À cette époque-là, Acheron n'avait que vingt ans. La punition ne s'était interrompue que parce que l'homme qui tenait le fouet avait mal au bras. Ensuite, Acheron avait été laissé pendu par les poignets trois jours durant dans le temple, sans eau ni nourriture, nu, perdant son sang, le corps ravagé de douleurs. Seul. Des gens étaient venus lui cracher dessus, lui avaient tiré les cheveux et l'avaient frappé. Ils lui avaient répété que ce qu'il avait subi n'était rien par rapport à ce qu'il méritait. Quand, enfin, le prêtre l'avait détaché, on lui avait rasé la tête et tatoué sur l'arrière du crâne le symbole d'Artémis. Puis, traîné par un cheval, il avait été ramené au palais. Ses blessures s'étaient rouvertes, d'autres étaient apparues, et il avait été jeté dans sa chambre, incapable de parler tant il souffrait. Des jours durant, il était resté inerte par terre, pleurant la cruauté et l'injustice de ce châtiment voulu par celle qu'il aimait alors qu'il n'avait commis aucun crime : il n'avait jamais prononcé son nom devant quiconque.

Et voilà que maintenant, Artémis s'imaginait que quelques mots d'excuse allaient effacer tout cela ! Cette garce était décidément folle.

Onze mille ans avaient passé, et Artémis n'avait jamais avoué à personne qu'il était son amant. Elle continuait à le garder régulièrement captif dans son temple et abusait de lui.

Pourtant, tout le monde était au courant de leur relation, même si personne n'en pipait mot. Puisqu'il n'y avait plus de secret, pourquoi la déesse s'obstinait-elle à jouer ce jeu malsain ? Par orgueil, un orgueil mal placé.

— Prends-moi dans tes bras, Ach… Prends-moi dans tes bras comme tu le faisais autrefois.

Il brûlait d'envie de l'expédier à l'autre bout de la pièce. Pourtant, il s'en abstint. C'eût été trop cruel. Or il n'était pas cruel. Du moins, pas autant qu'elle.

Il l'étreignit.

Elle poussa un soupir de plaisir et se nicha étroitement contre sa poitrine.

Il détestait ces manifestations de tendresse lors de tête-à-tête sans témoins. Il aurait tant aimé, autrefois, qu'elle prenne sa main en public, qu'elle lui sourie devant les gens. Étant humain, il avait été assez sot et naïf pour s'imaginer qu'elle finirait par l'aimer au grand jour. Hélas, il était resté son vilain secret. Il était mort de la main de son frère, et même lors de son agonie, il n'avait pas eu le droit de prononcer le nom d'Artémis. Elle n'avait accepté qu'il se montre familier avec elle que dans l'intimité de son temple. Pas une seule fois elle n'avait toléré qu'il lève les yeux vers elle devant témoins.

— Je t'aime, Acheron.

Il serra les dents. Elle parlait d'amour ? Mais que comprenait-elle à l'amour ? Rien. Et si ce qu'elle lui offrait était de l'amour, il ne voulait pas d'un sentiment aussi abominable.

Elle l'embrassa, puis lui sourit.

— Tu as toujours le même goût de soleil.

Et elle, de glace noire.

— Tu te sens mieux, Artie ?

— Oui, dit-elle en lui caressant la poitrine. Mais toi, tu as l'air fatigué. Va te coucher. Je te rejoins dans quelques minutes.

Mais bien sûr... Il ne rêvait que de cela...

— Où vas-tu ?

— Je dois m'occuper de quelque chose. Mais je reviens, Ach, promis.

— Prends ton temps.

Avec un peu de chance, elle s'absenterait des heures, et il pourrait dormir.

Quelle tristesse, tout de même, qu'un dieu immortel aussi puissant que lui n'ait envie que de cela...

Elle lui sourit de nouveau, puis disparut.

116

En un clin d'œil, elle se transféra dans les Enfers, chez les Dolophoni, qui habitaient la partie la plus sombre du domaine d'Hadès. Elle trouva rapidement Deimos. Il se tenait devant une grande armoire remplie d'armes et examinait la lame d'une petite hache.

— Que fais-tu ? lui demanda-t-elle, intriguée.

— Je vérifie le tranchant.

— N'es-tu pas censé être en train de chercher Sin ?

— Ça dépend, répondit-il sans la regarder. Ta fille va-t-elle se mettre en travers de mon chemin ?

Artémis sentit son estomac se serrer.

— Pardon ?

— Ta fille. Tu sais, cette grande blonde au corps à faire se damner un dieu, celle qui a tes yeux et les pouvoirs de son père... Tu me croyais assez stupide pour ignorer qu'elle est ta fille ?

Artémis resta sans voix. Heureusement qu'Acheron n'avait rien entendu. Il l'aurait tuée dans la seconde.

— C'est pour ça que tu m'as envoyé liquider Sin, hein ? s'enquit Deimos. Il a découvert la vérité, et maintenant, il doit mourir.

— Je ne sais pas de quoi tu parles, déclara Artémis.

À aucun prix elle ne devait dire quelque chose que Deimos pourrait utiliser contre elle.

— Oh, mais bien sûr que non, tu ne sais pas, railla-t-il.

Il s'approcha d'elle. Elle recula jusqu'à ce que le mur l'arrête.

— Dois-je comprendre que j'ai le droit de tuer Katra si elle se met dans mes jambes ? demanda Deimos avec un sourire mauvais.

8

Sin esquiva la dague de Kat, qui venait de manquer sa gorge de peu. Il sourit, très impressionné par la dextérité de la jeune femme. Il était rare que quelqu'un frôle sa jugulaire d'aussi près. Surtout quelqu'un qui n'avait rien d'une armoire à glace, le physique habituel de ses adversaires. Comme Kish l'avait dit à propos d'Angelina Jolie, cela ne lui aurait pas déplu de se faire botter les fesses par Kat. Encore moins si elle avait porté une combinaison de latex ou de cuir noir. Quoique... nue, juchée sur des talons aiguilles, ça n'aurait pas été mal non plus.

Elle fondit de nouveau sur lui, dague dardée sur son visage. Il lui attrapa les poignets... mais ne vit pas arriver le coup de genou dans ses côtes. Il lâcha un grognement, lui arracha la dague...

... et reçut un coup de tête magistral en pleine face. Aussitôt, son nez se mit à saigner, et des élancements lui vrillèrent le crâne.

Noms de dieux, cette femme tapait fort !

— Oh, je suis désolée ! s'exclama-t-elle en se figeant. Je ne voulais pas faire autant de dégâts. Je me suis laissé emporter.

Il avait l'impression d'avoir un carillon déchaîné dans le cerveau. Ses oreilles bourdonnaient.

— Tu t'excuses toujours après avoir assommé tes ennemis ?

— Jamais. Mais je le fais quand c'est mon entraîneur que j'ai amoché.

Il se frotta la tête, amusé de voir la tache rouge sur le front luisant de sueur de Kat. Avec ses joues empourprées, elle rayonnait. Fille d'Artémis ou non, elle était incroyablement belle.

— Qu'est-ce qu'il y a ? demanda-t-elle en reculant.

— Rien. Je regardais juste la marque sur ton front, là où tu m'as frappé. J'ai la même ?

— Oh, à peine… railla-t-elle. Tu as l'air d'une licorne, avec ta bosse.

— Ouais. Toi aussi, mais d'une licorne à laquelle on aurait coupé la corne à ras.

Elle se hissa sur la pointe des pieds et déposa un baiser sur la bosse. Un baiser qui n'atténua pas la douleur mais bouleversa Sin. Cela faisait une éternité qu'une femme ne l'avait pas ému de la sorte sans être nue et couchée avec lui.

Mais bon, il ne prenait jamais le temps de bavarder avec ses amantes. Il les espionnait dans le casino, puis les abordait, leur adressait quelques compliments stratégiques et, en un rien de temps, elles étaient dans son lit, pantelantes. Une fois sa petite affaire terminée, il les renvoyait sans autre forme de procès.

Oui, il était ce genre d'homme qui mérite un vilain nom. Il faisait en sorte que les femmes qui partageaient sa couche comprennent bien qu'il n'y aurait pas de lendemain avec lui, que seul le sexe l'intéressait. Il ne leur demandait pas leur numéro de téléphone. D'emblée, elles connaissaient ses intentions.

De toute façon, les Chasseurs de la Nuit n'avaient pas le droit d'avoir des relations suivies avec les humains. Et même si Sin ne se considérait pas comme appartenant à leur race, il se pliait à cette exigence. Son épouse l'avait tellement humilié avec ses infidélités à répétition qu'il n'avait vraiment pas envie qu'une femme se glisse dans son existence et prenne le contrôle de ses émotions. Aucune ne lui paraissait assez digne de confiance pour cela.

Mais il y avait en Kat quelque chose de différent, qu'il ne définissait pas clairement et qui déclenchait en lui un comportement inattendu : il avait envie de la taquiner, et il adorait plaisanter avec elle. Une grande première.

— Je suis vraiment désolée de t'avoir collé ce coup de tête, dit-elle, mentant visiblement effrontément.

— Pas de problème. Ne perds jamais ta cible de vue. Le seul moyen de bloquer un Gallu, c'est de le frapper entre les deux yeux.

— Ou de lui trancher la colonne vertébrale... Ne prends pas cet air étonné : j'ai bien écouté ce que tu m'as dit.

— Parfait. Savoir ce genre de truc te sauvera la vie.

Il aurait dû être plus concentré, se reprocha-t-il. Le sujet était de la plus haute importance, et pourtant, il ne songeait qu'à la traînée de sueur brillante entre les seins de la jeune femme. Elle allait se perdre sous son tee-shirt, devait suivre l'arrondi des globes qui le tendaient de façon si arrogante... Il en avait l'eau à la bouche.

Kat ne mesurait que quelques centimètres de moins que lui. Si elle avait porté des talons aiguilles, il aurait dû lever la tête pour la regarder dans les yeux. Et il trouvait cela sexy. C'était à n'y rien comprendre.

Il s'imaginait sans peine au lit avec elle. Il lui demanderait de ne pas retirer les escarpins à hauts talons...

Bon sang, quand avait-il développé ce fétichisme de la chaussure ?

Le regard lourd de désir de Sin troubla tant Kat qu'elle se surprit à déglutir avec peine. Par le passé, bien des hommes l'avaient ainsi dévorée des yeux, et elle n'avait pas sourcillé. Jusqu'à présent, elle se considérait comme immunisée contre la concupiscence masculine. Et voilà que face à Sin, elle ressentait un trouble vertigineux.

En fermant les yeux, elle pouvait presque sentir le contact des lèvres de Sin sur les siennes. Le parfum épicé de sa peau lui faisait tourner la tête, lui donnait envie de nicher son visage dans son cou pour se griser de cette odeur ensorcelante. Elle brûlait de toucher ses muscles d'athlète, de le sentir s'étendre sur elle, emprisonner son corps sous le sien...

Cet homme l'hypnotisait. Elle entendit à peine le cliquetis de la dague lorsqu'il la lâcha par terre. En revanche, elle fut bien consciente qu'il posait les mains sur ses épaules et l'attirait vers lui.

Mais il ne l'embrassa pas. Soulevant à demi les paupières, elle vit qu'il la regardait, guettant sa réaction. Sans doute s'attendait-il qu'elle le repousse ou détourne la tête. Il se léchait les lèvres, et ses prunelles dorées brûlaient d'un feu ardent.

Incapable de supporter plus longtemps ce supplice, elle tendit la main, la plongea dans ses boucles noires et l'obligea à incliner la tête vers elle. Lorsque leurs lèvres se touchèrent, elle geignit de satisfaction. Rien, ni dans le monde des humains ni dans celui des dieux, n'avait un goût aussi exquis que la bouche de Sin. Aucun endroit n'était aussi doux que ses bras.

Sin songea, éperdu, qu'il aurait dû mettre immédiatement un terme à ces égarements : elle était la fille d'Artémis ! Mais il en était incapable. Au contact de Kat, il oubliait tout, même la haine et la colère. Son triste passé ne le tourmentait plus. Tout son être semblait se réduire aux émotions que le corps de Kat contre le sien éveillait en lui. Il ne voyait, ne sentait, n'entendait qu'elle. Sa main avait quitté sa nuque pour glisser le long de son dos. Ce n'était pas une caresse audacieuse, et pourtant, elle exacerbait tant son désir qu'il souleva brusquement la jeune femme et la plaqua contre le mur.

Elle releva les jambes et les noua autour de sa taille, les mollets solidement croisés au-dessus de ses reins.

— J'ai envie de toi, Katra, dit-il d'une voix enrouée. Tout de suite.

Kat frissonna de plaisir. Cette étreinte la rendait folle !

— Ma mère va te tuer, dit-elle dans un gloussement.

Il rit en écho.

— Je ne l'aurai pas volé.

Elle se mordit la lèvre pour s'empêcher de crier quand il la pressa contre ses hanches afin qu'elle prenne la mesure de son excitation. Son sexe était énorme, d'une dureté de marbre. Grands dieux ! Jamais elle n'avait fait l'amour, jamais elle n'avait permis à un homme de l'approcher d'aussi près, sauf pendant le combat. Elle avait toujours vécu sans les complications engendrées par les hommes. Ce qui lui arrivait était effrayant.

Oui, elle avait fui les complications. Or, avec Sin, elle allait au-devant de tous les problèmes possibles et imaginables. À cause d'un homme, sa grand-mère était emprisonnée et ne serait jamais libérée. Sa mère était liée pour l'éternité à son père, en dépit de sa volonté de le laisser partir. Cassandra avait également perdu sa liberté, par amour pour Wulf. Son amie Geary avait renoncé à la quête qui donnait tout son sens à son existence pour être avec Arik...

Ne sois pas sotte, Kat. Ce n'est qu'une histoire de sexe, pas un engagement définitif.

Si seulement elle avait pu en être certaine...

Allons, une bonne partie de jambes en l'air n'allait pas la changer. Est-ce que Simi était différente, depuis qu'elle avait perdu sa virginité ? Non. Elle était restée la même Démone qu'avant.

Sin lui retirait son tee-shirt. Il fallait qu'elle se décide. Oui ? Non ?

Finalement, la curiosité l'emporta sur la prudence. Elle voulait savoir ce que cela faisait de connaître intimement un homme, or Sin l'attirait comme personne avant lui. Tant qu'à perdre sa virginité, autant que ce soit avec le dieu de la fertilité. S'il en était un qui n'ignorait rien de ce qui plaisait à une femme, c'était bien Sin.

Et puis, elle n'était pas une couarde, n'est-ce pas ?

Elle prit une profonde inspiration et, par la pensée, se défit de ses vêtements.

Sin pencha immédiatement la tête sur sa poitrine, saisit la pointe d'un sein entre ses dents et la mordilla, avant de la sucer. Plus rien ne les séparait maintenant. Ils étaient peau contre peau. Sin se sentit légèrement étourdi lorsque la réalité de ce fait s'imprima dans son esprit. Oui, Kat était nue. Et lui aussi. Sans en être conscient, il s'était déshabillé, probablement à la seconde où elle l'avait fait, grâce à ses pouvoirs magiques.

Il l'écarta doucement de lui, à peine, juste assez pour pouvoir la regarder. Quelle beauté ! Ses seins pâles étaient parfaits, avec leurs pointes roses dressées. Sur son ventre plat, son nombril avait la délicate forme d'un coquillage. Sa peau laiteuse brillait sous l'effet de la transpiration.

Il reprit la pointe d'un sein dans sa bouche, avec douceur, cette fois, et la lécha longuement, avant de former des cercles sur l'aréole du bout de la langue.

Une caresse sous laquelle Kat se contracta, tant elle était nouvelle pour elle : jusque-là, seules ses propres mains avaient touché ses seins. Et qu'un quasi-inconnu, un homme, se livre à ces attouchements intimes sur elle lui coupait le souffle. Jamais elle n'aurait songé que cela pût être aussi troublant, jamais elle n'aurait cru que le fait de voir cette tête virile penchée sur sa poitrine déclencherait de tels spasmes de désir dans son bas-ventre. Un incendie s'était allumé en elle, et seul Sin, le pyromane, pouvait l'éteindre. Désormais, il n'était plus question de faire marche arrière. Elle en était incapable.

Elle posa le menton sur le sommet de la tête de Sin, huma profondément le parfum de ses cheveux, puis écouta son cœur qui battait à tout rompre, au rythme du sien. Cet homme avait tant perdu, au cours de son existence, qu'il lui semblait naturel de lui donner ce qu'elle n'avait donné à aucun autre.

Il releva la tête, inspira profondément, puis lui couvrit les épaules de baisers avant de la poser avec précaution sur le sol. Lorsqu'il s'allongea sur elle, Kat frémit, folle d'impatience. Mais il prenait son temps, oscillait langoureusement, de façon que son sexe caresse son mont de Vénus pendant qu'il lui embrassait le cou, lui mordillait les oreilles – qui se révélèrent être des zones érogènes, à la stupéfaction de Kat : les sensations déclenchées dans ses lobes se diffusaient dans tout son corps.

Sin sourit en entendant Kat gémir. Elle murmurait aussi. De petits mots inintelligibles roucoulés, des bruits de gorge. Elle était délicieuse… Il aspirait de tout son être à connaître son corps jusque dans le moindre détail. Ses mains couraient sur sa peau satinée, avides, fébriles. Mais il ne la touchait pas que pour son seul plaisir. Il voulait qu'elle éprouve la même exaltation sensuelle que lui. Et les caresses qu'il lui prodiguait étaient efficaces, il en avait la preuve. Il se retenait de se hâter, même si cela lui demandait une concentration de chaque seconde.

Lors de ses ébats d'une nuit avec des inconnues, il ne se modérait pas. Avec Kat, c'était différent. Elle ne s'en irait pas. Et elle n'était pas une inconnue pour lui. Il ferait en sorte qu'elle vive quelque chose d'exceptionnel dans ses bras.

Il laissa doucement dériver une main vers la toison dorée, l'y laissa un petit moment, attentif à la réaction de la jeune femme. Dans un premier temps, elle se tendit, dans l'expectative, peut-être un peu effrayée. Il attendit qu'elle se détende avant de glisser les doigts entre ses cuisses, cet endroit si intime. Elle sursauta. Il l'embrassa tendrement pour l'apaiser, puis, quand il sentit les muscles de ses cuisses moins crispés, il s'enhardit.

Kat écarquilla les yeux. Grands dieux, que lui faisait-il là ? C'était si bon. Il fouillait son sexe, introduisait son majeur et son index en elle, et elle était au paradis !

Elle laissa échapper un long gémissement.

Sin retira soudain sa main. Elle faillit crier de dépit. Elle essaya de lui attraper le poignet pour le retenir, mais il se déroba.

— Kat, non... Non, ce n'est pas possible ! Tu n'es pas... vierge, n'est-ce pas ?

— Si.

— Que... Quoi ? Mais comment...

Elle lui répondit, d'un ton sarcastique. La magie s'était envolée.

— Je n'ai jamais couché avec un homme, voilà comment !

— Ce n'est pas la réponse que j'attendais, parce que ça, je l'avais compris. Ce que je veux savoir, c'est comment tu t'es débrouillée pour rester vierge si longtemps !

— Je t'ai dit qu'on me surveillait constamment.

Depuis onze mille ans ? Bon sang, c'était incroyable. Et plus qu'excessif.

— On te surveille, en ce moment ?

Un sourire coquin se dessina sur les lèvres de Kat. Elle tendit la main vers la bouche de Sin, suivit le contour de ses lèvres.

— Non. En ce moment, il n'y a que toi qui me surveilles.

— Je ne comprends pas. Pourquoi avoir attendu pendant des lustres et céder soudain sur une impulsion ? Tu me connais à peine !

L'expression de Kat se fit tout à coup si tendre qu'il fondit. Aucune femme ne l'avait jamais regardé ainsi.

— Oh si, je te connais, Sin. Je me suis introduite dans tes pensées… Alors, que je veuille que toi, tu t'introduises physiquement en moi, en quoi est-ce si difficile à comprendre ?

Il était partagé entre l'envie de la traiter de tous les noms et celle de lâcher la bride aux doux sentiments qu'elle avait fait naître en lui. Une part de lui voulait lui répliquer qu'elle n'était rien pour lui, qu'il n'avait nul besoin d'elle. Mais une autre part voulait la prendre contre lui, la serrer très fort, laisser la paix qu'elle avait déjà instillée dans son esprit s'amplifier, lui dire qu'il était merveilleusement bien avec elle.

En fin de compte, ce fut la colère qui l'emporta.

Il ne pouvait se permettre de s'ouvrir à quiconque, pas plus à elle qu'à quelqu'un d'autre. Il avait été trop blessé par le passé. Il n'avait aucune envie d'endurer d'autres souffrances, d'être de nouveau manipulé, utilisé.

— Coucher avec moi ne te donnera aucun pouvoir sur moi !

— Ce n'est pas mon but.

— Alors, qu'est-ce que tu espères ?

— Rien, Sin.

Son regard était empreint d'une telle sincérité qu'il se sentit coupable. Il avait douté d'elle. Comment avait-il osé ?

— Je n'attends qu'un peu de plaisir, continua-t-elle.

Il secoua la tête. Ce ne pouvait pas être aussi simple.

— Difficile à croire. On n'a jamais rien pour rien, en ce monde.

— Alors, lève-toi et rhabille-toi. La porte est là. Tu mets un pied devant l'autre, tu tournes la poignée, et tu t'en vas.

Oui, c'était ce qu'il devait faire. Ce qu'il entendait bien faire. Mais qu'elle soit nue, tout contre lui, le plongeait dans un océan de tendresse. Il ne voulait rien d'autre qu'être dans ses bras. Dans leur douce chaleur, leur sécurité. Il en avait tellement assez de la solitude ! De rentrer seul dans une chambre vide pour y soigner ses plaies, de ne vivre que pour se battre. D'ailleurs, il n'était même plus motivé pour cela. Pourquoi se soucier d'un monde qui ne voulait pas de lui ?

Mais lorsqu'il regardait Kat, il voyait des choses qu'il n'avait pas vues depuis une éternité... De la compassion, de l'humour. De la beauté.

Submergé par ses émotions, il laissa avec délices Kat l'allonger sur le dos et coller son corps nu contre le sien. Elle lui taquina le menton du bout de la langue, ses cheveux coulant le long de son buste. Sa chaleur le grisait. Si la pièce avait pris feu, il ne s'en serait pas rendu compte.

Kat ne se lassait pas d'admirer cet homme. Au cours de sa vie, elle avait vu des milliers d'hommes nus à la plastique parfaite. Ils avaient fait un petit tour puis s'en étaient allés. Mais Sin... elle n'avait aucune envie qu'il s'en aille. Parce que sa beauté était inouïe, et sa personnalité unique. Il avait enduré tant de malheurs ! Un peu comme son père.

Mais ce devait être son seul point commun avec Acheron. Sin ne croyait plus en la bonté. Il avait du mal à accepter que l'existence pût être autre chose que glaciale et cruelle. Les bienfaits qu'elle brûlait de lui prodiguer, il n'en voulait pas, par méfiance, alors qu'elle n'aspirait qu'à réchauffer son cœur pétrifié par le froid de la désespérance. Il fallait qu'il sache qu'il se trompait, qu'il n'y avait pas que des êtres malveillants, que les intentions d'autrui n'étaient pas toutes mauvaises.

Elle doutait qu'il fût prêt à la croire. Depuis le jour où Artémis l'avait privé de ses pouvoirs divins, il voyait le mal partout et chez tout le monde.

Non, rectifia-t-elle en son for intérieur. Depuis le jour où *elle* lui avait pris ses pouvoirs pour les donner à sa mère. Quelle sottise ! Mais, à l'époque, elle n'avait pas mis en doute ce que sa mère lui avait dit. Que n'eût-elle fait pour revenir en arrière... Hélas, c'était impossible. Tout ce qu'elle pouvait faire, maintenant, c'était essayer d'apporter du réconfort à cet homme en détresse, l'aider à mener son combat.

Elle se coula le long du buste de Sin, s'arrêta à hauteur de sa taille et s'écarta pour étudier ce corps dans les moindres détails : il se rendit compte, à sa mine de chatte gourmande, qu'elle appréciait ce qu'elle voyait. Un petit sourire aux lèvres, les yeux plissés, elle fit glisser sa paume sur ses épaules, ses pectoraux, son ventre, évitant soigneusement son sexe tendu à craquer, auquel elle jetait pourtant des regards suggestifs.

Il se mordait la lèvre pour s'obliger à garder son sang-froid quand elle abaissa subitement la tête pour le prendre dans sa bouche.

Il réagit si vivement qu'il se cogna l'arrière du crâne sur le sol. Par tous les dieux, pour une novice, elle était vraiment douée !

— Kat, tu es sûre que tu n'as jamais fait ça avant ? demanda-t-il entre deux grognements.

— Jamais, assura-t-elle en riant.

Comme elle se redressait, il protesta :

— Tu n'étais pas obligée d'arrêter !

— Ah non ?

— Non !

Il avait tort de l'encourager, songea-t-il soudain, éperdu. Il fallait vraiment qu'elle cesse !

Il s'assit, la prit dans ses bras, la bloqua contre lui et se mit à lui embrasser le cou. Kat, follement excitée, attira sa tête plus près d'elle, souleva les hanches... Il poussa alors un bruyant soupir avant de lui entourer la taille de ses deux mains pour la hisser au-dessus de son pénis et l'empaler.

Kat se tendit : elle avait mal. Tout plaisir s'était évanoui.

128

Il lui embrassa l'oreille – il s'était aperçu qu'elle aimait énormément cela. Effectivement, elle ne fut pas longue à s'embraser de nouveau. Il lui caressa le dos, puis prit à deux mains les globes de ses fesses et, sans la brusquer, la fit aller et venir sur son sexe. Elle comprit tout de suite ce qu'il attendait d'elle et entama un lent mouvement de va-et-vient.

Elle apprenait vite, songea Sin, tandis qu'elle accélérait le rythme. En extase, il se rallongea afin de pouvoir la regarder pendant qu'elle le chevauchait avec ardeur. Elle était totalement désinhibée, ne se dérobait à aucune caresse, aussi glissa-t-il la main entre ses cuisses ouvertes pour stimuler son clitoris, qu'il sentit gonflé. Elle renversa la tête en arrière et émit un long râle.

— C'est bon, hein ?

Le râle s'amplifia. Il était au bord de la rupture. Pourtant, il s'interdisait de jouir, si dur que ce fût de résister. L'ex-dieu de la fertilité avait encore de la ressource…

Kat ralentit ses mouvements pour reprendre son souffle et baissa les yeux sur Sin. Quel bonheur il lui donnait ! Jamais elle n'aurait imaginé que faire l'amour fût si ensorcelant. Un homme était en elle, cet homme aux yeux ambrés qui la fixait d'un regard passionné. Elle lui prit la main et en porta la paume à ses lèvres. Comment avait-on pu lui infliger tant de souffrances ? Penser à ce qu'il avait enduré la mettait en colère. Elle n'avait qu'une envie : le protéger de la cruauté des hommes et des dieux.

Elle lâcha sa main et recommença à bouger, de plus en plus vite. Quelque chose se passait dans le tréfonds de son corps. C'était chaud, cela vibrait, se diffusait dans tout son être comme une coulée de lave. Elle était devenue un volcan de délices sur le point d'entrer en éruption. Le sexe de Sin, ses doigts lui faisaient perdre toute notion de la réalité. Incapable de se dominer, elle se mit à trembler lorsque la jouissance l'envahit. Elle s'entendit crier, submergée par des sensations si intenses que cela l'effraya presque.

Sin eut un grand rire de triomphe quand il la vit possédée par l'orgasme. Il accéléra ses mouvements en la tenant par les hanches et se laissa enfin aller, la rejoignant dans cette folie des sens.

Enfin, elle s'affaissa sur lui, haletante, couverte de transpiration.

— Tu vas bien, Kat ? s'inquiéta Sin, comme d'ultimes spasmes la secouaient.

Elle ne répondit pas tout de suite. Il sentait son cœur battre la chamade contre le sien.

— Je vais bien, dit-elle enfin d'un ton rêveur. Je me sens comme un chat qui vient de laper un bol de crème.

— Je sais ce que tu éprouves, assura-t-il en souriant.

Il la fit pivoter de façon à se placer sur elle.

— Tu avais raison : cela valait la peine de prendre le risque d'être tué par ta mère.

Et il ponctua sa remarque d'un long baiser. Kat le lui rendait avec fougue lorsqu'une voix féminine clama :

— Pouah ! Des gens tout nus ! Je vais vomir !

Sin se crispa, puis tourna lentement la tête vers la porte. Oh non ! Ce n'était pas un Démon charonte qui se tenait là, mais deux !

Du moins lui semblait-il, car il n'y avait pas de spirales colorées tournoyantes sur leur peau, l'une des spécificités de leur espèce. En fait, ces Démons-là avaient tout de deux jeunes filles d'une vingtaine d'années.

L'une était habillée de noir dans le style gothique : robe de velours et bottes lacées. Ses cheveux noir corbeau étaient striés de mèches rouges. L'autre, blonde, portait un jean et un ample haut rouge.

— Si ça te colle la gerbe, ne regarde pas, dit la brune à la blonde, laquelle ressemblait étrangement à Apollymi. Tourne tes yeux par là !

Et elle pointa l'index sur le tableau de Dalí accroché au mur.

— Il y a de chouettes peintures, ici, continua-t-elle. Si tu les fixes, tu ne seras pas malade, OK ?

Amusée, Kat fit apparaître ses vêtements sur elle, puis lança :

— Salut, Simi !

Sin se rhabilla également en un clin d'œil, puis se prépara à l'attaque des Démons.

Il ne se passa rien.

La brune souriait, montrant de petits crocs.

— Salut, *akra*-minette. Désolée d'avoir mis tant de temps à arriver, mais quelqu'un...

Elle jeta un regard furieux à la blonde.

— ... n'a pas voulu me laisser partir seule. Parce que, à Las Vegas, il y a plein de trucs excitants qu'elle tient à voir. Simi lui a dit qu'elle avait tort, mais tu vois qui a gagné la bagarre. Pff... Tu as de la chance d'être enfant unique, Katra. Simi perd son temps à cause de...

De nouveau, un regard assassin vers la blonde.

— ... cette fichue Xirena, qui est venue s'installer chez elle. Et Simi a encore de la chance que son *akri* ne l'ait pas obligée à partager sa chambre avec elle.

— Oh, la ferme, Simi, répliqua la blonde. Tu pleurniches tout le temps. Tu es un Démon, bon sang ! Alors, comporte-toi comme tel !

— Un Démon, moi ? Mais je suis *le* Démon incarné ! Je suis *la* Simi, et la Simi fait ce qu'elle veut parce que son *akri* dit qu'elle est le meilleur Démon du monde ! Tu es jalouse parce que ton *akri* à toi ne t'aime pas comme le mien m'aime.

Cet échange laissa Sin éberlué. Jamais il n'avait vu de Démons aussi bavards. Simi évoquait davantage une adolescente gâtée qu'un Démon mangeur de chair fraîche.

— Kat, souffla-t-il, elles font ça souvent ? Je n'avais jamais été témoin d'un truc pareil !

— Simi ne s'est pas encore habituée à sa sœur, répondit Kat en riant. Elles ont des problèmes relationnels.

— Mon seul problème, rectifia Xirena, c'est qu'un dieu maudit a rendu ma sœur bizarre.

— Ce dieu maudit, se pourrait-il qu'il s'agisse d'Acheron ? s'enquit Sin.

— Simi lui appartient, expliqua Kat.

Oh, voilà qui sentait mauvais…

— Simi est la fille d'*akri*, déclara Simi.

— Combien de fois il faudra que je te dise que tu n'es pas la fille du dieu maudit ? s'écria Xirena. Tu es la fille de deux Démons ! Alors, arrête d'appeler ton *akri* « papa », parce que, à force de t'entendre, les ailes m'en tombent !

Simi tira la langue à Xirena.

— Mon *akri* est mon papa. C'est lui qui l'a dit. Alors, tes ailes peuvent s'écrabouiller par terre, ça n'y changera rien.

Sin n'en revenait toujours pas. En quoi ce duo d'excentriques était-il censé l'aider dans la lutte contre les Gallus ? Kessar ne ferait qu'une bouchée d'elles !

— Kat, tu es sûre que nous ne devrions pas nous procurer une autre paire de Démons ? Je ne vois pas l'utilité de celles-là, dans la mesure où elles n'arrêtent pas de se chamailler.

— Fais-moi confiance, Sin, les chamailleries cesseront net à la seconde où de la nourriture entrera dans le tableau.

— De la nourriture ? Où ça ? demanda Simi, qui s'était figée, en alerte, dès qu'elle avait entendu le mot magique.

— De la bonne nourriture ? ajouta Xirena.

— Comment de la nourriture pourrait-elle être mauvaise ? railla Simi.

— Il y en a qui colle aux crocs. C'est très désagréable.

— C'est vrai. Mais j'ai une sauce barbecue de La Nouvelle-Orléans qui l'améliore.

— C'est cette sauce que j'ai vue dans ta chambre ? Celle avec une femme qui tient un fouet sur l'étiquette ?

— Non. Tu parles de Douleur et Souffrance. Mais celle que j'ai est bonne aussi. Sur l'étiquette, il y a un homme qui crache du feu comme un dragon et...

— Excusez-moi, je vous prie, les interrompit Sin.

Elles se tournèrent vers lui et le regardèrent comme si elles envisageaient de l'inclure dans leur menu.

Sin comprit aussitôt qu'il avait été stupide d'attirer leur attention sur lui : dès que Xirena l'eut considéré attentivement, elle fronça les sourcils.

— Tu es un Sumérien.

Des spirales rouges et noires apparurent sur sa peau, ses yeux virèrent à l'orange, et une paire d'ailes noires jaillit sur son dos. Il se prépara au combat, mais Kat s'interposa.

— Du calme, Xirena. Sin est avec nous.

Xirena cracha par terre, ce qui mit Sin hors de lui. Sa femme de ménage n'allait pas apprécier davantage.

— Mort à tous les Sumériens ! clama Xirena.

— Oh, ils ne sont pas tous mauvais, objecta Simi. *Akri* en connaît un qui est pêcheur. Il est très gentil avec Simi. Il lui donne de délicieuses feuilles de vigne farcies au poisson, marinées dans l'huile... Mmm ! C'est bon, le poisson préparé comme ça.

— Les Sumériens sont tous des ennemis des Charontes, s'obstina Xirena.

— N'importe quoi. Tu ne peux pas détester toute une race sous prétexte que quelques-uns de ses membres sont de sales personnes. Et puis, qu'est-ce que tu as contre eux ?

— Ils ont créé les Démons gallus pour qu'ils nous tuent.

L'expression de Simi s'illumina.

— J'adore les Démons gallus ! Ils sont croustillants quand on les fait bien cuire. *Akri* m'a toujours laissée en dévorer des douzaines. Ça ne l'embête pas que je les mange, alors que quand c'est des humains... Mais tous les Gallus sont partis et Simi ne s'en est pas mis un sous la dent depuis une éternité. C'est dommage. Ils étaient exquis.

— Eh bien, ils sont de retour, intervint Kat.

Xirena afficha aussitôt l'expression dégoûtée de celle qui a marché dans du fumier. Mais Simi battit des mains, folle d'excitation.

— Je pourrai en manger ?

— Bon appétit, lui souhaita Sin.

— Oui, confirma Kat. Mais avant, il faut que Xirena et toi, vous nous aidiez à les combattre.

— Pourquoi on ne leur donnerait pas le Sumérien à boulotter ? demanda Xirena. Il n'aurait que ce qu'il mérite.

— Allons, Xirena, sois gentille, dit Kat.

— Tu vois comme elle est, Katra ? demanda Simi. Elle est vilaine. Elle t'a fauché tes boucles d'oreilles dès que tu as eu le dos tourné. Elle les a gobées. Et elles étaient belles. Avec plein de diamants étincelants...

— Toi aussi, tu serais vilaine, si tu avais vu comment les Gallus nous ont massacrés, lança Xirena à Simi. Les manger ne sera pas facile, sans ton *akri* pour bloquer leurs pouvoirs. Ce sont des Démons maléfiques capables de nous tuer.

Puis elle ajouta à l'adresse de Kat :

— Est-ce que le dieu maudit va nous aider ?

Kat hésita. Elle espérait bien que oui, mais dans l'immédiat, ils ne pouvaient pas compter sur l'aide d'Acheron.

— Nous allons essayer de nous débrouiller sans lui.

— Et pourquoi on ferait ça ?

— Parce que mon *akri* n'est pas au courant pour Katra, expliqua obligeamment Simi. S'il savait, il serait très triste, et Simi ne veut pas qu'il soit triste. Alors, pas un mot à *akri* sur Katra, compris ? Il est déjà assez malheureux comme ça à cause de la garce-déesse rouquine.

— Simi, souffla Kat, menaçante.

134

— Quoi ? C'est ce qu'elle est : une garce. Je sais que tu l'aimes, *akra*-Kat, mais le fait est que c'est une sale vache.

— Je n'ai pas mangé de vache depuis longtemps, dit Xirena d'un air songeur. Il y en a, par ici ?

— Il y en a une rousse sur l'Olympe ! s'exclama Simi.

— Simi ! cria Kat.

Simi afficha une mine innocente, en battant des cils.

— Tu ne pourrais pas m'en vouloir si Xirena la dévorait, Katra. Je n'y serais pour rien.

— J'ai l'impression de discuter avec des gosses ! gémit Sin. Par tous les dieux, comment les Atlantes peuvent-ils supporter ça ?

Kat appuya deux doigts sur chacune de ses tempes, comme si elle aussi était à bout de nerfs.

— D'habitude, elles ne sont pas aussi bavardes.

— Non ?

— Non. Apollymi leur tient la bride serrée.

En entendant le nom d'Apollymi, Xirena siffla comme un serpent.

— Mort à la garce-déesse ! Qu'un Charonte la carbonise en lui crachant son feu dessus !

— Bon sang, Kat, dit Sin en riant, il y a quelqu'un d'autre à part toi qui aime ta famille ?

Kat poussa un lourd soupir.

— Certains jours, il me semble bien que non.

Xirena se tourna vers Sin.

— Tu peux parler ! Ta famille non plus, personne ne l'aime.

— Je crois que je vais avoir la migraine, dit Sin.

— Tu ne peux pas avoir la migraine, lui rappela Kat.

— Alors, c'est une tumeur cérébrale, de la taille de deux Démones.

— Tu voulais de l'aide ? Je t'ai amené la cavalerie.

D'accord, songea Sin, mais il se demandait si le remède n'allait pas se révéler pire que le mal.

— C'est curieux, mais j'ai l'impression que cette cavalerie pourrait nous manger au petit déjeuner.

— Mais non. Bon, on les installe où ?

Sin réfléchit. Les laisser seules ne lui paraissait pas une bonne idée.

— Je ne vois pas en quoi elles seraient plus dangereuses que les Démons que tu as au rez-de-chaussée, dit Kat, qui avait compris ce qui l'inquiétait.

— Mes Démons n'ont ni cornes ni ailes.

— Nous non plus, si on veut, rétorqua Xirena.

— Si les Démons mangent les touristes, on peut aussi ? demanda Simi, après avoir levé la main comme un élève désireux de prendre la parole.

— Non ! s'exclamèrent Sin et Kat de concert.

— Zut alors ! Pourquoi les Démons ont droit à un traitement particulier, eux ?

— Tu sais, Simi, dit Xirena, on devrait peut-être rentrer à Katoteros. Là-bas, au moins, on a plein de dragons à manger quand on a faim.

Simi blêmit.

— Quoi ? Tu manges les animaux familiers d'*akri* ? Saleté de Xirena ! *Akri* est malheureux quand ils disparaissent ! Ooooh... Tu as intérêt à te cacher quand on rentrera, parce que *akri* ne sera pas du tout content de voir que ses petites bêtes ne sont pas là.

Kat leva la main pour signifier aux Démones de mettre un terme à leur discussion oiseuse et de revenir au sujet dont il fallait discuter.

— Sin, si tu peux les installer dans une chambre avec une télé branchée sur une chaîne de téléachat, elles seront heureuses comme tout.

— Téléachat ? s'exclamèrent les deux Démones à l'unisson, enthousiastes.

Sin se massa brièvement le front avant d'appeler Kish, qui vint chercher Simi et Xirena pour les conduire à leur chambre.

— Ce sont de sacrés spécimens de Démons que nous avons là, commenta Sin après leur départ.

— Indubitablement, confirma Kat en se rapprochant de lui. Il nous faut veiller à ce qu'il n'arrive rien à Simi : Acheron nous tuerait.

— Je doute qu'il te tue, toi. Mais c'est sûr que moi, j'y perdrais deux extrémités.

— Deux extrémités ?

Du doigt, Sin montra sa tête et son entrejambe.

— Tu es horrible ! s'esclaffa Kat.

— Non, réaliste. Je me sais capable de l'emporter sur à peu près n'importe quelle créature, mais Acheron est de taille à me mettre en pièces.

— Mmm… Tu n'as pas vraiment peur de lui.

— Non, je n'ai pas peur de lui. Je le respecte. Je remercie les Parques pour ce qu'elles lui ont fait, à savoir lui permettre de vivre comme un humain pendant un temps. Si elles ne l'avaient pas fait, comment serait l'univers ? Songe au pouvoir qu'Acheron et Apollymi détiennent. Et ajoute à ça l'ego surdimensionné d'un dieu. Qu'est-ce que ça aurait donné, hein ?

Indéniablement, ç'aurait été un cauchemar. Et cela amenait une question : était-ce ce passage par l'état d'humain qui avait déterminé la personnalité d'Acheron ?

— Mais toi, tu as beau être un ancien dieu, tu as une conscience, Sin. Je ne t'imagine pas écrasant les gens pour obtenir ce que tu veux.

— Je ne suis pas le même que lorsque j'étais un dieu. Jeune, j'étais toujours en colère et amer. J'en voulais à mon père à cause de ce qu'il nous avait fait, à mes frères et à moi, et, étant un dieu, j'avais beaucoup à prouver. Ensuite, vivre comme un humain a changé ma façon de voir sur bien des points.

Le cœur de Kat se serra quand elle entendit l'intonation qu'avait prise la voix de Sin. Elle regarda la cicatrice qu'il avait au cou et, songeant aux souffrances dont elle était le stigmate, elle eut bien du mal à ne pas lui demander pardon de lui avoir pris ses pouvoirs.

À l'époque, elle était si jeune, si sotte. Elle ne voyait pas les fautes et les défauts de sa mère. Tout ce qu'elle désirait, c'était faire plaisir à Artémis, la rendre heureuse. Elle était loin de se douter, en ce temps-là, que son erreur affecterait Sin si gravement et changerait l'histoire du monde.

Si seulement il lui avait été possible de reprendre à Artémis les pouvoirs de Sin ! Mais la déesse ne la laisserait jamais faire. Si Kat essayait malgré tout, ce serait la rupture avec sa mère, qu'en dépit de ses fautes, elle aimait. Jamais elle ne pourrait se résoudre à lui faire du mal.

Elle prit la main de Sin et l'embrassa. Dans ses yeux, s'aperçut-elle, il y avait une lueur féroce. Il lui permettait de l'approcher, de très près, mais il était capable de se retourner contre elle n'importe quand. C'était à la fois effrayant et stimulant.

— Il nous reste à trouver mon frère, Kat.

— D'accord. Je crois que le mieux est que j'aille seule voir si ma grand-mère peut nous aider avec la *sfora*.

Et si Apollymi était d'humeur à leur donner un coup de main. Sinon, cette visite ne serait qu'une perte de temps.

Sin posa la main sur l'épaule de Kat avant qu'elle ne se téléporte.

— Merci, Katra. J'apprécie.

— Je t'en prie, dit-elle, émue.

Il la prit dans ses bras et la serra contre lui.

— Et merci pour le cadeau que tu m'as fait.

— Je reviendrai vite, dit-elle en déposant un baiser sur sa joue.

Artémis hésita en approchant de sa chambre. Elle se mordilla le doigt, réfléchissant intensément. Peut-être serait-il plus sage qu'elle se rende au temple de Zeus pour méditer...

— Qu'est-ce que tu as fichu ?

La voix de stentor d'Acheron. Elle se retourna.

— Je te croyais au lit !

— J'avais envie d'aller aux toilettes.

Les yeux argent semblaient la traverser jusqu'au fond de l'âme.

— Qu'est-ce que tu as fichu, Artie ? Et ne me réponds pas : « Rien du tout », parce que je sais à la façon dont tu agis que tu as fait un truc qui va vraiment me mettre en pétard.

Qu'il lise aussi clairement en elle l'irritait au plus haut point. Comme à son habitude, elle contre-attaqua aussitôt :

— C'est de ta faute !

— Oh, mais bien sûr. Tout est toujours de ma faute. Dis-moi de quoi je me suis rendu coupable, ce coup-ci.

Elle darda sur lui un regard féroce, lui cachant qu'il l'effrayait.

— Avant que je te le dise, il faut que tu me promettes deux choses.

— Quoi ?

Elle recula prudemment.

— Premièrement, que tu ne me tueras pas. Deuxièmement, que tu resteras ici une semaine de plus.

Acheron était inquiet. Pour qu'Artémis émette de tels souhaits, il fallait qu'elle ait fait bien pire que ce qu'il imaginait. Et il était furieux. Il savait que ses yeux étaient en train de virer à l'écarlate, mais aussi que cela la laissait de glace qu'il soit en colère. Il la connaissait suffisamment pour savoir que s'il ne lui donnait pas ce qu'elle désirait, elle ne lui dirait rien de la bêtise qu'elle avait commise.

— OK, Artie.

— Prononce clairement ta promesse. Je veux que les mots te lient.

— Je promets que je ne te tuerai pas, dit-il en ses dents serrées, et...

— Jamais.

— Que je ne te tuerai jamais...

Bons dieux, ce qu'il avait envie de l'étrangler !

— Et que tu resteras ici une semaine supplémentaire, sauf si... si j'ai besoin que tu fasses quelque chose pour moi.

— Que je fasse quoi ? demanda-t-il, soudain glacé.

— La promesse, Acheron. Ensuite, je te répondrai.

Bon. L'aveu qu'elle avait à lui faire était du genre à le mettre dans une fureur noire, c'était certain. Pourvu que cette foutue promesse, il réussisse à la tenir...

— Je ne m'en irai que dans sept jours, sauf si tu as besoin de moi pour faire quelque chose.

— Bien. Maintenant, tu ne bouges plus.

Il se figea tout en s'interrogeant : qu'est-ce qui n'allait pas chez elle, en dehors du fait qu'elle était égoïste et froide ?

Elle se déplaça jusqu'à l'autre bout de la pièce.

— Qu'est-ce que tu fous, Artémis ?

— J'avais un truc à te dire.

— Non. « J'ai », rectifia-t-il. Je t'écoute.

— Tu vas te mettre en colère.

Elle continuait ses maudits petits jeux !

— Tu ne m'as pas demandé de ne pas le faire, bon sang !

— D'accord, d'accord. Ne hurle pas. Je ne le supporte pas.

— Je ne vais pas tarder à faire davantage que hurler.

— Alors, hurle puisque tu ne peux pas t'en empêcher... Ach, te souviens-tu de ce qui s'est passé, lorsque tu as été ramené d'entre les morts ?

Comment aurait-il pu l'oublier ? Ce souvenir le hantait en permanence. L'un des moments les plus douloureux d'une existence marquée par la souffrance.

— Ouais, et alors ?

— Alors… des mois durant, tu as refusé de venir dans mon temple, même quand je te sommais de le faire.

— Disons que j'étais dans d'assez mauvaises dispositions vis-à-vis de ton frère et de toi, après ce que vous m'aviez fait.

— Mais je tiens à ce que tu te rappelles que je voulais que tu viennes. J'ai vraiment essayé !

— Je me rappelle. Tu as tellement insisté que tu as failli me rendre dingue.

— Et lorsque, enfin, tu es venu, te souviens-tu de ce qui s'est passé ?

Il lâcha un soupir d'exaspération. Oh oui, il revoyait clairement ce moment. Artémis l'attendait à l'extérieur de son temple, dans sa forêt. Lui se tenait au milieu d'une clairière et la regardait. Il était affamé, bouillant de rage, et il avait terriblement besoin du sang de cette garce de déesse.

Elle s'était approchée de lui avec précaution, comme s'il lui faisait peur, et lui avait demandé de ne pas être furieux contre elle. Il avait rétorqué dans un rire amer que « furieux » était un terme trop faible. Puis il s'était enquis des raisons qui l'avaient poussée à le ramener.

— Je n'avais pas le choix.

— On a toujours le choix.

— Non, Acheron, ce n'est pas vrai.

Balivernes, avait-il songé. Elle l'avait ramené à la vie par égoïsme, parce que cela l'amusait.

— C'est pour t'excuser que tu m'as fait revenir d'entre les morts ?

— Je ne suis pas là pour m'excuser. Si c'était à refaire, je le referais. Je veux qu'on fasse la paix, Acheron.

Faire la paix ? Était-elle folle ? Elle avait de la chance qu'il ne la tue pas là, tout de suite. S'il n'avait pas craint de faire des victimes innocentes, il n'aurait pas hésité.

— Il n'y aura jamais de paix entre nous, Artémis. Tu as tout bousillé quand tu as regardé ton frère m'assassiner sans intervenir.

— J'avais peur.

— Et moi, pendant ce temps, je me faisais massacrer, comme une bête qu'on sacrifie. Alors, pardonne-moi si je n'éprouve aucune sympathie pour toi.

Là-dessus, il avait pivoté sur ses talons. Il commençait à s'éloigner quand il avait entendu vagir un bébé. Il s'était retourné et, épouvanté, avait vu Artémis écarter les pans de son ample péplum et en sortir un nourrisson.

— J'ai un bébé, Acheron. Pour toi.

Elle lui avait tendu l'enfant. Il avait bondi en arrière, aveuglé par la fureur.

— Sale garce ! Tu crois vraiment que tu peux remplacer mon neveu que tu as laissé mourir ? Je te hais ! Je te haïrai toujours ! Pour une fois dans ta vie, comporte-toi correctement ! Rends ce bébé à sa mère. La dernière chose dont ait besoin un enfant, c'est d'être confié à une vipère sans cœur telle que toi !

Elle l'avait giflé assez violemment pour lui fendre la lèvre.

— Va au diable, maudit bâtard ! avait-elle rugi.

En riant, il avait essuyé le sang qui coulait de sa lèvre, puis il avait lancé en la fixant d'un regard meurtrier :

— Je suis peut-être un maudit bâtard, mais c'est mieux que d'être une salope frigide qui a sacrifié le seul homme qui l'ait jamais aimée parce qu'elle contemplait son nombril au lieu de chercher à le sauver !

— Je ne suis pas une salope, Acheron. C'est toi la catin qui se vend au plus offrant. Comment as-tu pu te croire une seule seconde digne d'une déesse ?

Cette flèche empoisonnée s'était fichée dans le cœur d'Acheron et le faisait encore souffrir.

— Tu as raison, je ne t'arrive pas à la cheville, ni à celle de personne d'autre. Je ne suis qu'une merde qui doit être balancée dans le caniveau. Pardonne-moi d'avoir entaché ta réputation !

Sur ces mots, il s'était volatilisé, pour ne pas reparaî-tre de deux mille ans. Il avait fui Artémis sans relâche, n'acceptant d'elle que les dons de sang qui assuraient sa survie. Si cela n'avait tenu qu'à lui, jamais il ne l'aurait revue, mais elle s'était servi des pouvoirs qu'elle lui avait volés pour créer les Chasseurs de la Nuit, destinés à protéger les humains des Démons, créatures d'Apollon. En fait, elle s'était servi des Chasseurs de la Nuit pour lier Acheron à elle : il était obligé d'entrer régulièrement en contact avec elle pour négocier la liberté de l'un ou de l'autre.

Ce n'était qu'à cause des Chasseurs qu'il maintenait une relation avec Artémis. Pour les aider et parce qu'il s'estimait responsable de leur existence.

Mais tout cela remontait à une éternité, et mieux valait ne plus y songer.

— Pourquoi remets-tu sur le tapis ces vieilles histoires, Artémis ?

À peine eut-il posé cette question que la vérité se fit jour dans son esprit.

J'ai un bébé, Acheron. Pour toi.

La réalité le frappa aussi violemment qu'un coup de poing au plexus.

— Le bébé...

Artémis hocha la tête.

— C'était ta fille.

9

Acheron s'éloigna en titubant d'Artémis. La rage qui bouillait dans son cœur lui faisait perdre tout contrôle. Il dut s'appuyer au mur pour ne pas tomber. Sa peau avait viré au bleu ; il respirait par halètements, sa bouche ouverte révélant de grands crocs. Sa vision se brouilla.

Il voulait si ardemment le sang d'Artémis... Il en sentait le goût sur sa langue. Mais, par-dessus tout, il voulait lui arracher la gorge.

— Sois maudite ! hurla-t-il.

— J'ai essayé de te le dire ! Je te l'ai donnée et tu l'as repoussée.

— Tu as dit : « J'ai un bébé pour toi », pas que tu avais *mon* bébé, ce qui fait une putain de différence ! J'ai pensé que c'était l'enfant de l'une de tes servantes que tu tentais de me donner en guise d'offrande pour compenser la mort de mon neveu. Et tu le sais très bien.

Offrir des nouveau-nés aux dieux était monnaie courante, en ce temps-là. On n'accordait alors guère d'importance aux enfants, qu'on sacrifiait sans sourciller.

Acheron se revit, tout jeune, enchaîné, étendu à même le sol, maintenu par des serviteurs pendant que le chirurgien jouait du scalpel. Le souvenir de la douleur le fit trembler.

Il revint vers la déesse, les poings fermés pour s'empêcher d'attraper Artémis par le cou.

— Ils m'ont stérilisé ! Je n'ai pas pu engendrer un enfant, c'est impossible.

— Tu étais stérile quand tu étais humain. Mais lors de ton vingt et unième anniversaire… ta fécondité t'a été rendue en même temps que tu devenais un dieu.

Oui, il se rappelait cela. Les cicatrices qui striaient son corps avaient été effacées, son intégrité physique totalement restaurée. Et manifestement, pas seulement en apparence. Ce qui ne fonctionnait plus à l'intérieur avait été réparé aussi.

— Pourquoi ne m'as-tu pas dit que tu étais enceinte, Artémis ?

— Tu ne m'écoutais ni ne me parlais ! Tout ce que tu me répétais, c'était que tu me haïssais. Pendant deux mille ans je n'ai rien entendu d'autre de toi !

Il eut un rire amer. Elle avait raison, c'était lui qui lui avait tourné le dos. Mais comment aurait-il pu imaginer que c'était *cela* qu'elle tentait de lui dire ? Pire, elle lui avait amené son enfant, et il l'avait rejetée. Maintenant, il se maudissait d'avoir été aussi intransigeant. Sa colère l'avait-elle donc aveuglé au point de l'empêcher de voir une chose aussi importante ?

Il avait renié sa propre enfant. Que devait-elle penser de lui ?

— Cela fait onze mille ans, Artémis. Tu aurais pu tenter de nouveau ta chance !

Elle avait les yeux pleins de larmes.

— Je n'aspirais plus qu'à me venger, se justifia-t-elle. As-tu la moindre idée du cauchemar que j'ai vécu, tout le temps de ma grossesse ? Je l'ai cachée à tous, et cela n'a pas été facile. J'ai accouché seule. Je n'étais pas obligée de garder ce bébé, tu sais !

— Alors, pourquoi l'as-tu fait ?

— Parce que cette enfant, elle était de toi. Et elle était à moi. La seule chose dans mon existence qui ait jamais été vraiment mienne ! Le temps que tu finisses par accepter de m'adresser de nouveau la parole, elle était adulte. À quoi bon te révéler la vérité alors ? Cela n'aurait rien changé. Tout ce qu'il m'était possible de faire pour que tu m'aimes, je l'avais déjà fait.

— Je suis bien content pour toi, Artémis. Tu aimes ta fille, et moi, je ne suis qu'un étranger pour elle. Merci beaucoup.

— Ne sois pas si amer. Je ne l'ai pas gardée long-temps pour moi, car elle s'est débrouillée derrière mon dos pour trouver ta mère. Elle te ressemble : elle fait tout pour me punir quand moi, je ne veux rien d'autre que la serrer dans mes bras.

— Que… Quoi ? Ma mère est au courant ?

— Évidemment qu'elle l'est, cette garce. J'ai été contrainte de transférer mes droits sur cette enfant à ta mère, et sais-tu pourquoi ? Pour te sauver, cette fameuse nuit à La Nouvelle-Orléans, lorsque Stryker était sur le point de te tuer !

Bons dieux de bons dieux ! Sa mère et Artémis s'étaient jouées de lui tant de fois qu'il en avait perdu le compte. Toutes les femmes, toujours, l'avaient dupé.

À l'exception de Simi.

Elle était le seul être pur et sincère qu'il eût jamais connu. Mais elle avait quand même commis un faux pas. À son insu, elle était allée séduire son meilleur ami, avait perdu son innocence, et cet ami était désormais son pire ennemi, qui n'avait de cesse qu'il ne l'ait tué.

À moins qu'Acheron ne le tue en premier.

Décidément, les femmes étaient le cauchemar d'Acheron. Au point qu'il regrettait de n'être pas né homosexuel. Cela lui aurait épargné des siècles et des siècles d'enfer.

Mais rien ne changerait le passé, conclut-il à part lui en poussant un long soupir vibrant de colère.

— Et où est ma fille, maintenant ?

— C'est pour cela que je suis là : je l'ai envoyée tuer Sin.

— Tu as quoi ?

Artémis recula en frissonnant.

— Ne t'inquiète pas, elle te ressemble : elle ne m'obéira pas. J'ai donc ordonné à Deimos de s'en charger.

Oh, parfait. Voilà qui allait arranger la situation…

— Laisse-moi deviner : Deimos se balade dans la nature, à la recherche de Sin et de notre fille.

— Je lui ai ordonné de ne pas toucher à un cheveu de sa tête, mais il ne m'écoute pas. En plus, il sait que c'est ma fille.

Acheron avait tout compris. Les pièces du puzzle venaient de s'assembler.

— Et tu veux que j'arrête Deimos.

— Je veux que tu le tues.

Il ricana.

— Oh, ne fais pas cette tête, Acheron ! Je sais que tu en es capable. Tu es un dieu tueur. Ses pouvoirs, comparés aux tiens, ne sont rien.

Il riva sur elle un regard glacial.

— Tu n'as pas idée à quel point, Artémis. Tu as d'ailleurs de la chance que je ne m'en serve pas pour t'anéantir sur place, là, tout de suite.

— Tu as juré que tu ne ferais pas cela.

— Ouais, mais je commence à me dire que ça vaudrait le coup de mourir si tu y passes.

— Tu n'oserais pas.

Il gronda entre ses dents serrées. Elle avait raison. S'il mourait, Apollymi serait libre de ses mouvements et mettrait le monde des humains à feu et à sang. Et, hélas, il ne s'en moquait pas.

— Bon. Comment puis-je protéger ma fille si tu me gardes enfermé ici ?

— Si Katra a besoin de toi, tu voleras à son secours. Mais il faut qu'elle soit en danger d'abord.

Acheron venait d'entendre le nom de sa fille pour la première fois.

— « Katra » ? En grec, cela veut dire « pure ».

— Oui. Et elle te ressemble.

D'un geste de la main, Artémis fit apparaître l'image de Kat afin qu'Acheron puisse la voir.

Des larmes lui montèrent aux yeux quand il découvrit la beauté de sa fille. Et une violente émotion s'empara de lui lorsqu'il se rendit compte qu'il la connaissait : ce visage, il l'avait vu en rêve. La femme blonde qu'il n'arrivait pas à identifier... Par quelque sortilège, son esprit avait su qu'elle existait et la lui avait montrée.

— L'ai-je déjà rencontrée ? demanda-t-il.

— Pour ce que j'en sais, une seule fois. Elle passait avec d'autres *koris* quand tu es arrivé à l'improviste. Tu l'as regardée. Je me suis dépêchée d'attirer ton attention.

Il s'en souvenait. Qu'une des *koris* soit plus grande qu'Artémis l'avait stupéfié : la déesse ne supportait pas d'avoir dans son entourage une femme qui la dépassât en taille. Alors, pourquoi celle-là ?

— La grande blonde...

— Oui.

Il avait été si près d'elle... et n'avait pas imaginé un seul instant la vérité.

— Elle est au courant, pour moi ?

— Je ne lui ai jamais caché qui était son père. C'est pour cela qu'elle est allée voir ta mère.

— Bon sang... Que lui as-tu dit, Artie ? Que je l'avais rejetée ?

Les yeux d'Artémis flamboyèrent soudain.

— Tu sais, Acheron, j'en ai assez de tes attaques ! Vraiment assez. Si tu t'étais bien comporté avec moi, tu aurais su, pour Kat. Alors, arrête d'employer ce ton agressif quand tu me parles ! C'est toi qui es parti lorsque je te l'ai présentée ! Moi, je suis restée là, et je l'ai élevée, pendant que toi, tu boudais.

Il... boudait ? Que ne fallait-il pas entendre ! Il avait consacré son temps à apprendre à utiliser ses pouvoirs et à essayer de contrôler la toute jeune Simi, qui n'avait jamais auparavant mis les pieds dans le monde des humains. Les années qui avaient suivi sa rupture avec Artémis avaient été difficiles et effrayantes.

Il n'avait personne vers qui se tourner. Sa mère s'était montrée amère et irrationnelle chaque fois qu'il avait tenté de lui parler. Artémis lui avait tourné le dos. Si Savitar ne s'était pas manifesté pour lui montrer comment maîtriser ses pouvoirs et s'en servir, il aurait été totalement perdu.

Mais c'était le passé. Rien ne le changerait. Tout ce qu'il pouvait faire à partir de maintenant, c'était veiller à ce qu'aucun mal n'arrive à sa fille.

— Simi ! appela-t-il.

La Démone fut là en une fraction de seconde.

— *Akri* ! s'exclama-t-elle, ravie. Tu peux revenir à la maison ?

— Pas tout de suite, répondit-il en jetant un regard mauvais à Artémis. Mais j'ai une mission pour toi.

— Ah bon ?

— Oui. Il semble que j'aie quelqu'un à protéger. Tu vas t'en charger. Tu as compris ?

Simi blêmit.

— Tu ne veux pas que Simi veille sur la garce-déesse, n'est-ce pas ? Parce que, sans vouloir te vexer, *akri*, ce serait une mauvaise idée. Je t'aime, mais pour ça, tout mon amour n'y suffirait pas !

L'honnêteté de la Démone le fit sourire.

— Il ne s'agit pas d'Artémis, Simi, mais d'une autre femme qui s'appelle Katra.

— Oh ! *Akra*-Katra ?

Un mauvais pressentiment anima aussitôt Acheron.

— Tu la connais ?

Simi montra soudain une nervosité de mauvais augure. Artémis lâcha alors d'un ton aigre :

— Il sait qu'elle est sa fille, idiote !

Simi décocha à la déesse un regard noir.

— Quoi ? Moi, idiote ? Simi ? Je crois que la garce-déesse perd les pédales. Elle se prend pour moi ! Remarque, difficile de le lui reprocher. Toutes les femmes veulent être moi à cause de mon inégalable beauté et de mon goût exquis pour m'habiller et pour tout ce qui brille.

— Oh, la ferme, stupide Démone ! Comme si j'avais jamais eu envie d'être toi !

Acheron n'eut que le temps d'agripper Simi par le bras et de l'obliger à reculer avant qu'elle ne se jette sur Artémis pour la dévorer.

— Non, Simi, laisse-la. Et toi, Artie, insulte-la de nouveau et tu n'auras plus à te soucier de grand-chose.

— Peuh… Elle ne peut rien me faire.

— Elle, peut-être pas, mais moi, si. Je peux te donner à ma chère petite Simi !

— Ouiiiii ! s'écria la Démone en battant des mains. Je vais enfin pouvoir manger la garce-déesse, alors ?

Artémis se volatilisa, ce qui aurait pu faire plaisir à Acheron s'il n'avait pas été aussi perturbé. Il lâcha Simi, puis lui demanda :

— Tu étais au courant, pour ma fille ?

La Démone afficha aussitôt une mine contrite d'enfant coupable.

— *Akri* est en colère contre Simi ?

Il l'attira contre lui et l'étreignit affectueusement.

— Comment pourrais-je être en colère contre toi ?

Elle était la seule créature au monde qui l'aimât sans condition ni restriction. Mais il ne pouvait s'empêcher d'être blessé qu'elle ait gardé ce secret pour elle.

— J'aurais préféré que tu me racontes tout.

— La reine-déesse disait que tu serais malheureux si tu savais ! Elle disait que tu aurais autant de peine qu'elle en a de ne pas te voir. Je ne voulais pas que tu pleures comme elle pleure.

Il lui tapota le dos.

— D'accord, Simi. Tout va bien.

Elle recula puis considéra son visage.

— Tu es triste, *akri* ?

— Un peu.

— Simi ne voulait pas te faire de peine, assura-t-elle en lui prenant la main.

— Tu ne m'en as pas fait, tranquillise-toi.

— Ah bon. Parce que, sinon, je mangerai la garce-déesse pour toi, pour que tu te sentes mieux.

— Non, Simi, dit-il en souriant.

— Non ? Même pas une petite bouchée ? Juste un talon ou un doigt ? Ça ne lui manquera pas. Personne ne s'en souciera. Sauf toi, peut-être...

— Simi, tes petites bouchées sont de la taille d'une morsure de requin. Si tu veux m'aider, retrouve Katra et protège-la.

— Simi sait où elle est. Je viens de la quitter.

Il en resta bouche bée. Puis il se raisonna : au point où il en était, comment pouvait-il encore s'étonner de quelque chose ?

— Tu... quoi, Simi ?

— J'étais avec elle. Et elle est avec cet ex-dieu qui déteste la garce-déesse autant que moi. Ils ont demandé à Simi et à Xirena de les aider à combattre ces méchants Démons, les Gallus, tu sais, ceux que tu me permettais de manger. Apparemment, il y en a plein là où ils sont, Katra et lui.

Elle fouilla dans son sac et en sortit une bouteille de sauce barbecue.

— Je suis prête.

Acheron secoua la tête, désorienté.

— Attends... Les Gallus sont libres ?

— Oui. Sin dit qu'ils vont arriver par douzaines. Suffisamment pour faire un bon hors-d'œuvre.

Oui, et suffisamment pour faire de sacrés dégâts parmi les humains.

— Va, Simi. Va veiller sur Katra.

— OK, *akri*. Mais ne sois pas triste !

Elle l'embrassa sur la joue puis disparut. Acheron poussa un long soupir. Tout autour de lui partait à vau-l'eau, et il était coincé ici à cause de l'insatiable libido d'Artémis. Où était la justice dans tout cela ?

Il fallait qu'il sache de quoi il retournait exactement.

Il ferma les yeux et se concentra pour localiser Sin et les Gallus, mais il ne put distinguer que de la brume. Évidemment. Quand il était auprès d'Artémis, il avait toujours des problèmes à voir ce qui se passait sur la Terre. Elle ne voulait pas qu'il sache quoi que ce soit, de peur qu'il n'ait encore plus hâte de s'en aller.

Mais il y avait quelqu'un qui était en mesure de lui dire ce qui l'intéressait.

Il sortit sur le balcon et se pencha par-dessus la rambarde. Puis il ferma de nouveau les yeux et laissa son *ensyneiditos* sortir de son corps et voyager à travers le cosmos jusqu'au jardin de sa mère. Ce procédé était le seul qu'il pût utiliser pour aller rendre visite aux autres pendant sa réclusion sur l'Olympe.

C'était également l'unique moyen qu'il employât pour approcher sa mère. S'il était allé la voir en personne, sa présence aurait suffi à ouvrir la porte de sa prison. Elle serait sortie pour détruire le monde, le but de son existence.

Celui d'Acheron était d'empêcher cela.

Il flotta jusqu'à Kalosis, où il trouva sa mère assise au bord de la piscine. Les rochers d'obsidienne brillaient autant que sa peau blanche. Elle s'était servie de l'eau du bassin pour en faire une *sfora*, amenant jusqu'à elle une boule liquide en rotation dans l'air.

Acheron resta interdit en découvrant la femme debout à côté d'elle. Ce visage... Il l'avait vu en rêve. Les traits en étaient semblables aux siens, mais surtout à ceux d'Artémis.

Sa fille !

— Katra ? bredouilla-t-il.

La *sfora* se délita en une myriade de gouttelettes à la seconde où les deux femmes se tournèrent vers lui. Les yeux verts qui s'étaient rivés sur lui lui donnèrent envie de pleurer. Il se contint. Il était trop habitué au chagrin pour se trahir.

— Apostolos... dit Apollymi avant de se lever.

Son regard inquiet allait de la jeune femme à son fils.

— Es-tu en colère ? continua-t-elle.

Kat s'était pétrifiée. À la façon dont Acheron avait prononcé son nom, elle avait compris qu'il savait. Son père... il était là... devant elle.

Non, pas exactement. Il ne s'agissait que de son image. Il n'était pas là en chair et en os. Il lui était impossible de venir en personne chez Apollymi.

Mais son expression, alors qu'il la fixait, était bouleversante.

Elle avait rêvé de ce moment tant de fois au cours de sa vie. Avait imaginé mille scénarios pour leurs retrouvailles, mais jamais celui-ci. Elle brûlait de se précipiter vers lui, de se jeter dans ses bras. Hélas, l'immatérialité d'Acheron l'en empêchait. Et puis, il était tellement figé que cela l'effrayait.

— Papa ? dit-elle d'un ton mal assuré.

Il détourna les yeux, mais elle eut le temps d'apercevoir la larme qui roulait sur sa joue. Submergée par l'émotion, elle lutta contre ses propres larmes. Sa grand-mère lui posa gentiment la main sur l'épaule.

— Va vers lui, Katra. Il a besoin de toi.

Kat acquiesça d'un hochement de tête, puis s'envola vers l'Olympe. Elle se matérialisa sur la terrasse, son aire de jeu favorite lorsqu'elle était enfant. Et Acheron se trouvait à côté d'elle.

Kat se sentait décontenancée. Elle ne savait que faire ni que dire. Son esprit n'était que tumulte et agitation. Aussi immobile qu'une statue, Acheron contemplait le jardin.

Et, tout à coup, il sursauta. Il venait de prendre conscience de la présence de Kat. Il écarquilla les yeux, incrédule, et Kat, incapable de s'en empêcher, se mit à pleurer. Furieuse contre elle-même, elle s'essuya rageusement les joues.

— Je ne fais pas ça, d'habitude ! Je ne suis pas du genre émotif !

Acheron n'avait toujours rien dit. Il s'avança vers elle à pas lents, comme s'il n'en croyait pas ses yeux, comme s'il se pensait victime d'une hallucination.

De près, il paraissait gigantesque, songea Kat. Incroyablement puissant. Il était normal qu'un père semble intimidant à son enfant. Mais lui, il était carrément effrayant

— Ta vie a-t-elle été belle ? demanda-t-il d'une voix douce.

Kat fut de nouveau incapable de retenir ses larmes.

— Il ne m'a manqué qu'une chose, bredouilla-t-elle entre deux sanglots.

— Et c'était...

— Toi.

Acheron respirait avec difficulté. Il avait la gorge nouée et se traitait mentalement de tous les noms : jamais il ne pleurait. Jamais !

Il avait manqué tant de siècles de la vie de sa fille ! Pour elle, il était un parfait étranger. Cette pensée le mettait au supplice. Combien d'enfants avait-il choyés et protégés au cours de son existence ? Combien en avait-il serré dans ses bras, rêvant qu'ils soient siens mais se sachant incapable d'en engendrer ? Et pendant tout ce temps, il avait une fille et n'en savait rien !

Quelle injustice !

Il déglutit avec peine, réprimant son envie de toucher Kat. Il avait peur qu'elle ne le repousse, ainsi que tous l'avaient fait par le passé. Elle devait le haïr de l'avoir négligée. Et il ne pouvait le lui reprocher : n'avait-il pas réagi de même, avec ses véritables parents ? Il les avait haïs de lui avoir caché qui ils étaient, de n'avoir jamais été présents quand il avait besoin de réconfort et d'amour.

Jusqu'à maintenant, il n'avait pas été vraiment conscient de ce qu'avait dû éprouver sa mère lors de leur première rencontre.

— Je ne sais même pas quoi te dire... murmura-t-il.

— Moi non plus. Alors, on reste comme ça, à se regarder en pleurant ?

Il éclata de rire.

Kat s'essuya de nouveau les yeux puis demanda :

— Je peux te serrer dans mes bras ?

Lentement, Acheron ouvrit les bras, et elle se précipita contre lui. Ce qu'il ressentit alors le bouleversa jusqu'au fond de l'âme. Sa fille ! C'était sa fille qu'il étreignait ! La chair de sa chair, le sang de son sang. Ô dieux ! L'amour qui le submergeait était indescriptible. Il n'avait jamais rien éprouvé de tel.

Il comprenait maintenant la colère de sa mère quand elle avait appris ce qui lui était arrivé. Lui aussi, il voulait punir ceux qui avaient fait du mal à son enfant. Elle avait été malheureuse, et il n'avait pas été là pour la consoler. Il se sentait affreusement coupable. Elle avait grandi sans rien savoir de son père, hormis qu'il avait donné son ADN pour la concevoir.

Mais lui, au moins, ignorait l'existence de cette enfant. Cela avait certainement été bien pire pour sa mère : elle, elle savait qu'elle avait un fils. Quelle torture, pour elle, de ne pouvoir l'approcher...

— Je suis désolé, souffla-t-il, la bouche dans les cheveux de la jeune femme. J'ignorais tout de ton existence.

— Je sais.

155

— Pourquoi n'es-tu pas venue vers moi, Katra ?

— Quand j'étais petite, j'avais peur que tu ne sois en colère contre moi. Chaque fois que je t'ai vu, tu étais furieux. Tu haïssais Artémis, et je craignais que tu ne me détestes parce que j'étais le lien entre vous.

Il recula et prit son visage entre ses mains.

— Jamais je ne pourrais te détester.

Kat avait attendu sa vie entière d'entendre ces paroles. D'étreindre son père. De l'embrasser. Et le faire enfin était encore plus merveilleux qu'elle ne l'avait imaginé.

— Je t'aime, papa.

Acheron laissa échapper un sanglot. Les mots de sa fille le bouleversaient, faisaient vibrer la plus ténue des fibres de son corps.

— Je regrette tellement, Katra.

— Moi aussi, je regrette. J'aurais dû tout te dire, mais je ne savais pas comment tu aurais réagi face à maman. Je… j'avais peur que tu ne la tues.

Il eut un petit rire amer.

— Ouais, c'est probablement ce que j'aurais fait.

Il secoua la tête, sourit, puis examina longuement Kat des pieds à la tête.

— Tu es si belle… Je suis tellement triste de ne pas t'avoir connue enfant.

— Tu n'as pas manqué grand-chose. J'avais les dents de travers et les cheveux raides comme des baguettes de tambour.

— J'en doute, répliqua Acheron en riant.

— Oh, mais si, c'est vrai. J'étais moche, jusqu'à l'adolescence. Une grande bringue. Je me cognais partout. Remarque, ça m'arrive encore, de temps à autre.

— Tu es bien ma fille…

— C'est sûr. N'empêche, je n'arrive pas à croire que tu sois maladroit.

— Détrompe-toi, je le suis. J'ai si souvent heurté la pancarte « Sortie » sur des portes que ces cinq lettres devraient être incrustées sur mon front.

Le rire cristallin de Kat enchanta Acheron. Elle lui ressemblait ! Elle réagissait comme lui. C'était extraordinaire.

Une pensée soudaine vint troubler son allégresse : que Katra lui ressemble tant avait dû lui créer des problèmes.

— Ta mère a-t-elle été gentille avec toi ?

— Disons que selon ses critères, oui, elle l'a été. Sauf qu'elle n'acceptait que je l'appelle *matisera* que lorsque nous étions en tête à tête. Sinon, elle a été gentille. Très gentille.

Cela avait quand même dû être triste pour Katra, quand elle était en public, de se comporter comme si Artémis et elle étaient des étrangères. Une souffrance qui lui était bien familière. Sa colère contre Artémis se raviva. Elle l'avait fait souffrir, mais elle avait également fait souffrir sa fille. Quelle monstrueuse égoïste !

— Elle t'aime, Katra ?

La question mit Kat mal à l'aise. Acheron craignait qu'Artémis n'ait été froide avec elle, mais en dépit des accès de mauvaise humeur de la déesse, cela n'avait pas été le cas.

Il fallait qu'Acheron le sache.

Elle lui prit les mains, ferma les yeux et le laissa lire ses souvenirs.

Acheron vit la fillette de sept ans seule avec sa mère dans la chambre de cette dernière. Artémis et elle étaient allongées sur le lit, étroitement enlacées.

— Pourquoi pleures-tu, *matisera* ? demandait Kat en caressant la joue humide de la déesse.

— Tu es trop jeune pour comprendre, mon petit.

— Dis-moi quand même. Je ne comprendrai pas, mais tu te sentiras mieux et tu seras de nouveau heureuse.

Artémis sourit à travers ses larmes et remonta la couverture sur les épaules de la fillette.

— J'ai commis une terrible erreur.

— Mais, maman, tu es une déesse ! Tu ne peux pas te tromper !

Artémis prit la main de Kat et déposa un baiser sur sa paume.

— Hélas si, ma chérie. Tout le monde peut commettre des erreurs. Même les dieux. Et leurs fautes sont bien pires que celles des humains. Car, à la différence des humains, nous ne sommes pas les seuls à souffrir de nos fautes. Quand nous nous trompons, nous faisons souffrir des milliers d'êtres. C'est pour cela que tu dois apprendre à être comme ton père, à contenir ta colère et tes chagrins, et à ne jamais punir ceux que tu aimes.

— Mais moi, tu ne me punis pas, *matisera*.

Artémis déposa un baiser sur son front.

— Non, Katra, je ne te punis pas. Je t'aime, mon petit trésor.

Kat était un peu rassurée, mais pas totalement : que sa mère pleure l'inquiétait.

— C'est moi, ton erreur, *matisera* ?

— Par l'Olympe, non ! Pourquoi penses-tu cela, ma chérie ?

— Parce que personne ne sait, pour moi. Et quand tu te trompes, tu ne veux pas qu'on le sache.

— Non, mon bébé, ce n'est pas à cause de cela que je dois te cacher. C'est seulement que je ne veux te partager avec personne. Tu es à moi et à moi seule. Tu seras toujours ma petite fille.

— Tu ne crois pas que mon père pourrait m'aimer ?

Artémis tapota de l'index le bout du nez de la fillette avant de répondre.

— Ton père t'aimerait encore plus que je ne t'aime. Il te couvrirait de baisers et te mettrait au lit après t'avoir fait plein de câlins.

— Alors, pourquoi on ne peut pas aller le chercher ?

— Parce qu'il me hait et ne veut pas entendre parler de moi, déclara tristement Artémis.

— Personne ne peut te haïr, *matisera* ! Tu es merveilleuse, tu es gentille. Tu es tendre.

La déesse caressa les cheveux blonds de sa fille.

— Je lui ai fait du mal, Katra. Beaucoup de mal. J'avais le monde entier entre mes mains, et je l'ignorais. La stupidité m'a aveuglée, et cela m'a fait perdre ton père.

— Alors, dis-lui que tu es désolée.

— Comme le dirait ton père, il est des fautes que des excuses et des regrets ne sauraient effacer. Les mots n'y suffiraient pas, même s'ils sont sincères.

Kat s'assit.

— Je peux tout guérir, *matisera*. Je poserai ma main sur son cœur et mon père se sentira mieux. Et il t'aimera de nouveau.

Artémis la serra contre elle.

— Mon petit trésor... J'aimerais tellement que tu puisses faire cela. Mais tout va bien. Il t'a donnée à moi, et ça, je ne le regretterai jamais.

Kat lâcha les mains d'Acheron et recula, rompant le fil de ses souvenirs.

— Elle n'a pas toujours été une mère parfaite, papa, mais je n'aurais pu en avoir de meilleure. Pas une seule seconde je n'ai douté de son amour.

L'émotion rendait Acheron muet. Il avait oublié ces bons côtés d'Artémis, car, depuis le jour où elle l'avait ramené d'entre les morts, elle n'avait cessé de lui faire payer l'amour qu'elle éprouvait pour lui. Elle l'attirait régulièrement dans son lit, se servant de son corps avant de le renvoyer sans autre forme de procès. Même pendant qu'ils faisaient l'amour, elle ne montrait qu'égoïsme.

Elle lui reprochait absolument tout.

Mais au début, elle avait été gentille avec lui. Elle riait, plaisantait, le touchait avec tendresse, heureuse qu'il soit auprès d'elle.

Avoir perdu cette relation si agréable, cette complicité, continuait à le faire souffrir.

— Je suis content que sa colère envers moi ne se soit pas retournée contre toi.

— Moi aussi, répondit Kat avec un sourire taquin.

Puis elle caressa la joue d'Acheron.

— Je n'arrive pas à croire que ce soit vrai. Que tu sois là, que tu me voies vraiment.

Lui non plus. Tout cela était tellement incroyable... Sans ce coup malicieux du destin, ils n'auraient pas été ensemble maintenant.

Cette pensée amena une question à son esprit.

— Pourquoi étais-tu avec ma mère dans son jardin ?

— J'essaie d'aider Sin à combattre les Gallus et les Dimmes. Il a un frère...

— Zakar.

— Oh. Tu le connais ?

— Oui. Je l'ai rencontré une ou deux fois. C'est un type bien.

Bonne nouvelle. La dernière chose que souhaitait Kat, c'était qu'un autre ennemi soit lâché dans le monde.

— Eh bien, ce Zakar a disparu. L'un des Gallus a dit qu'ils l'avaient fait prisonnier. Sin a besoin de savoir si c'est vrai.

— Ma mère t'a-t-elle aidée ?

— Nous avons vu quelque chose, mais je ne sais pas si c'était Zakar ou non. L'image était brouillée.

— La *sfora* a ses humeurs.

Il détacha son collier, qui portait une petite boule de verre rouge. Kat ne comprit qu'il s'agissait d'une *sfora* miniature qu'après qu'Acheron l'eut accrochée à son cou.

— Ce sera plus efficace que l'eau du bassin de ma mère. Une grande part de moi se trouve à l'intérieur.

Le cœur battant, Kat referma les doigts sur la boule, incrédule : comment Acheron pouvait-il lui donner quelque chose d'aussi précieux ? Si son ADN était dans cette *sfora*, elle pouvait s'en servir non seulement pour voir ce qui l'intéressait, mais aussi pour le détruire.

C'était un présent infiniment symbolique, pour quelqu'un qui accordait si rarement sa confiance.

— Dis-lui ce dont tu as besoin, Kat, et elle te guidera.

— Merci.

Il hocha la tête. Kat sourit, se hissa sur la pointe des pieds et l'embrassa sur la joue.

Le baiser avait été si tendre qu'Acheron en eut le souffle coupé. Un baiser de sa fille. Chaleureux, doux, qui l'emplissait de félicité. Jamais il n'avait ressenti une émotion aussi intense avec Simi. Il brûlait de prendre Kat dans ses bras et de la cajoler. Pourtant, il s'en abstint. Elle n'était plus une enfant, mais une femme.

— Fais attention à toi, lui souffla-t-il à l'oreille.

— Toi aussi.

La mort dans l'âme, il lâcha la main de sa fille.

— Si tu as besoin de moi, appelle-moi et je viendrai.

— Je sais. Merci, papa.

Les yeux humides, il attendit qu'elle ait disparu, le laissant seul dans le temple d'Artémis.

Il avait une fille, se répétait-il, incrédule.

M'en veux-tu, Apostolos ?

Il serra les dents en entendant la voix de sa mère dans sa tête.

Non, metera. *Je suis juste blessé que tu ne m'aies rien dit.*

Je préférerais que tu m'en veuilles. Je suis triste que tu aies mal.

Je suis désolé.

Pourquoi t'excuses-tu alors que c'est moi qui suis en faute ?

Apollymi lui apparut sous la forme d'une ombre pâle.

— Viens à la maison, Apostolos. Libère-moi et je veillerai à ce que tu n'aies plus jamais mal.

— Je ne peux pas, *metera*, et tu le sais.

Apollymi soupira.

— Un jour, mon enfant, tu accompliras la destinée pour laquelle tu es né.

Acheron espérait bien que non : s'il le faisait, ce serait la fin du monde.

Kat réapparut dans l'appartement de Sin, qui se tenait exactement là où elle l'avait laissé : devant le bar. Et il était toujours aussi beau.

Il s'avança vers elle.

— Tu l'as trouvé ? lui demanda-t-il, l'angoisse brillant dans son regard.

Elle secoua la tête. Elle était partie chercher le frère de Sin et avait trouvé son propre père.

— Non, mais mon père m'a donné ceci.

Elle montra la petite boule rouge.

— Il a dit qu'elle nous conduirait à Zakar.

— Quoi ? Tu as rencontré ton père ?

— Oui.

— Et tu vas bien ?

Son inquiétude pour elle lui fit chaud au cœur.

— Je crois que oui.

— Vraiment ?

— Vraiment.

Elle lisait sur son visage une tendresse qui la troublait.

Une tendresse qui s'évanouit quand il demanda :

— Il a donc tué Artémis ?

— Sin, voyons !

— Qu'est-ce qu'il y a ? J'ai le droit de poser la question, non ? J'espère qu'il lui a tranché la tête et l'a embrochée sur une pique.

— Désolée de te décevoir, mais elle respire encore.

— Et merde... Pourquoi n'a-t-il pas donné à cette...

Kat haussa les sourcils. Il s'interrompit, puis reprit :

— OK. Pourquoi n'a-t-il pas donné à cette... femme ce qu'elle mérite ?

— Sin, tuerais-tu la mère de ta fille ?

À peine eut-elle prononcé ces mots qu'elle se rendit compte qu'elle venait de rouvrir une vieille blessure. Elle perçut aussitôt son chagrin.

— Sin...

Il se déroba lorsqu'elle tenta de le prendre dans ses bras.

— Il faut qu'on trouve Zakar, dit-il d'un ton hargneux.

— Ne change pas de sujet. Je veux savoir ce que j'ai dit de mal. Pourquoi ma phrase t'a-t-elle touché à ce point ?

— Laisse tomber.

Non, elle ne laisserait pas tomber. Elle voulait comprendre.

— Je sais que ta femme t'a trompé : je l'ai vu.

— Et tu sais aussi pourquoi je ne l'ai pas tuée : elle était la mère de mes enfants. Tu veux d'autres plaies sur lesquelles tu aimerais verser du sel ? Alors, voilà : quand j'étais gosse et que j'ai essayé d'utiliser mes pouvoirs pour voler, je me suis lamentablement écrasé par terre. J'ai été sacrément humilié. Mais c'était encore bien moins humiliant que d'être un dieu de la fertilité incapable de satisfaire sa femme.

Ainsi, là était la source de tout... Il avait honte, en souffrait, et cette souffrance bouleversait Kat. Elle se plaça devant lui, prit son visage entre ses mains et l'obligea à soutenir son regard.

— Pour avoir partagé ton lit, Sin, je peux te garantir que cette femme qui n'a pas été satisfaite avait quelque chose qui n'allait pas. Peut-être une tare de naissance...

Il la fixait entre ses paupières à demi closes, et elle vit qu'elle l'avait réconforté. Il posa les mains sur les siennes.

— Je n'arrive pas à croire que tu sois apparentée à... Quel est le terme employé par Simi, déjà ? Ah oui. La garce-déesse.

— Je suis la version soft. Tu as de la chance.

Il porta la main de Kat à sa bouche et l'embrassa.

— Merci.

— Je ne mens jamais. Je tiens ça de mon père. C'est une malédiction.

— Une malédiction bienfaisante, assura-t-il en souriant.

L'éclat ambré des yeux de Sin la baignait dans un voile de chaleur. Elle avait envie d'aller vers lui, de l'aider à expulser la souffrance qui le minait et, en même temps, de ne rien faire d'autre que se laisser scruter par ces prunelles hypnotiques sous le regard desquelles elle se sentait si bien.

Quelle réaction bizarre... Mal à l'aise, elle se déroba, baissa les yeux et prit la *sfora* entre deux doigts.

— Je ne sais pas si ça va marcher, mais on essaie ?

— Je suis on ne peut plus prêt.

Elle ferma les yeux et appela Simi et Xirena. Sin se crispa quand les Démones apparurent dans la pièce.

Consciente de sa méfiance, Kat lui sourit.

— Je sais que tu peux botter les fesses de Démons très méchants, et moi celles de la plupart des autres, mais je préfère que la cavalerie protège nos arrières. Surtout dans la mesure où ces demoiselles ont probablement faim.

Sin secoua la tête sans mot dire.

— Où on va, *akra*-Kat ? s'enquit Simi.

— De la nourriture ? demanda Xirena d'un ton plein d'espoir. J'ai faim.

— Vu ma veine habituelle, ce soir il y aura assez de Gallus pour que vous fassiez un festin, répondit Kat.

Simi et Xirena se frottèrent les mains. Kat éclata de rire et voila la *sfora* de sa paume.

— OK, les amis, attachez vos ceintures. Le voyage risque d'être un peu agité.

Elle se concentra, puis attendit en retenant son souffle.

164

Rien ne se passa.

— Tu ne fais pas comme il faut, s'écria Simi. Il faut que tu l'enlèves, que tu la mettes dans ta main et que tu penses très fort à celui que tu essaies de trouver.

— Oh... Sin, ton frère te ressemble ?

— Oui, nous sommes jumeaux.

— D'accord. J'y suis.

Elle retira le collier de son cou, prit la boule dans sa main et visualisa Sin en esprit, en l'appelant Zakar. La boule se mit à scintiller. Des rayons lumineux s'échappèrent d'entre ses doigts pour aller danser sur le mur comme ceux d'un stroboscope. Puis une lumière rouge les estompa.

Deux secondes plus tard, ils étaient dans une caverne ténébreuse, où régnait une forte odeur de terre humide. Il faisait très sombre. Kat ne distinguait plus Simi et Xirena que grâce à la luminescence de leurs yeux. L'endroit était silencieux. On n'entendait qu'une respiration rauque. Kat toucha le biceps de Sin, qui tendit la main et fit apparaître une petite flamme dans sa paume, éclairant la grotte.

La respiration cessa.

Kat retint la sienne.

Un homme gisait à même le sol, mais ce ne fut pas cela qui l'épouvanta : ce fut la façon dont il était maintenu par terre. Il était littéralement cloué.

Une épée lui transperçait l'épaule gauche, la lame profondément enfoncée dans la pierre. Dans son bras droit relevé, une épée plus petite était fichée à travers son poignet et de là dans la paroi. Deux autres épées bloquaient également ses jambes.

Kat sentit la bile lui envahir la bouche. Elle et Sin s'approchèrent. Sin restait silencieux, mais elle percevait la rage qui grondait en lui. Dès qu'ils furent près du supplicié, ils virent le sang qui s'échappait de ses blessures, les plaies laissées sur tout son corps par les tortures.

Les cheveux de l'homme étaient longs et formaient une masse compacte, comme s'ils n'avaient été ni lavés ni peignés depuis une éternité. Il était rasé de près, mais il était facile de comprendre pourquoi : son cou portait d'affreuses marques de morsures irrégulières. Les Gallus avaient déchiqueté ses muscles, ses tendons, sans les arracher, simplement dans le but de causer le plus de douleur possible.

Le pire, c'étaient ses yeux. Quelqu'un ou quelque chose avait scellé ses paupières.

Xirena lui toucha la jambe sans le faire exprès. L'homme sursauta et lui cria en sumérien :

— Va te faire foutre, Gallu !

Puis il lui cracha dessus et se contorsionna pour lutter contre l'ennemi, ne faisant qu'accentuer l'effet des épées qui entaillaient ses chairs.

— Arrête, Zakar ! ordonna Sin en s'approchant pour essayer de l'immobiliser.

Son frère tenta de le mordre. Sin lui prit la tête entre ses mains.

— Arrête, répéta-t-il. C'est moi, Sin. Je suis venu te libérer.

— Va te faire foutre !

— Cesse de t'agiter, tu te fais encore plus de mal.

Kat frémit lorsque Zakar voulut lever le bras, avec pour seul résultat un affreux crissement de métal quand l'épée ripa contre le rocher. La douleur engendrée par ce mouvement aurait dû le tuer, songea-t-elle, horrifiée.

Sin lui bloqua le bras et retira la lame. À la seconde où son bras fut dégagé, Zakar, au lieu d'être reconnaissant, essaya de donner un coup de poing à son frère. Il échoua mais réussit à attraper Sin par les cheveux et à lui cogner la tête contre le rocher. Sin lâcha un juron en se dégageant.

— Merde, mec, tu as de la chance que je t'aime !

Zakar continua d'essayer de frapper. Kat alla alors aider Sin.

— Je vais enlever les épées dans ses jambes !

— Laisse-moi faire, dit Simi en la poussant. Les Charontes sont plus forts. Je peux sortir ces épées d'un seul coup, et ça lui fera moins mal.

Soulagée, Kat s'écarta. En un clin d'œil, Simi, assistée de Xirena et de Sin, extirpa les lames. Zakar poussa un hurlement à donner la chair de poule, avant de rouler sur lui-même et de se mettre en position d'attaque.

— Zakar, c'est moi ! Sin !

Peine perdue : Zakar bondit sur son frère et le projeta par terre. La première réaction de Kat fut de voler au secours de Sin, mais elle se retint : comment intervenir sans risquer de blesser davantage Zakar ? Elle lisait la même appréhension sur le visage de Sin.

— Pouvons-nous le manger, maintenant ? demanda Xirena.

— Mais non, répliqua Simi. Manger les gens, ce n'est pas bien et…

Elle fit la grimace avant de poursuivre :

— Voilà que Simi parle comme *akri* ! Mais *akri* a raison. Et puis, ça mettrait *akra*-Kat en colère.

Soudain, une vive lumière illumina la caverne. Sin et Kat se pétrifièrent : ils n'étaient plus seuls.

— Eh bien, eh bien, mais qu'avons-nous là ? Un supplément de nourriture qui vient d'arriver !

10

L'intonation grondante de la voix était la même que celle de Kessar, songea Kat en se retournant.

Le Démon ressemblait effectivement beaucoup à Kessar, mais il avait les cheveux plus foncés et les yeux d'un noir d'encre. Et comme si un Démon ne suffisait pas à son bonheur, elle en vit six autres derrière lui. Cinq hommes et une femme.

— Comme c'est mignon ! s'extasia la femme en venant se placer devant le groupe. L'esclave nourricier a des amis !

Kat n'eut pas le temps de réagir : les Démons disparurent puis réapparurent en une fraction de seconde, devant eux. Trois d'entre eux entourèrent Sin : le chef et deux de ses sbires.

À peine leurs ailes sorties de leur dos, Simi et Xirena se jetèrent sur les Démons qui leur faisaient face. Kat distinguait à peine ce qui se passait : le Démon femelle lui bloquait la vue. Cependant, elle put constater que sous leur forme démoniaque les Gallus étaient vraiment repoussants. Les yeux de la femme étaient en vrille, ses mâchoires déformées par une double rangée de crocs. Quelle horreur...

La femelle lui sourit, révélant son abominable dentition.

— Merveilleux ! Une Atlante au menu !

— Merveilleux, rétorqua Kat. Une saloperie à laquelle arracher les griffes !

La femelle fondit sur Kat, lui attrapa le bras et la précipita contre la paroi de la caverne. Le choc fut douloureux et galvanisa l'énergie de Kat. La femelle gallu revint à la charge en hurlant, mais Kat était prête : d'un coup de pied, elle se débarrassa d'elle, saisit sa dague et la lui enfonça droit dans le cœur.

Puis elle attendit que la créature explose.

Ce qui ne se produisit pas.

— Entre les yeux ! lui cria Sin. Ceux-là, on ne les détruit pas comme les Démons ordinaires !

Bon sang, elle avait oublié. Au temps pour son entraînement !

La femme attaqua de nouveau et, cette fois, Kat ficha sa lame au-dessus de son nez. La Démone explosa. Une myriade de débris malodorants s'abattit sur Kat. Beurk… Au moins, les Démons classiques n'empestaient pas quand ils éclataient.

Dégoûtée, elle s'ébroua puis se tourna vers Simi et Xirena : elles dévoraient leurs proies. Jamais plus, songea Kat, elle ne commanderait de pizza.

S'efforçant de ne pas regarder les deux Charontes en plein festin de morceaux de corps désormais impossibles à identifier, elle alla prêter main-forte à Zakar. Celui-ci luttait maladroitement contre le Gallu qui jouait avec lui comme un chat avec une balle. Deux des agresseurs de Sin gisaient à ses pieds. Il s'occupait du troisième lorsqu'elle traversa la caverne en courant. Au passage, elle faillit être touchée par Zakar. Le Gallu contre lequel il combattait éclata de rire.

— Très bien, esclave, tue celle qui veut te sauver !

Puis il se désintéressa de Zakar pour s'en prendre à elle. Kat, qui avait anticipé l'attaque, le laissa l'enserrer dans ses bras, puis se baissa brusquement et le souleva. Zakar en profita pour trancher la gorge du Gallu.

Kat arracha son poignard à Zakar et s'en servit pour achever l'adversaire. Elle retirait la lame de son front quand Zakar se jeta sur elle par-derrière et la mordit à l'épaule. Elle cria, pivota sur ses talons et le frappa. Sin accourut, écarta violemment son frère de Kat, mais Zakar se battait comme un diable, possédé d'une fureur de dément. Il attrapa les cheveux de Sin à pleines mains et tira de toutes ses forces.

— Arrête, Zakar ! Je suis ton frère !

— Va te faire foutre, Gallu, va te faire foutre !

Comprenant qu'il n'y avait pas d'autre solution, Kat expédia une décharge de foudre dans la poitrine de Zakar. Pas trop puissante, pour ne pas le tuer, mais suffisante pour qu'il s'effondre, sans connaissance, contre Sin.

Celui-ci jeta à Kat un regard plein de reconnaissance, puis souleva son frère dans ses bras.

— Filons d'ici avant qu'il n'en arrive d'autres.

— Simi ? Carbonise tes victimes et partons !

— Mais, Katra, j'ai encore faim !

— Nous commanderons de la Diamonique dès que nous serons rentrés.

L'expression de Simi s'illumina.

— Oh oui ! C'est tellement meilleur que le Gallu.

Elle enflamma les cadavres avec le concours de Xirena tandis que Sin et Kat se téléportaient en un éclair dans l'appartement. Là, Kat se servit de ses pouvoirs pour faire apparaître un grand sac de Diamonique, qu'elle tendit aux deux Démones dès qu'elles surgirent. Poussant des couinements de plaisir, elles se jetèrent sur les friandises et les emportèrent dans leur chambre. Voilà qui allait les occuper pendant un moment, songea Kat. *Merci, les dieux, d'avoir inventé la Diamonique !*

Elle était maintenant seule avec Sin et son frère. Sin avait étendu Zakar sur le canapé-lit, qu'il avait déplié d'un simple clignement d'œil. Les couvertures remontèrent d'elles-mêmes sous le menton de Zakar.

— Il va s'en sortir, Sin ?

Sin resta muet, fixant le corps couvert de cicatrices de son frère. Mais que lui avaient-ils fait ? On aurait dit qu'ils s'étaient nourris sur lui pendant des siècles. Il vengerait Zakar, se promit-il. Ce serait sang contre sang. Celui de Kessar et celui des Gallus. Mais surtout celui d'Artémis ! Sans elle, il aurait pu empêcher cette abomination de se produire. Grâce à ses pouvoirs, il aurait protégé son frère.

Non, ce n'était pas la faute d'Artémis, rectifia-t-il aussitôt en lui-même. C'était la sienne. S'il n'avait pas recherché à tout prix l'amitié des autres, la reconnaissance, rien de tout cela ne se serait passé. Zakar était la victime de ses faiblesses. Il ne devait blâmer que lui-même.

Le remords et le chagrin le submergèrent.

Soudain, Kat l'obligea à reculer. Il s'apprêtait à protester quand il vit ce qu'elle faisait : elle avait posé les mains sur les yeux de Zakar et murmurait en atlante.

Une lumière jaune jaillit de ses doigts et se diffusa sur le corps du blessé tout à coup dégagé des couvertures. À mesure que la lumière progressait, les plaies se refermaient, les cicatrices s'effaçaient.

Le soulagement et la gratitude envahirent Sin : Kat était en train de guérir son frère. Et qu'elle le fasse sans qu'il le lui ait demandé le bouleversait.

Lorsqu'elle recula, il vit que les paupières de Zakar n'étaient plus scellées. Son visage était de nouveau celui qu'il connaissait. Son frère était désormais tel qu'il se le rappelait, à l'exception de sa masse de cheveux.

— Merci, Kat, souffla-t-il.

Elle hocha la tête.

— Ils avaient bloqué ses tympans. Quand tu lui as dit qui tu étais, il n'a pas entendu.

— Je vais les tuer ! Tous ! rugit Sin.

— Tout de même, je dois reconnaître que Stryker a une certaine éthique. Je ne l'imagine pas faire une chose pareille.

— C'est pour cette raison que nous ne pouvons laisser les Gallus détruire l'humanité. Ils n'ont aucune compassion, sont incapables de la moindre pitié.

— Oui. Mais je ne suis pas sûre que Zakar puisse nous aider. Il m'a l'air en bien piteux état. J'ai peur que ce qu'il a subi sur le plan psychologique ne puisse être guéri par un simple enchantement.

Kat avait probablement raison, songea Sin, abattu. L'homme allongé dans le lit n'était pas en état de se battre. Ils auraient de la chance s'il tenait debout.

— Je me demande depuis combien de temps ils l'avaient.

— Vu son allure, je dirai longtemps. Sin, ça va, toi ?

Elle lui caressa la nuque puis le dos.

— S'il s'agissait de ton frère, que ferais-tu ?

— J'irais faire couler le sang pour le venger, répondit Kat sans une hésitation.

— Je constate que tu me comprends.

Elle opina, puis lui serra le bras.

— Je serai là pour t'épauler.

Il ferma les yeux, ému par tant de tendresse et de gentillesse. Elle était à ses côtés depuis le début, elle avait guéri Zakar… Tout cela était tellement merveilleux et étrange qu'il avait l'impression de vivre un rêve.

Il l'attira contre lui et l'embrassa avec ferveur.

Kat soupira de plaisir. Sin lui donnait l'impression d'être ce qui comptait le plus au monde pour lui. Il était malheureux, et elle aurait donné n'importe quoi pour atténuer sa peine. Il venait de passer une journée épouvantable. Ce qui ne l'empêchait pas d'être un homme délectable. Sa bouche avait un goût de paradis.

Quelle tristesse que les choses se soient passées aussi mal pour Zakar et lui ! Maintenant, ils devaient trouver le moyen de neutraliser les Gallus et Deimos, qui n'avaient qu'un but : voir Sin mort. Des adversaires redoutables… Mais quand elle était dans les bras de Sin, Kat avait la sensation d'être de taille à lutter contre eux.

Sin abandonna sa bouche au profit de son cou, nichant son visage sous son oreille. Il adorait le parfum de sa peau, de son haleine, la chaleur de son corps. Et puis, il n'était pas obligé de se pencher pour l'embrasser : elle avait la taille idéale. Et elle était forte, d'une force qui l'éblouissait.

— Je crois que je commence à souffrir d'une addiction, Kat. À toi.

— Pff... Tu me connais à peine.

— Oui, répondit-il d'un ton malicieux, mais je connais certaines parties de ton corps mieux que quiconque.

Elle s'empourpra.

— Tu es incorrigible.

— Faux. Je suis en plein progrès.

Elle l'embrassa sur la joue avant de se dérober.

— Compte tenu de ce qui se passe, je n'arrive pas à croire que tu sois d'humeur folâtre !

Il soupira et passa la main dans ses cheveux.

— Je m'efforce de ne pas sombrer dans un gouffre de culpabilité et de doute. Et pendant quelques secondes, à l'instant, ça a marché.

Immédiatement, Kat revint tout contre lui, lui posa une main sur l'estomac, l'autre au creux des reins.

— Je suis désolée, Sin. Tu veux qu'on se déshabille tout de suite ?

— Tu te fiches de moi ! dit-il en roulant des yeux faussement outrés. Oublie cette idée : le pavillon est en berne.

Elle éclata de rire.

— Le pavillon est en berne, hein ? Intéressante expression. Mais peut-être un peu de bouche-à-bouche le redéploierait-il ?

Ah, elle était la digne fille de sa mère... Elle savait comment torturer un homme.

— Tu es diabolique de me tenter comme ça.

— Je sais. Pardonne-moi, mais tu avais une telle expression de chien battu...

Il lui caressa les cheveux, se délectant de leur douceur soyeuse, se rappelant la griserie de leur contact sur sa poitrine quand elle le chevauchait.

— Je ne te comprends toujours pas, Kat. Que fais-tu ici avec moi ? Pourquoi m'aides-tu ? Cela n'a pas de sens.

— Peut-être est-ce dû à ta personnalité fascinante, qui m'attire comme la lumière un papillon de nuit ?

Sin fit la grimace.

— Je me vois plutôt en repoussoir.

— Curieux, de l'humilité chez un dieu.

— Un ex-dieu.

— Quand même. C'est rare chez ceux de ta race.

Il lui caressa la joue, émerveillé par la douceur de sa peau.

Kat frissonna sous son regard brûlant et lourd de tendresse. Dès qu'il la touchait, elle se sentait fondre.

— Ceux de ma race n'ont ni âme ni cœur. Toi, tu as les deux, Kat.

— Je t'ai déjà dit que je n'étais pas une déesse.

— Tu en aurais été une si ta mère n'avait pas eu peur que l'on ne découvre qu'elle couchait avec ton père.

Peut-être. Mais quelle importance ? Toutes ces questions de titres, de puissance, elle s'en moquait. Les luttes intestines du panthéon avaient réduit son ambition à zéro des lustres auparavant. Elle ne voulait pas entrer dans ce système. Tout ce qu'elle voulait, c'était…

En réalité, elle ne savait pas ce qu'elle voulait. Elle avait passé sa vie à obéir aux caprices de sa mère. Dans le monde où elle était née, réaliser ses rêves ou ses ambitions débouchait la plupart du temps sur des catastrophes. Elle avait donc préféré n'en nourrir aucun. Jamais elle n'avait envisagé de se lier à un homme. Elle avait vécu sans espérance, sans songer à l'avenir, si bien que ce qui lui arrivait maintenant lui semblait inconcevable.

Et c'était Sin qui avait tout changé.

Pour la première fois, elle aspirait à quelque chose, et cela la terrifiait. Jamais il ne ferait de projet commun avec elle. Jamais il ne se poserait, ne fonderait une famille. Il était un guerrier qui ne voulait avoir aucune relation avec le panthéon d'Artémis. Or, même si elle n'était pas une déesse, elle en faisait partie. Tenter de pousser Sin à se rapprocher d'elle, à rester avec elle n'aboutirait qu'à une profonde humiliation : il la rejetterait.

— Comment étais-tu, quand tu étais un dieu ?

Elle avait du mal à imaginer l'homme qu'il était des siècles plus tôt, mais son instinct lui disait qu'il n'avait pas été plus à l'aise qu'elle avec les manigances des divinités.

— Comme les autres, je suppose, répondit-il avec un haussement d'épaules.

— Non, je ne pense pas que tu leur aies ressemblé. J'ai appris, en espionnant ton passé, que tu n'avais pas trompé ta femme alors qu'elle, elle te trahissait constamment. Pourquoi ?

L'expression de Sin s'assombrit. Un voile semblait être descendu devant son visage. Soudain, Kat n'eut plus accès à son esprit ni à ses émotions. Elle ne percevait que du vide.

— Je suis allé voir Artémis, bien décidé à devenir un mari adultère.

Kat amplifia sa concentration et réussit à capter quelques informations de son passé. Il mentait.

— Non, tu n'as pas fait ça.

— Comment le sais-tu ?

Elle préféra ne pas lui dire qu'elle avait fait une nouvelle incursion dans sa mémoire.

— Je ne te crois pas, c'est tout. Je ne peux pas croire que tu aies été loyal pendant une éternité et que, tout à coup, tu aies foulé cette loyauté aux pieds. Tu es allé voir Artémis pour une autre raison.

Il parut brusquement si furieux qu'elle frémit. Toute personne dotée de bon sens aurait changé de sujet, mais pas elle.

— Pourquoi es-tu allé sur l'Olympe ? insista-t-elle.

— Tu veux vraiment la vérité ?

— Bien sûr. Sinon, je ne t'aurais rien demandé.

Il alla au bar se servir un double whisky – sa réponse à tout problème, apparemment.

— Je me sentais trop seul, dit-il d'une voix lourde de chagrin. Je n'avais pas d'aventures pour une simple raison : j'étais un sang-mêlé, mi-homme, mi-dieu, qui n'avait sa place nulle part. Les dieux sumériens n'avaient aucune indulgence pour cette tare. Ningal, mon épouse, avait abandonné le lit conjugal depuis une éternité. Elle ne s'était mariée avec moi que parce que j'étais différent. Exotique. Mais dès que les autres ont commencé à s'attaquer à elle parce qu'elle était la femme d'un métis, elle m'a banni de son lit. Quelle sorte d'enfant aurait-elle eu avec quelqu'un qui n'était pas un dieu à cent pour cent ?

Il s'interrompit et serra les mâchoires, comme s'il ne parvenait plus à supporter la douleur, puis reprit :

— J'étais persuadé que quelque chose n'était pas normal chez moi : qui a jamais entendu parler d'un dieu de la fertilité chaste ? Un dieu de la fertilité dont la femme fuit la couche ? Je n'étais pas comme mon père, prêt à séduire une humaine incapable de lui résister. C'est laid d'utiliser les gens ainsi. Je n'avais pas oublié le mal que mon père avait fait à ma mère. Un jour, Artémis est apparue pendant que je chevauchais dans Ur. Elle était entourée de daims, semblait paisible et – ne ris pas – douce. Je n'avais jamais vu de femme aussi belle. Je me suis arrêté pour bavarder avec elle, et nous avons plaisanté. En un rien de temps, nous étions amis.

Logique, se dit Kat : sa mère et Sin étaient tous deux des dieux de la lune. Ils avaient certainement beaucoup de points communs.

— Alors, pourquoi es-tu allé sur l'Olympe cette nuit-là ? Et ne mens pas.

Il détourna les yeux.

— La colère. Ningal m'avait humilié. J'en avais assez qu'elle se moque de moi. J'étais un dieu puissant mais pas assez pour l'arrêter. Les autres dieux se seraient ligués contre moi, et je savais que je n'avais aucune chance de l'emporter contre eux. Alors, je suis allé voir Artémis pour lui demander d'affaiblir mon panthéon. Je me suis dit que si elle m'aimait, comme elle le prétendait, nous unirions nos forces et serions vainqueurs.

Il ricana.

— Il faut toujours se méfier de ce qu'on souhaite, parce qu'on risque de l'obtenir. Je voulais qu'ils soient tous détruits et ils l'ont été. Mais je n'avais pas vu que ma propre chute irait de pair avec la leur.

Kat était désolée de l'avoir obligé à aborder ce sujet qui le mettait apparemment au supplice.

— Artémis était incapable de te donner ce que tu attendais.

— Ouais. Je l'ai appris à mes dépens il y a trois mille ans.

Kat lui prit la main avant qu'il ne remplisse de nouveau son verre.

— Es-tu conscient de ce que tu viens de faire, Sin ?

— Quoi ?

— Tu t'es ouvert à moi. Tu m'as fait confiance.

Il en resta sans voix. Elle avait raison ! Ce qu'il venait de lui confier, il ne l'avait jamais dit à personne. Mais il était si facile de lui parler. À la différence des autres, elle ne le jugeait pas, si bien qu'il en venait à baisser sa garde.

— Je parie que tu riras bien avec ta mère quand vous parlerez de moi.

— Jamais je ne répéterai ce que tu m'as dit, s'exclama Kat, indignée. Jamais ! Pour qui donc me prends-tu ?

— Mmm. Peut-être ferions-nous mieux de recommencer à nous chamailler, comme au début. C'était plus facile.

— Pas plus facile. Juste moins risqué.

Elle était vraiment intelligente, songea Sin. Parfois trop pour sa tranquillité d'esprit.

— J'aime la sécurité, dit-il.

— C'est un homme qui combat les Démons à mains nues qui dit cela ? rétorqua Kat en riant. Tu as donc vraiment peur de moi ?

— Les Démons sont simples. Toi, non.

— Ils sont simples ?

— Oui. Tout ce qu'ils veulent prendre aux gens, c'est leur vie.

— Oh ? Et moi ?

Elle, elle pourrait aisément lui prendre son cœur. À cette idée, il se figea sur place. Il n'avait pas ressenti cela depuis des milliers d'années. D'ailleurs, à bien y réfléchir, il n'avait sans doute jamais rien éprouvé d'aussi fort. Il ne se rappelait pas avoir aimé sa femme avec ferveur. S'il avait eu des sentiments sincères pour elle, ceux-ci n'avaient pas résisté à ses trahisons.

Kat... Elle était honnête, attentionnée, ce que jamais sa femme n'avait été. Et lorsque Kat le touchait, son corps, ce traître, réagissait aussitôt. Il s'enflammait dans la seconde. Un sourire d'elle le subjuguait. C'était terrifiant, ce pouvoir qu'elle avait sur lui. Comment un simple geste de sa part pouvait-il le bouleverser aussi profondément ?

Il la regarda. Son beau visage arborait une expression malicieuse.

— Tu ne m'as pas répondu, Sin.

— Je n'ai pas entendu. Quelle était la question ?

— Je t'ai demandé pourquoi tu avais peur de moi.

Il éluda la question.

— Tu as sommé deux Démones de venir ici, avec leur sauce barbecue. Tu ne trouves pas ça effrayant ?

178

— Tss... Tu te dérobes. Tu as peur. Tes yeux vont sans cesse vers la porte. On dirait que tu attends que quelqu'un entre pour te secourir.

Elle écarta les bras, simula un mouvement d'ailes battant maladroitement l'air, tout en émettant de petits caquètements.

— Quoi ? Tu me traites de poule mouillée ?

Il aurait dû être en colère, mais se découvrait amusé par l'audace de la jeune femme.

— Tu te fiches de moi, hein ?

— Possible. Je dois dire que c'est drôle de voir cette confusion dans tes magnifiques yeux.

Le compliment le sidéra.

— Mes yeux sont... magnifiques ?

— Oui. Vraiment spectaculaires.

Par tous les dieux, comment une flatterie pouvait-elle le mettre dans cet état ? C'était à n'y rien comprendre. Il n'aurait pourtant pas dû être étonné de lui plaire. Nombre de femmes au cours de son existence l'avaient trouvé à leur goût et s'étaient mises en frais pour lui... sans parvenir au même résultat. Les mots de Kat étaient aphrodisiaques. Il en avait les paumes moites et le cœur qui battait la chamade.

Elle lui prit la main.

— Allez, viens.

Elle l'entraîna vers la chambre.

— Qu'est-ce que tu fais ?

— Il faut que tu te reposes. La journée a été longue. Il est temps que tu te glisses entre les draps.

L'érection qui le tenaillait depuis un moment prit des proportions alarmantes.

— Vraiment ? Ne pourrais-je me glisser en toi, à la place ?

— Si tu mènes bien ton jeu, c'est une éventualité.

Kessar leva les yeux sur Nabium, qui avait interrompu son repas, et cilla avant de se redresser et d'abandonner l'entraîneuse morte étendue par terre. Il essuya le sang sur ses lèvres avec une serviette de lin.

— Qu'entends-tu par « le *Hayar Bedr* a disparu » ?

Inquiet, le grand Démon brun déglutit avec peine : Kessar était furieux.

— Le dieu Nana est allé à la caverne et…

— L'ex-dieu, corrigea Kessar.

— Oui, l'ex-dieu. Et il l'a pris.

Kessar lâcha un juron. Quelle guigne ! Sin s'était débrouillé pour s'introduire dans leur cachette et trouver l'un de ses jouets favoris. Bon, ce n'était pas vraiment important. Ils pouvaient toujours libérer les Dimmes. Mais détenir la Lune avait rendu l'avancée de leur domination sur la planète un peu plus facile.

— Où est mon frère ?

Nabium ne répondit pas.

Kessar secoua la tête, écœuré : son jeune frère et sa fichue libido… Jamais il n'aurait le sens du timing.

— Dis-lui de laisser tomber la femelle qu'il a ramassée et de se pointer ici illico.

— Je… je ne peux pas, monsieur.

— Et pourquoi ça ?

Nabium recula.

— Ils… ils l'ont tué.

Kessar en perdit le souffle. Non. Ce n'était pas possible.

— Il est mort en les combattant, poursuivit Nabium. Je suis navré, monsieur.

Sous l'effet de la rage, les crocs de Kessar jaillirent. Du sang ! Il lui fallait du sang ! Il fondit vers le placard, terrorisant Nabium, bien que ce dernier sût que son chef ne lui ferait pas de mal. Il ne toucherait pas à son commandant en second. Mais il avait besoin d'une victime à torturer.

Kessar ouvrit le placard et en sortit brutalement l'étudiante qu'il avait capturée après avoir quitté le casino. Elle était petite, avait de longs cheveux bruns, et ses yeux bleus encerclés par de petites lunettes rondes

étaient écarquillés d'effroi. Du gros Scotch la bâillon-
nait, ses poignets et ses chevilles étaient attachés. Elle
portait un jean délavé et un tee-shirt noir à l'effigie des
Boondock Saints dont les manches courtes révélaient
ses avant-bras musclés.

Ce qui fascinait Kessar, et expliquait qu'il l'ait choisie,
c'était ce tatouage sur son poignet. Un arc et une flèche. Avant qu'il l'enlève, elle lui avait expliqué que ce
symbole était destiné à la protéger des cauchemars.
Bizarre, dans la mesure où il s'agissait du symbole
d'Artémis, et donc d'un irrésistible aimant pour Kessar
et ses semblables.

Il se servit de ses pouvoirs pour insonoriser la chambre, de façon que personne dans l'hôtel ne les entende,
puis arracha le bâillon de la fille. Elle hurla. Il la jeta
dans les bras de Nabium.

— Empêche-la de bouger.

— Je... je vous en prie... balbutia-t-elle. Je suis...
enceinte.

— On s'en fout.

Kessar sentait sa figure se transformer. Son vrai
visage de Démon apparaissait. La fille hurla plus fort,
ce qui l'excita encore plus.

Il la mordit au cou, arrachant les chairs pour que le
sang afflue dans sa bouche. Dès qu'elle cessa de se
débattre, Nabium se joignit à lui.

Quand elle fut morte et vidée de son sang, ils la jetèrent par terre.

Kessar remarqua alors un petit bracelet de cuir à son
poignet gauche. Il tira, le rompit et regarda le nom. Il
ricana, laissa tomber le bracelet sur le cadavre puis
s'essuya la bouche.

Sa bonne humeur retrouvée, il se défit de sa chemise
et en fit apparaître une autre sur son buste.

— La bonne nouvelle, c'est que nous avons réduit
Zakar à l'état de légume. Il ne leur servira pas de sitôt,
dit Nabium.

Possible, mais Kessar n'était pas le genre de Démon qui tablait sur le bon déroulement des choses.

— Ne sous-estime pas Nana. Il voyage avec une Atlante.

— Vous en êtes certain ?

— Oui. Qui d'autre aurait été capable de détruire mon frère ?

Tuer avait apaisé le chagrin de Kessar. Si son frère avait été assez idiot pour se faire liquider, il n'avait eu que ce qu'il méritait.

— Qu'est-ce qu'on fait, maintenant, monsieur ?

— On trouve un moyen d'annihiler les pouvoirs de Sin.

— Mais il les a déjà perdus.

— Pas tous. Il est le seul obstacle entre le *Kerir* et nous. Il faut qu'on ramène Zakar, qu'on capture la garce atlante et qu'on la fasse muter.

— Et comment ça ?

— De la même façon qu'on a capturé Zakar : on l'infectera. Ensuite, on aura Zakar et Nana, et la voie sera libre.

Nabium rit jusqu'au moment où il se rendit compte que les humaines commençaient à s'agiter.

— En parlant d'infection…

Kessar regarda la fille.

— Elles sont trop moches pour qu'on les garde, surtout elle. Coupe-leur la tête et balance-les dans une poubelle.

Il observa Nabium pendant qu'il enveloppait les filles dans une veste pour cacher le sang sur leurs vêtements puis les transportait hors de la chambre.

Les humains… Pouah… Ils le dégoûtaient.

Bientôt, toutefois, ils obéiraient au doigt et à l'œil à leurs maîtres. Après que ces derniers auraient mis la main sur Sin et Zakar.

11

Kat poussa un soupir de bonheur. Sin était étendu contre elle, sur le flanc, détendu, et il avait fini par s'endormir à ses côtés, signe de confiance s'il en était.

Mais elle avait beau avoir envie d'être avec lui, elle avait besoin d'un peu d'espace. Tout était allé trop vite, entre eux. Il lui fallait du temps pour réfléchir, pour s'adapter à cette situation inédite pour elle.

L'intimité de cette étreinte était presque plus troublante que le sexe lui-même.

Elle le regarda, émue, puis sourit en songeant qu'elle aurait pu profiter de son sommeil pour lui raser la tête, lui vernir les ongles, le maquiller... Elle étouffa un rire. Il marmonna :

— Qu'est-ce que tu fiches ?

— Je te croyais endormi !

— Je l'étais jusqu'à ce que ta hanche touche mon entrejambe.

Il ouvrit les yeux, et elle frémit sous leur regard doré.

— Difficile de dormir quand ton parfum m'envahit les narines, que ton corps diffuse sa chaleur dans le mien. C'est cruel, ce que tu m'infliges.

Il roula sur le dos. Elle posa la tête sur sa poitrine et huma les senteurs musquées de sa peau. Puis elle l'embrassa dans le cou et ferma les yeux.

Sin avait du mal à croire qu'il ne rêvait pas. Elle partageait son lit, et ils ne faisaient pas l'amour. Ce n'était pas normal. Quelque chose n'allait pas chez lui. Jamais il ne s'était comporté ainsi avec une femme.

Mais quel plaisir d'être là avec elle, de caresser ses cheveux dont la blondeur le fascinait. Du plat de la main, il étala les longues mèches sur ses épaules, par-dessus le haut de son pyjama de flanelle rose.

Car elle portait un pyjama… dans son lit. À croire que les humiliations ne cesseraient jamais. Elle aurait au moins pu enfiler une nuisette arachnéenne, par respect pour sa dignité de mâle ! Il lui en avait fait la réflexion avant qu'ils aillent se coucher, et elle avait rétorqué que les nuisettes étaient inconfortables, remontaient, s'entortillaient.

Si elle avait porté une nuisette, il aurait été incapable de rester sagement allongé. Il l'aurait caressée et lui aurait bien entendu fait l'amour. Mais là, avec le pyjama…

Quel était l'imbécile qui avait inventé le pyjama ? S'il l'avait eu sous la main, il lui aurait flanqué son pied aux fesses. D'autres hommes frustrés avaient d'ailleurs dû avoir cette envie avant lui.

Il aurait dû insister pour qu'elle dorme nue. Ou, au pire, dans l'un de ses tee-shirts à lui. On pouvait glisser sans peine la main sous un tee-shirt. La flanelle, quelle saleté.

— Dors, Sin.

Ouais. Plus facile à dire qu'à faire. Il avait le corps en feu et pas de soulagement en vue. Pas étonnant que certains demandent à être castrés.

Mais il avait beau avoir les nerfs à fleur de peau, il réussit à trouver le sommeil. Les rêves l'assaillirent aussitôt.

Il revit Anu, ivre de fierté lorsque le premier Gallu était né. Non d'un ventre maternel mais d'un œuf, garantie de survie en cas de mort de la mère. Après une relation sexuelle, la femelle gallu pouvait expulser deux douzaines d'œufs que ni le froid ni la chaleur n'affectaient. Ils étaient indestructibles.

— Regarde-les, Sin, avait dit Anu en contemplant les coquilles qui commençaient à se fissurer dans le nid au fond de la caverne. Ils sont l'arme suprême. Qu'un panthéon essaie donc de nous vaincre, maintenant !

— Ils sont beaux, avait commenté Anatum, son superbe visage patricien éclairé d'un grand sourire.

Elle n'était pas seulement la femme d'Anu : elle était la déesse de la création. Grande, gracieuse, elle se tenait à côté de son mari.

Elle avait été la première victime des Gallus. Dès qu'ils étaient sortis de leur coquille, ils s'étaient jetés sur elle, mais également sur Anu et Sin. Ce dernier en avait tué deux alors que six autres s'acharnaient sur Anatum. Avec l'aide d'Anu, il l'avait libérée, mais trop tard : elle avait été mordue. Cela ne les avait pas vraiment alarmés. Personne à ce moment-là ne savait qu'une morsure de Gallu changeait la victime en un nouveau Gallu.

Les Démons étant jeunes, leur venin n'était pas très virulent. Anatum avait simplement été indisposée. Mais, au crépuscule, ils avaient découvert l'horreur de ce qu'Anu avait créé.

Pendant qu'Anu dormait, Anatum l'avait attaqué, et il avait eu toutes les peines du monde à l'empêcher de le mordre. Au terme de la lutte, il avait fait enfermer Anatum dans une cage. Elle avait beau être une déesse, il n'existait aucun moyen de la sauver. Pire, compte tenu de ses pouvoirs divins, elle était bien plus dangereuse que les autres Gallus.

Alors, Sin, avec le concours de sa fille Ishtar, s'était résigné à la tuer. Puis il avait fait absorber les pouvoirs d'Anatum à Ishtar, qui l'avait ensuite remplacée dans le panthéon. La perte de sa femme avait rendu Anu fou de désespoir et de culpabilité.

C'est alors qu'Enlil était intervenu.

Grâce à ses pouvoirs sur l'espèce des Démons, Enlil était capable de les affaiblir et donc de les contrôler. Sin avait tenté de le persuader de les anéantir, tous, jusqu'au dernier.

Mais Enlil avait refusé.

— Pourquoi détruire quelque chose d'aussi précieux, Sin ? Nous n'avons qu'eux pour combattre les Atlantes.

— Les Atlantes n'ont pas un panthéon guerrier.

— Va dire ça aux Grecs ! En ce moment même, ils se battent contre ce panthéon !

— Père, avait argué Sin, ce sont les dieux grecs qui ont agressé le panthéon atlante…

— Fils, écoute-moi bien : un jour, les Atlantes s'en prendront à nous. Nous devons être prêts à tirer les premiers. Nos Gallus détruiront leurs Charontes avant que les dieux atlantes ne leur donnent l'ordre de nous attaquer.

Mais Sin savait ce qui risquait d'arriver.

— On ne peut pas tenir un chacal longtemps par les oreilles, père. Il se retourne fatalement contre celui qui le tient. Il faut tuer ces créatures, sinon, tôt ou tard, elles nous massacreront.

— Mais non. Tu es stupide, Nana. Nous avons besoin des Gallus.

Il avait jeté un regard entendu à la femme de Sin, assise à côté d'Ishtar.

— Ainsi, les Atlantes ne viendront pas dans nos lits. Tu vois ce que je veux dire ?

Mortifié, Sin avait pris le temps de se ressaisir et de contenir sa colère. Tant qu'Enlil serait en possession de la Table, il serait impossible de le vaincre.

— Je n'ai pas besoin d'une armée de Démons pour prouver ma virilité. Tu joues un jeu dangereux, père.

— Je protège notre avenir.

Consterné par l'aveuglement de son père, Sin s'était éloigné. Il était alors passé près de sa femme. Elle arborait autour du cou un médaillon portant le symbole atlante du soleil. La marque de leur panthéon. Elle lui avait décoché un sourire narquois. Il avait été blessé jusqu'au fond de l'âme. Comment osait-elle afficher ainsi sa relation adultère ? Mais Archon, son amant, était un dieu à part entière, et lui, non.

Sin avait continué à marcher, flanqué de Zakar, invisible. Son frère avait appris ce tour étant enfant. Même si son jumeau prenait de gros risques en le soutenant, Sin était content qu'il le fasse.

— Ningal est une sale garce, avait dit Zakar. Mais ne t'inquiète pas. Je la ferai chaque nuit rêver de serpents et de Gorgones.

Cela avait fait sourire Sin, sans pour autant chasser son angoisse.

— J'ai raison, Zakar, je le sais.

— Oui, tu as raison, mais personne ne t'écoutera. Ils ont tous si peur de l'ennemi extérieur qu'ils ne voient pas celui qui est entre leurs murs. Le pire danger vient toujours de l'intérieur. C'est là que se niche l'ennemi – celui auquel on fait confiance à tort, le menteur qui vous sourit en face mais crache dans votre dos, celui qui pense qu'il mérite mieux tout simplement parce qu'il veut plus que ce qu'il a...

Zakar parlait d'or, mais qu'est-ce que cela changeait ?

— Que faire pour y remédier, Zakar ?

— Résiste jusqu'au bout, mon frère. Laisse-les jouer leur funeste jeu et répandre leur venin. Ce sera leur propre poison qui les tuera. Ce qui est négatif ne survit pas longtemps. Ils se retourneront les uns contre les autres.

— Et le monde ? Qu'adviendra-t-il du monde ? Des humains qui comptent sur notre protection ? Que leur arrivera-t-il quand les Gallus seront libérés ?

— Ils auront leurs défenseurs. Toi et moi, nous serons là.

Mais Zakar avait fini par disparaître, de même que les guerriers qu'il avait formés au combat contre les Gallus.

C'était épouvantable. Triste à pleurer.

Sin sentit soudain la chaleur d'une main sur son épaule. Il se retourna, s'attendant à voir sa femme. Mais il s'agissait de Kat.

Par tous les dieux, jamais il n'avait été plus heureux de voir quelqu'un.

— Que fais-tu dans mon rêve ? demanda-t-il.

— Je te l'ai amenée, dit son frère.

Sin chercha Zakar du regard.

— Je ne comprends pas.

— Ce n'est pas un rêve, Sin. C'est une guerre ! dit Zakar avant de lui envoyer une décharge de foudre.

Sous le choc, Sin se plia en deux.

— Mais que fais-tu, Zakar ? hoqueta-t-il.

Zakar leva la main, et la lanière d'un fouet en fil de fer barbelé s'enroula autour du bras de Sin, qui cria de douleur.

— Non, Zakar, ne lui faites pas de mal ! ordonna Kat.

Zakar s'apprêta à foudroyer Kat, mais elle esquiva l'attaque et lui envoya une décharge à son tour.

— Vous voulez voir d'autres tours, Zakar ? s'écria-t-elle. Que pensez-vous de celui-là ?

Il chancela sous l'impact d'un rayon glacé.

— Kat, non ! hurla Sin en accourant.

— Il s'en fiche, de nous blesser ! Alors, qu'il déguste !

Ébahi, Sin vit Zakar éclater de rire. Ce dernier se mit à léviter et vint flotter vers Kat, qui se raidit, prête à se battre.

— Écoute-la, Sin, dit-il. Elle a raison. Je suis peut-être là pour te détruire !

Il prit soudain l'apparence de Kessar et se jeta sur son jumeau. Sin l'attrapa à la gorge et le précipita par terre.

— Bon sang, mais qu'es-tu ?

— Je suis brisé, mon frère. Je suis venu ici parce que c'est le seul royaume où je suis ce que je veux être. Je ne maîtrise plus mon corps. Quand je suis éveillé, je ne peux plus me faire confiance, et toi non plus.

— Tu es infecté ?

— Pas exactement. À cause de mon immunité, les Gallus ne peuvent pas me contrôler totalement. Mais moi non plus ! Il s'agit de quelque chose d'autre, quelque chose de sombre, de mortel, qui vit en moi. Je ne sais plus qui je suis. Et je n'y peux rien. Le seul endroit où je sois capable de me dominer, c'est ici. Je suis navré, Sin. Je suis devenu le lâche que père m'a toujours soupçonné d'être.

— Lâche ? Vous êtes sérieux ? demanda Kat. Mais nous savons à quel point les Gallus sont cruels et vicieux ! Vous les avez combattus seul. Comment pouvez-vous vous considérer comme un lâche ?

— Sin, j'ai échoué. Les Gallus sont pires que tout ce que tu peux imaginer. Ils peuvent te rejoindre dans le royaume des rêves. Une fois là, ils amoindrissent tes forces, tes pouvoirs, découvrent tous tes points faibles.

— J'ai du mal à le croire, Zakar. Pourquoi n'es-tu jamais venu me trouver dans mon sommeil pour me raconter ce qui se passait ?

— Je ne le pouvais pas. Je viens de t'expliquer qu'à cause d'eux, même ici, j'étais faible. Tu as rêvé de moi, tu m'as appelé et je suis là. De moi-même, j'aurais été incapable de te rejoindre. Je n'ai plus ce genre de pouvoir.

Kat s'avança et s'immobilisa entre Sin et son frère.

— Il faut que vous m'expliquiez comment ceci fonctionne. Je connais les dieux grecs du sommeil, les Onerois. Ils peuvent s'introduire dans les songes de n'importe qui n'importe quand. Ils ont des potions qui plongent les gens dans un profond sommeil. Les Gallus font-ils de même ?

— Non. Ils sont différents de vos dieux. Ils ne peuvent entrer dans les rêves d'une personne s'ils ne la connaissent pas. Il faut au préalable qu'ils aient eu un contact physique avec elle.

Kat songea à Kessar. C'était donc cela qui l'avait amené au casino un peu plus tôt.

— Je savais bien qu'il y avait quelque chose derrière la visite de ce fumier !

— Oui, répondit Zakar. Il leur suffit de toucher quelqu'un pour ensuite le retrouver dans ses rêves.

— Et je l'ai laissé me toucher ! C'est malin.

— Ne t'en fais pas, Kat, dit Sin. Tu n'es pas la seule à avoir commis une erreur. Bons dieux, si Enlil était encore là, je pourrais le tuer pour ça !

— Tu l'avais prévenu, remarqua Zakar. Enlil se croyait trop futé pour tomber dans son propre piège. Au moins, tu n'as pas vu ce que lui ont fait les Gallus quand ils l'ont tué.

Sin imaginait sans peine les atrocités qu'avaient infligées les Démons à son père, et il était bien content de ne pas y avoir assisté.

— Qu'est-il advenu de ses pouvoirs ?

— La plupart ont été enfermés dans la Table.

Sin était heureux d'avoir réussi à voler la Table dans le musée. Si les Gallus s'en étaient emparés, ils en auraient fait un usage effroyable.

— Tu viens de dire « la plupart ». Et le reste de ses pouvoirs ?

— Kessar les a pris. Il a ensuite envoyé ses hommes chercher Enlil et ils l'ont amené dans la caverne. Mais Enlil avait disposé d'assez de temps avant sa capture pour cacher la Table. Kessar l'a vidé de son sang. Tu sais, il est bien plus redoutable que tu ne le crois. Et maintenant, il est en liberté.

— Comment a-t-il été libéré ?

— Les Dimmes ont amoindri la résistance des verrous de la prison des Gallus.

— Mais comment se fait-il qu'il ne se soit pas montré plus tôt ? demanda Kat.

— Il était enfermé dans un autre secteur de la caverne, doté d'un système de verrouillage indépendant. Ce système a également été affaibli, et maintenant, les pires disciples de Kessar peuvent sortir. Tous sont assoiffés de sang, et tous veulent mettre la main sur Sin pour lui faire payer leur emprisonnement.

— Oh, mais voilà qui remplit d'espoir et d'allégresse, n'est-ce pas ? lança Kat. Je propose que nous libérions ma grand-mère et la laissions les dévorer tous.

— Votre grand-mère ?

— Ouais. Apollymi.

Zakar blêmit.

— Sa prison est-elle hermétiquement close ?

— Assez pour que nous soyons à l'abri de sa colère. Mais si besoin est, je peux invoquer ses pouvoirs.

— Tu peux faire ça ? s'étonna Sin : c'était la première fois que Kat mentionnait cet aspect de ses capacités.

— Oui. Gentil cadeau pour mes seize ans. Quiconque me casse les pieds a droit à un échantillon de la capacité de destruction typique des Atlantes. C'est pour ça que j'ai dit que Deimos ne me posait aucun problème. Je peux le démolir n'importe quand.

Excellente nouvelle, se dit Sin.

— Nous détenons donc au moins une arme dont ils ne savent rien, dit Zakar, mais tous les deux, vous ne devez pas oublier que, dans les rêves, il n'y a que des faux-semblants. Ils peuvent vous attaquer sous leur forme de Démon ou non. C'est-à-dire qu'ils peuvent aussi se présenter sous l'apparence d'un ami, d'une mère, d'un frère... Ce sont des maîtres dans l'art de la dissimulation. Ils ne vous feront pas beaucoup de mal, mais ils vous déstabiliseront suffisamment pendant votre sommeil pour que, au réveil, vous soyez désorientés et vulnérables.

Sin se passa la main sur le visage. Bon sang, il n'avait pas songé à cela.

— Kytara ? cria soudain Kat.

— Mais qu'est-ce que tu fais ? s'alarma Sin.

Elle croisa les bras sur sa poitrine.

— Je veux dormir tranquille cette nuit. Que je sois damnée si je permets à une merdouille de Démon comme Kessar de m'empêcher de me reposer ! Il se croit capable de jouer de pervers petits tours ? Eh bien, moi aussi, j'en ai dans mon sac ! Kytara !

— Arrête de hurler !

Une femme presque aussi grande que Kat venait d'apparaître derrière elle. Elle avait de longs cheveux noirs ondulés, un teint de porcelaine et de grands yeux d'un bleu irréel. Elle était vêtue d'une combinaison de cuir noir ornée d'une ceinture à boucle d'argent et chaussée de bottes à talons aiguilles. Kat lui sourit.

— Te voilà, ma diabolique amie.

— Diabolique ? répéta Sin, très nerveux.

— Jusqu'au fond de son âme pourrie.

— C'est exact, confirma Kytara. Kat, nous sommes dans un rêve avec des jumeaux très craquants et personne n'est nu. Tu n'as donc rien retenu de ce que je t'ai appris ?

Sous le regard sévère de Sin, Kat éclata de rire et leva les mains en signe de reddition.

— Mais non, elle ne voulait pas dire ça, voyons !

Sin n'en crut pas un mot. Il comprenait maintenant pourquoi Katra, bien que vierge, s'était révélée si experte.

— Mais si, Sin, c'est vrai ! Kytara, dis-lui.

— Que je lui dise quoi ? Que tu es une incurable nymphomane ?

— Kytara !

— Oh, bon, d'accord. Elle est tellement blanche qu'à côté d'elle, la neige paraît grise.

— Ouf. Merci, Kytara.

— Ah, ça, pour être une oie blanche, tu en es une. Je t'ai asticotée pendant des siècles pour que tu te décoinces. Alors, explique-moi pourquoi je suis ici si ce n'est pas pour t'aider à mettre ces deux garçons à poil et à te livrer avec eux à quelques jeux d'adulte ?

— Hé, bonne idée ! s'exclama Zakar. Pas la peine de me regarder comme ça, Sin. J'ai été piégé dans cette caverne avec ces salopards pendant une éternité. Ça me changerait un peu de me faire mordiller par une déesse affamée de sexe.

Sin ne releva pas. Il était navré pour son frère.

— Nous avons affaire à des Démons qui vont essayer de nous attaquer pendant que nous dormons, reprit-il à l'adresse de Kytara.

— Des Skoti ?

— Non. Des Gallus.

— Ooooh ! Ils sont gorgés de sang. J'adooore !

Sin était effaré : Kytara semblait en proie à un orgasme !

— Mais je... je croyais que les Onerois grecs n'avaient pas d'émotions.

— C'est le cas, expliqua Kat. Sauf que Kytara est une Skotos. Elle absorbe les émotions des dormeurs et les fait siennes.

— C'est la seule façon de vivre, si tu veux mon avis, dit Kytara en souriant. Les Onerois sont bien trop coincés.

— Pourrais-tu veiller sur nous pendant notre sommeil ? reprit Kat.

— Avec plaisir. J'adooore aussi le voyeurisme.

— Tu es vraiment infâme.

— Évidemment que je le suis. Sinon, tu ne m'aurais pas appelée.

L'idée que Kytara reste à leurs côtés était loin d'enthousiasmer Sin, qui n'avait aucune envie qu'une Skotos s'immisce dans ses rêves.

— Est-ce que vous pouvez espionner les Gallus quand ils dorment, Kytara ?

— Dans un rêve, bébé, je peux faire ce que je veux, répondit Kytara, un sourire enjôleur sur les lèvres.

Kat l'attrapa par le bras et l'éloigna de Sin.

— Pas touche à celui-là, Kytara, sinon je te fais bouffer les mains par un affreux monstre.

— Oh, très bien, madame.

La jalousie de Kat amusait Sin. Et le flattait. Mais dans l'immédiat, il y avait plus important.

— Vous allez les surveiller, Kytara ?

— Mmm. Ça dépend. Il y a un joli Démon, parmi eux ?

— Oui, assura Kat.

— Dans ce cas, j'y vole !

Et Kytara disparut.

Soulagé que la Skotos soit partie, Sin remarqua :

— Tu as des amis… intéressants, Kat.

— C'est vrai. Et parfois, ils sont très utiles.

Zakar produisit à cet instant-là un bruit étrange, comme s'il venait de recevoir un coup en pleine poitrine. Sin lui posa la main sur l'épaule.

— Qu'y a-t-il, vieux ?

— Ils essaient de me retrouver ! Va-t'en !

— Pas question que je te laisse seul avec eux.

— Mais ce n'est qu'un rêve, Sin.

— Alors, qu'est-ce que ça peut faire si je reste ?

— Tu es inconscient ou quoi ?

— Je protège mon frère.

— Zakar, pouvez-vous tuer les Gallus, dans le royaume des rêves ?

— Non. Pourquoi ?

Kat pointa le doigt derrière les jumeaux.

— Parce qu'ils sont là.

12

Sin se tenait prêt à se battre mais, curieusement, rien ne se passa. Kessar n'amorça même pas un mouvement vers lui. Il se borna à considérer Zakar en souriant.

— Je vois que tu as trouvé mon animal favori, Nana.

Il marqua une pause, puis ajouta, tout sourire envolé :

— Et mon frère.

— Il nous a attaqués, rétorqua Sin d'un ton sarcastique. Que fallait-il faire ? L'inviter à dîner ?

— Tu étais censé mourir. Ç'aurait été un bon début.

— Pas sûr. Je meurs, et toi, après, tu t'emmerdes. Le monde disparaît. Ce n'est pas drôle, non ? Et puis, je ne veux pas te faciliter la tâche. Quelle saveur aurait la vie sans la souffrance ?

— Pourquoi ne pas poser la question à l'animal ? dit Kessar en regardant Zakar.

La colère gronda en Sin à la seconde où il vit la honte sur le visage de Zakar. Mais il n'eut pas le temps de réagir : déjà, son jumeau foudroyait le Démon. Lequel détourna l'éclair d'un revers de main.

— Tu n'apprendras donc jamais rien, espèce de chien ? lança Kessar à Zakar.

— Je te combattrai jusqu'à mon dernier souffle !

— Peuh... Tu vas mourir, ça, c'est sûr. D'ailleurs, vous allez tous mourir. Et à cause de ce que vous avez fait à mon frère, vous souffrirez à un point que vous n'imaginez même pas.

— Bla-bla-bla-bla... fit Kat. Est-ce que je suis la seule à en avoir marre des monologues de ce sale type ?

Elle leva haut les bras et, imitant la voix de Kessar, continua :

— Oooooh... Je suis le grand méchant Démon et je vais tous vous tuer en vous faisant mourir d'ennui avec mes conneries. Je ne suis qu'un gros sac plein de vent qui adore s'écouter parler et j'essaie de vous faire peur...

Elle abaissa les bras et s'adressa directement à Kessar.

— Vous devriez arrêter de laisser votre maman vous habiller si bizarrement. C'est dur de prendre au sérieux un tueur qui a le look d'un banquier. La seule chose en moi qui tremble de trouille, c'est mon porte-monnaie.

Kessar fit courir la langue sur ses crocs tout en la fixant comme si elle était un épi de maïs bien doré dégoulinant de beurre.

— Ta petite amie a la langue bien pendue, Nana. Je sens que je vais adorer lui faire rentrer ses mots dans la gorge.

— Et moi, je sens que je vais adorer te tuer.

Kat roula les yeux, l'air excédé.

— Mais qu'est-ce qu'on a, maintenant ? Une réunion de filles ? Pour des mecs, vous bavassez beaucoup ! Si on doit se battre, alors battons-nous !

— Vous êtes pressée de mourir ? s'enquit Zakar.

— Bof. Pas particulièrement. Mais je préférerais mourir en me bagarrant plutôt que de crever d'ennui en écoutant Kessar.

Une douzaine de Kessar apparurent alors et les cerna. Kat regretta aussitôt ses paroles. La situation pouvait très mal tourner. Et vite, compte tenu du nombre de Kessar.

La seconde suivante, Kessar se jetait sur elle. Elle s'apprêtait à riposter lorsqu'elle fut brutalement poussée sur le côté.

On la secouait. Très violemment.

Elle cria, cilla... et découvrit qu'elle se trouvait dans la chambre, couchée auprès de Sin, et que Kytara se tenait au pied du lit.

— Mais que...

— Réveille ton petit ami, Kat. Moi, je vais récupérer celui qui est dans l'autre pièce avant que Kessar le mette en pièces.

Kat bâilla, puis secoua Sin, qui bondit, prêt à se battre.

— Hé, c'est moi ! Kat ! s'écria-t-elle en bloquant son poing.

Il regarda autour de lui, égaré, avant de demander :

— Où est Kessar ?

— Pas ici. Seulement dans nos rêves. Kytara m'a réveillée, puis est allée s'occuper de lui. Allons voir si on peut lui expliquer tout ça.

Ils gagnèrent le salon, qui était dans l'obscurité. Ils distinguèrent à peine Kytara, agenouillée près de Zakar. Il dormait. Sin alluma une petite lampe sur le bar puis voulut réveiller son frère, mais Kytara l'en empêcha.

— Ne faites pas cela. Il n'est pas ce que vous pensez.

— Il est mon frère.

— Il l'est, oui, mais demandez-vous pourquoi ils l'ont laissé en vie.

— Pour le torturer.

— Non. Pour le réduire à néant. Il n'est plus un dieu des rêves. Il est devenu comme *eux* !

Sin secoua la tête.

— Faux. Il s'est battu contre eux. Devant mes yeux.

Kat confirma. En aucun cas Zakar ne pouvait être du côté des Gallus. Pas après ce que Kessar lui avait fait subir.

Mais ce qui la chiffonnait, c'était que son amie savait, ou avait remarqué, quelque chose qui lui avait fait peur.

Et elle le cachait à Sin, craignant qu'il ne supporte pas cette révélation.

— Il nous a dit qu'il avait été brisé. Qu'entendait-il exactement par là ?

— Qu'ils l'ont infecté et qu'il n'a plus la moindre prise sur lui-même. Rappelle-toi, il a été à deux doigts de vous tuer, Sin et toi.

Le doute s'insinua dans l'esprit de Kat. En revanche, l'expression de Sin était éloquente : il ne croyait pas un mot de ce que venait de dire Kytara.

— Kat a guéri ses blessures, déclara-t-il.

— Extérieurement. C'est ce qu'il y a à l'intérieur de lui qui est mortellement dangereux. Il a désormais la même soif de sang qu'eux.

— Mais non. Il s'est battu contre Asag et il a survécu. C'est ce qui l'a immunisé contre les Gallus.

— Cela l'a rendu résistant, mais ne l'a pas immunisé, corrigea Kytara. Les Gallus se sont nourris sur lui sans répit pendant des siècles. Ils sont en lui, à présent. Il est un danger pour nous. Pourquoi pensez-vous qu'ils l'avaient ligoté ? Il possède leur force, les pouvoirs d'un dieu, et un Démon tueur sans aucun sens moral l'habite.

Kat se sentait mal. C'était horrible qu'après avoir tant souffert, Zakar doive être détruit.

— Il y a forcément quelque chose à faire, Kytara.

— Le tuer.

— Je ne peux pas, souffla Sin, livide. Il est mon frère ! Mon jumeau !

Kytara demeura inflexible.

— Alors, dès qu'il se réveillera, ce sera lui qui vous tuera, Sin. Vous n'avez pas idée de la menace qu'il vous faut affronter. Je me suis infiltrée dans les rêves de je ne sais combien de Démons... Et là, j'en tremble tellement c'est horrible. Comparé aux Gallus, Stryker est un gentil chaton. Pour ne rien arranger, maintenant, les

Gallus sont dans *vos* rêves. Il va falloir une armée pour protéger votre sommeil.

— Quelle armée ? demanda Kat.

— Une armée bien solide.

— Je ne comprends pas.

Kytara prit une profonde inspiration avant de poursuivre :

— Je n'ai été en contact avec Kessar que très brièvement. Vous ne plaisantiez pas quand vous parliez de ses pouvoirs : ils sont inouïs. Nous avons besoin de gros bras du royaume des rêves pour veiller sur votre sommeil. Parce que les Gallus savent où vous trouver. Ils vont vous affaiblir et, à votre réveil, vous liquider.

Kytara poussa un petit gémissement et plaqua une main sur ses yeux.

— J'aimerais tellement effacer ce que j'ai vu de ma mémoire. Il y a de quoi me donner envie d'être de nouveau une Oneroi !

Elle abaissa sa main et Kat s'aperçut qu'elle pleurait.

— Je donnerais n'importe quoi pour ne plus rien ressentir. Je suis terrifiée. Il faut le tuer, Sin !

— Non.

— Dans ce cas, je m'en chargerai à votre place.

Kytara sortit un couteau de sa ceinture et s'avança vers Zakar.

Sin lui agrippa le poignet et l'écarta du lit.

— Grands dieux, non ! Pour le supprimer, il faudra que vous me passiez sur le corps. Que je sois maudit si je permets à quelqu'un de lui faire de nouveau du mal !

Le regard que Kytara posa sur Sin aurait pu changer les rivières en glaciers.

— Très bien. Je veillerai à ce que ces mots soient gravés sur votre tombe.

Elle s'approcha de Kat.

— Fais un truc bien pour toi : va-t'en d'ici avant que Zakar se réveille. Crois-moi, tu me remercieras plus tard.

Kat haussa les épaules. Elle ne laisserait pas Sin seul face à ce problème.

— Kytara, pourrais-tu parler aux Onerois pour savoir ce qui peut être fait contre les Gallus pendant nos rêves ?

— Je peux essayer. Je suis sûre que M'Adoc, M'Ordant et D'Alerian adoreraient remettre de l'ordre dans tout ça.

Kytara venait de mentionner les trois chefs des Onerois. Kat les connaissait bien. Elle était même l'une des seules personnes à savoir que les Onerois commençaient à retrouver des émotions. Cela les prenait par surprise, et ils avaient souvent du mal à masquer ce qu'ils éprouvaient. Les charger de s'occuper du cas de Zakar les aiderait à conserver leur sang-froid. Oui, Kytara disait vrai, ils allaient adorer cette mission.

— Dis à D'Alerian qu'il est mon débiteur et que j'aimerais qu'il s'acquitte de sa dette.

— D'Alerian te doit un service ?

— Oui. Depuis bien longtemps. Mais je suis sûre qu'il ne l'a pas oublié.

— Qu'as-tu fait pour lui ? s'enquit Kytara, les yeux soudain brillants.

— C'est entre lui et moi. Maintenant, file.

Kytara fit la moue mais se volatilisa.

Kat rejoignit Sin, dont elle percevait l'inquiétude, auprès du lit de Zakar. Il se pencha pour remonter la couverture sous le menton de son frère. Mais à peine sa main eut-elle approché le cou de Zakar que celui-ci se réveilla en jurant et tenta de saisir Sin à la gorge. Il manqua son but. Ce fut le poignet de Sin qu'il attrapa.

Le temps sembla soudain s'arrêter tandis que les deux hommes, figés, se regardaient, les yeux dans les yeux. La seule différence physique entre Sin et son frère était la longueur de leurs cheveux. Sinon, c'était une vision d'épouvante. Comme si Sin se regardait dans un miroir.

— Zakar ? C'est moi, murmura-t-il, brisant l'enchantement.

Zakar le lâcha et se laissa retomber contre l'oreiller.

— Où suis-je ?

— Chez moi. Nous t'avons sauvé. Tu étais dans la caverne.

Zakar semblait incrédule. Kat frissonna. Elle avait l'impression qu'un fluide glacé et maléfique coulait dans ses veines. Elle voulut avertir Sin, mais elle comprit à son expression qu'il ne la croirait pas davantage qu'il n'avait cru Kytara.

Elle ne pouvait rien faire d'autre qu'attendre et être prête lorsque Zakar attaquerait.

Il se tourna vers elle.

— Vous êtes une Atlante.

— À moitié seulement.

Pourquoi Zakar avait-il fait cette remarque ? En quoi était-ce important pour lui ?

— Sin, comment m'as-tu guéri ? demanda-t-il.

— Je ne l'ai pas fait. C'est Kat qui s'en est chargée.

— Merci.

Kat hocha la tête.

— Je vous en prie. Je suis à votre disposition. Comment vous sentez-vous ?

Les lèvres de Zakar formèrent un sourire qui n'alla pas jusqu'à ses yeux.

— Libre, répondit-il.

— As-tu faim ? lui demanda Sin.

— Non, mais je tuerais pour un verre.

— Oh. Du vin ?

Zakar opina. Sin alla au bar, et Zakar en profita pour demander à Kat :

— Vous avez un problème avec moi ?

— Non. Je réfléchis.

— À quoi ?

Elle regarda son cou vierge de toute cicatrice.

— Transfusion sanguine, énonça-t-elle.

— Oui ? Et qu'est-ce que vous savez là-dessus ?

Il s'était exprimé sur le ton d'un maître d'école indulgent avec un élève turbulent.

— Plus que je ne voudrais. En premier lieu, qu'elle crée un lien entre le donneur et le receveur.

— Qu'est-ce que tu racontes, Kat ? s'enquit Sin, de retour, un verre à la main.

— Que ce n'est pas l'ennemi extérieur qui fait des dégâts mais celui qui est à l'intérieur.

Elle s'attendait à ce que Sin argumente, mais il s'en abstint. Il se borna à tendre le verre à son frère, lequel était étrangement calme.

Zakar s'assit, but d'un trait, essuya sa bouche d'un revers de la main puis rendit le verre à Sin.

— Vous n'avez pas confiance en moi, dit-il ensuite à Kat.

— Je ne vous connais pas.

Il sourit. Comme c'était étrange de voir ce visage si semblable à celui de Sin... Elle analysa ce qu'elle ressentait et constata qu'en elle, c'était le calme plat. Pourtant, les deux hommes se ressemblaient comme deux gouttes d'eau. Alors, pourquoi son cœur ne battait-il pas trop vite, pourquoi ses mains ne brûlaient-elles pas de le caresser, ses lèvres de l'embrasser ? Elle aurait dû réagir face à Zakar avec autant de fièvre qu'en présence de Sin. Or, il la laissait de marbre. Aussi froide qu'un glaçon, comme disaient autrefois les servantes d'Artémis, ses compagnes, en parlant d'elle.

Zakar lança à Sin :

— Je ne crois pas que ta femme pense grand bien de moi !

Sin se tourna vers Kat et lui décocha un sourire qui la fit fondre tout en répondant à son frère :

— Ne t'en fais pas. La plupart du temps, elle ne pense pas du bien de grand monde, moi y compris.

La sonnerie de son portable l'interrompit. Il s'écarta pour décrocher. Zakar s'appuya contre le canapé et posa négligemment le bras sur le dossier, sans quitter

Kat des yeux. Elle soutint son regard, afin qu'il sache qu'il ne l'impressionnait pas le moins du monde.

— Vous avez envie de me dire quelque chose, hein ? fit-il enfin.

— Pas vraiment.

Elle jeta un coup d'œil à Sin, qui, sur le balcon, faisait les cent pas, le portable collé à l'oreille. Que se passait-il ?

Elle l'apprendrait bien assez tôt.

— Vous devez être soulagé d'être loin des Gallus, Zakar.

— Ah, ça, vous n'avez pas idée à quel point.

— Ils vous ont complètement laminé. Cela a dû être affreux pour vous.

Touché, songea-t-elle quand il regarda ailleurs.

— J'ai besoin de vêtements, déclara-t-il.

Kat avait perçu une fausse note dans sa voix

— Vous allez quelque part ?

Sans répondre, il se leva et, nu, traversa la pièce, comme si se promener ainsi dans l'appartement de son frère devant la petite amie de ce dernier était tout à fait normal.

Ce spectacle laissa Kat bouche bée : décidément, les hommes de l'Antiquité n'étaient pas pudiques – non que ceux d'aujourd'hui le soient beaucoup plus.

— Où est Zakar ? demanda Sin en rentrant dans le salon.

— Il a dit qu'il avait besoin de vêtements.

— Il est allé en chercher dans ma chambre ?

— À mon avis, oui.

Sin gagna sa chambre. Kat le suivit.

Personne.

Interloqués, ils se figèrent, attendant que Zakar réapparaisse. En vain. Sin se ressaisit et entreprit d'ouvrir tous les placards, d'inspecter la salle de bains. Rien. L'homme s'était purement et simplement volatilisé.

— Où penses-tu qu'il se soit rendu, Sin ?

— Pas la moindre idée. Mais il n'était pas dans son état normal.

— Tu me rassures. Je sentais bien un truc, mais je me disais que mon imagination me jouait des tours.

— Non. Moi aussi, je l'ai senti. Bons dieux, à quoi avons-nous rendu la liberté ?

— Le malheur, la destruction, énonça Kat dans un soupir. Mais au moins, il n'est pas atomique, n'est-ce pas ?

— Qui sait ? dit Sin avec un embryon de sourire.

L'ironie de Kat aurait dû l'irriter, mais il l'appréciait. Cela atténuait le côté tragique de la situation. Ils vivaient des moments sombres, mais Kat réussissait à les éclairer. Jamais il n'avait été aussi heureux auprès de quelqu'un. Quelle ironie ! Il avait rencontré cette femme gaie et rafraîchissante alors qu'Armageddon approchait... Et il tenait bon grâce à elle. Grâce à son courage, à son sang-froid.

— Tu sais que tu es complètement déjantée, Kat ?

— Vu mon patrimoine génétique, tu peux t'estimer heureux que je sois aussi normale que je le suis.

— Exact.

Il se concentra et essaya de visualiser Zakar, sans résultat. Son frère semblait avoir été englouti par de noirs abysses.

— Tu arrives à le localiser, Sin ?

— Non. Et toi ?

— Non. Ça m'embête de l'admettre, mais on va être obligés d'attendre qu'il revienne.

Ils n'avaient pas d'autre choix, n'ayant aucun indice.

Elle s'approcha de Sin et lui caressa le dos.

— Qui t'a appelé ?

— Damien. Un Gallu a tenté d'entrer dans le casino, mais les miroirs l'ont refoulé.

Le sourire de Kat lui fit chaud au cœur. Elle avait appuyé le menton sur son épaule et noué les bras autour de sa taille. Comme il devait être facile pour un homme de s'habituer à cette tendresse… Le problème, c'était qu'au réconfort s'ajoutait une excitation qui mettait son sang-froid à rude épreuve.

— On devrait peut-être s'équiper d'armures en miroir, suggéra Kat en gloussant. Elles repousseraient les Gallus dès qu'ils essaieraient de nous approcher. Et après, on lancerait une ligne de vêtements en miroir. La ligne qui sauverait l'humanité ! Bonne idée, non ?

Il éclata de rire et répliqua :

— Tu oublies que lorsque l'un des miroirs se briserait au cours d'un combat, on aurait droit à sept ans de malheur.

— Peuh… On est immortels. Alors sept ans, qu'est-ce que c'est, pour nous ?

— Une éternité quand ça va mal.

Elle lui tira la langue.

— Tu es un vrai rabat-joie, Sin.

Sans doute. Il aurait aimé plaisanter aussi facilement que Kat, mais n'y parvenait pas. L'inquiétude l'accablait. Il voyait tout en noir, se demandait où était passé son frère et, surtout, ce qu'il allait faire…

— Qu'est-ce que j'ai fait, Kat ? gémit-il.

— Eh bien, mais tu as sauvé ton frère.

Il l'enlaça et huma son parfum délicat à pleines narines.

— Et si je m'étais trompé ? Si Kytara avait raison de vouloir le tuer pendant que c'était possible ?

— Tu te poses vraiment cette question, Sin ?

— Je ne sais plus où j'en suis.

— Moi, je sais, assura-t-elle en l'embrassant à la base du cou. Je te fais confiance et j'ai confiance en ton jugement. Je ne doute pas un instant que tu aies bien agi.

La conviction de la jeune femme stupéfia Sin. Elle le touchait si profondément qu'il ne trouvait pas les mots pour exprimer ce qu'il ressentait.

— Merci, Kat. J'aimerais avoir la même foi que toi.

— Ne t'en fais pas, j'en ai assez pour deux.

Malgré l'angoisse qui le rongeait, il sourit.

Zakar... Que faisait-il, où était-il ? Il ne savait par où commencer ses recherches. Si seulement il avait répondu à ses appels...

Une question le tenaillait : s'était-il laissé aveugler par l'amour, la loyauté, au point de rendre la liberté à une créature maléfique qui allait mener le monde à sa perte ?

Kat retira de son cou la petite *sfora* et la prit dans sa paume.

— Essayons avec ça.

Elle se servit de la pierre ronde pour sommer Zakar de se manifester. Elle insista plusieurs minutes, puis secoua la tête, dépitée.

— Ça ne marche pas. On dirait qu'il n'est nulle part sur la Terre. Tu penses qu'il a pu revenir à la caverne ?

— Non, pas après ce qu'ils lui ont fait là-bas. De toute façon, s'il y était, la *sfora* nous le dirait, comme la première fois. Enfin, il me semble.

Voyant Kat navrée, il lui caressa le bras et ajouta :

— Nous le trouverons.

Elle aurait aimé le croire... Mais elle commençait à douter. Et à s'inquiéter sérieusement. Elle avait dit à Sin qu'il avait bien agi. Et si elle s'était trompée ? Si Zakar était bien le Démon décrit par Kytara ?

— S'il se bat pour le compte des Gallus... commença-t-elle.

Sin l'interrompit.

— Impossible. Je dois m'accrocher à cette certitude.

— Mais s'ils l'ont fait muter ?

— Alors je le tuerai !

Sin tuerait son frère bien-aimé ? Kat en doutait.

— Tu es vraiment persuadé de pouvoir le faire ?

Il hésita, puis son expression se durcit.

— Oui. Je n'aurai pas le choix. Je ne peux pas laisser les Dimmes en liberté, ni Kessar l'emporter.

Kat appuya la tête contre sa poitrine. Quelle tristesse ! Tuer des membres de sa famille était très difficile. Mais tuer un frère jumeau, même dans le but de sauver le monde, était ce qu'il y avait de pire. Surtout quand, à l'instar de Sin, on l'avait toujours protégé.

— Tu es un homme bien, Sin.

— Non, je ne le suis pas. Je m'efforce simplement de rectifier une situation que jamais je n'aurais dû laisser tourner aussi mal.

Kat chercha sa bouche et l'embrassa longuement, avec ferveur. Elle avait si mal jugé cet homme, en se basant sur les dires de sa mère, acceptant même de le tuer pour elle… Quelle folie ! De toute sa vie elle n'avait pas rencontré d'être dont la compassion et l'altruisme se rapprochent autant de ceux de son père.

Sin représentait tout ce qu'une femme pouvait désirer.

Il lui donnait espoir pour l'avenir du monde, espoir pour son avenir à elle.

Elle fit passer le tee-shirt de Sin par-dessus sa tête, puis le jeta par terre.

— Qu'est-ce que tu fais ? demanda-t-il, les sourcils froncés, les yeux baissés sur son torse nu.

— Je te séduis.

— Je pensais qu'on allait chercher mon frère.

— Vingt minutes de plus ou de moins ne feront pas de différence.

Il eut un rire de gorge.

— Vingt minutes ? Tu sous-estimes ma résistance.

Paroles d'authentique dieu de la fertilité…

— Alors, disons que ce sera un hors-d'œuvre. Le plat de résistance viendra plus tard.

Son sourire s'épanouit quand Sin entreprit de déboutonner sa veste de pyjama. Il le fit avec une lenteur délibérée qui la mit sur des charbons ardents. Rejetant la tête en arrière, elle laissa échapper un gémissement étouffé lorsqu'il écarta enfin les pans de sa veste et glissa les mains sur ses seins. Il les caressa longuement, jusqu'à ce que les pointes se dressent, deviennent délicieusement douloureuses, puis il baissa la tête. Quand il prit un mamelon entre ses lèvres, Kat crut voir des étoiles.

Le souffle court, Sin fit glisser le pantalon de pyjama sur les hanches de Kat, puis le long de ses jambes, jusqu'à ses pieds, qu'elle souleva avec empressement pour se dégager du vêtement. Sin recula légèrement pour la regarder. Par tous les dieux, qu'elle était belle ! Jamais il n'avait vu de femme aussi parfaite. Il s'agenouilla, ses mains enserrant la taille souple de Kat, laquelle se renversa en arrière, en appui contre le bar.

Sous les caresses intimes de la langue de Sin, des vagues de plaisir déferlèrent en elle, lui coupant la respiration par leur violence. Les bras étendus sur le bar, les doigts accrochés au rebord, elle crut défaillir. Ses jambes faillirent céder sous elle. Elle poussa un gémissement, puis un autre, et enfin cria sans retenue.

Sin n'y tint plus. Il se défit de son jean, lui écarta les jambes et les leva au niveau de ses reins avant de la pénétrer. Elle cria de nouveau lorsqu'il se mit à bouger en elle. Solidement appuyée sur le bar, elle imprima à ses hanches un mouvement de va-et-vient énergique, ponctuant chaque coup de reins de Sin d'une inspiration rauque.

Sin était au nirvana. Quelle femme ! Dénuée de complexes, d'inhibitions, elle prenait tout ce qu'il avait à lui donner avec un appétit sensuel étourdissant. Le clair de lune parait son corps de nacre, faisant briller ses seins qui tressautaient au gré des secousses de leur union.

À l'approche de l'orgasme, elle lâcha le bar et jeta les bras autour du cou de Sin. Il cessa alors de se retenir et jouit en même temps qu'elle, joignant ses gémissements aux siens.

— Je crois que tu m'as tué, Kat, dit Sin en se retirant, mais sans cesser de l'étreindre.

— Oh que non, riposta-t-elle en riant. Tu es bien trop solide pour ça.

Il l'embrassa, puis s'écarta d'elle. Elle se remit debout. Il constata avec satisfaction qu'elle était un peu chancelante et devait encore se retenir au bar pour ne pas perdre l'équilibre.

— Allons prendre une douche, puis partons chercher Zakar.

— Il faut d'abord le trouver.

— Évidemment.

Il la prit par la main et l'entraîna dans sa chambre jusqu'à la salle de bains. Là, il régla le volume et la chaleur de la douche puis se glissa sous le jet.

Kat admira les muscles de son dos qui jouaient pendant qu'il se savonnait. Bien campé sur ses jambes athlétiques, il était sublime. Tellement beau qu'elle en avait la gorge sèche.

— Bon sang, Sin, tu as les plus belles fesses de la planète.

Il sortit de la cabine.

— Il y a quelqu'un d'autre qui en a de semblables. N'oublie pas mon frère.

Zakar avait marché devant elle tout nu, et pourtant, elle n'avait pas été subjuguée par ses fesses. Seul Sin la rendait folle de désir.

— Les autres ne m'intéressent pas, déclara-t-elle, catégorique. Je ne leur accorde même pas un coup d'œil.

Sin n'en crut pas un mot. Il savait par expérience que les femmes lorgnaient les parties… stratégiques du corps des hommes.

— Tu penses que je mens, hein ? Détrompe-toi. Je ne suis pas Ningal. Je n'ai envie que de toi.

Cette déclaration le toucha profondément. Et méritait le baiser passionné qu'il lui donna. Pourtant, il ne parvenait pas à la croire. Il existait tant d'hommes susceptibles de lui tourner la tête. Il était le seul qu'elle eût jamais connu. Comment pouvait-elle penser qu'il n'y en aurait pas d'autre dans sa vie ?

Il lui était reconnaissant d'avoir dit cela mais, en esprit, il la voyait avec un autre. Et cette vision le torturait.

Elle recula et le regarda droit dans les yeux.

— Qu'est-ce qui ne va pas, Sin ?

— Rien.

— Allons, je sens que quelque chose te trouble. Comme si tu avais le cœur serré.

— Il n'y a rien, je t'assure. Et de toute façon, je n'ai plus de cœur.

Kat ne comprenait pas pourquoi il niait, mais il était évident que, pour lui, la discussion était close. Elle soupira, puis entra à son tour dans la douche.

Il l'y suivit.

Mais il laissa quelque distance entre eux.

— Je ne vais pas te mordre, Sin.

— Mmm… J'ai déjà entendu ça.

Il montra sur son bras l'effroyable cicatrice laissée par des crocs. Kat posa la main sur les chairs boursouflées.

— Mes morsures à moi ne laissent pas de marque.

— On verra ça.

Elle retira sa main et versa du shampooing sur ses cheveux. Le chemin qui menait à l'âme de Sin était tortueux, semé d'embûches, mais il devait bien exister un moyen de l'emprunter et d'arriver à bon port. Elle comprenait qu'il soit méfiant. Il avait été trop souvent trahi par le passé pour ne pas l'être. Oui, il avait le droit d'être sur ses gardes.

Pendant qu'elle faisait mousser le shampooing, Sin s'obligea à détourner le regard du corps de Kat. L'eau qui ruisselait suivait le dessin de ses courbes ensorcelantes, et il était de nouveau en érection. À ce train-là, ils ne quitteraient jamais l'appartement…

210

— Tu ne veux pas en profiter, mon chéri ? demanda-t-elle en se rinçant.

Il resta interdit.

— Mon… chéri ? répéta-t-il. Jamais personne ne m'a appelé « mon chéri ».

Et une émotion désormais familière le submergea de nouveau.

— Il y a une première fois à tout.

Elle lui colla sur le bout du nez un flocon de mousse. Il éclata de rire, la plaqua contre la paroi et lui barbouilla le menton de savon. Son bas-ventre alla de lui-même se plaquer contre celui de Kat.

Il était au paradis ! L'eau chaude, ce corps de femme nu, son rire qui résonnait dans la cabine de douche… S'il avait encore possédé ses pouvoirs, il aurait arrêté le temps et fait durer ce moment une éternité.

Des coups frappés à la porte le ramenèrent brutalement à la réalité.

— Hé, patron !

Il lâcha Kat et gronda entre ses dents, furieux.

— Tu as intérêt à avoir une bonne raison de me déranger, Kish. Parce que si ce n'est pas le cas, tu viens de signer ton arrêt de mort !

— On a besoin de toi au rez-de-chaussée. Immédiatement. Un Démon est en train de bouffer un touriste.

13

Sin se transporta en un éclair hors de la salle de bains et fit apparaître ses vêtements sur lui avant d'ouvrir la porte à Kish.

— Qu'est-ce qu'il y a ? aboya-t-il.

— En bas, patron. Maintenant. Un Gallu qui mange des gens.

Il n'était pas dans la nature de Sin d'obéir aux ordres, mais là, il fit une exception. Comme le lui demandait Kish, il se projeta au rez-de-chaussée.

Trouver le Gallu fut facile. Même s'il avait pris apparence humaine, les miroirs reflétaient son véritable aspect. Et le chaos régnait dans l'immense salle. Les clients couraient vers les portes en hurlant, les employés les imitaient, à l'exception des Démons et des Apollites qui essayaient de maintenir un semblant d'ordre dans la déroute générale.

C'était pour cette raison que Sin les avait embauchés. À la différence des humains, ils gardaient leur calme en cas de crise et savaient affronter les événements hors normes.

Sin vit que Damien et ses gardes tenaient le Gallu en respect. Ils l'avaient coincé près d'une table de roulette, mais pas neutralisé, loin s'en fallait. Il se défendait avec sa vigueur et sa férocité surnaturelles. Sin le vit mordre l'un des gardes, mais il ne s'affola pas pour autant : il s'agissait d'un Démon et non d'un humain et... Merde ! Le Démon s'était instantanément changé en Gallu ! La métamorphose, qui aurait pris une journée entière chez un humain, s'était effectuée en un éclair chez le Démon.

Maintenant, il y avait deux Gallus à combattre.

Damien retira sa veste de smoking et la jeta sur l'un des monstres.

— Couvrez-leur la tête pour qu'ils ne puissent pas mordre ! cria-t-il. Et mettez-les en pièces !

— Va te faire foutre ! vociféra l'un de ses Démons en se ruant vers les portes.

Au temps pour leur légendaire calme en cas de crise, se dit Sin en faisant la grimace.

— C'est ça, rétorqua Damien. Cours dans les bras de ta petite maman, fillette ! Et ne t'avise pas de revenir !

Sin s'avança vers ses cibles, les bras le long des flancs comme s'il était prêt à s'emparer d'armes. Le Gallu se rua sur lui. Sin le projeta en l'air d'un coup de genou, le cloua au sol avec son pied puis sortit un couteau de sa ceinture et planta la lame entre les deux yeux du Démon. Cela fait, il prit un deuxième couteau et, pour faire bonne mesure, le ficha dans le cœur du monstre jusqu'à la garde.

Le Démon n'explosa pas. Sin en conclut qu'un croisement de Démon et de Gallu produisait quelque chose de vraiment problématique. Les couteaux le maintiendraient en état de mort, mais il allait falloir le faire brûler pour le détruire. Il s'en occuperait plus tard. Le deuxième Gallu attendait son tour.

— Viens, mon joli, viens... dit-il en faisant signe au monstre.

Le Gallu approcha lentement, alors que Sin s'était attendu qu'il fonde sur lui. Dès que Sin fut à sa portée, le Gallu lança un crochet du droit.

Sin le bloqua et répondit par un uppercut au plexus, ce qui ne parut pas affecter le Gallu le moins du monde : il tenta de mordre. Sin esquiva l'attaque et le nargua.

— Qui t'a appris à te battre ? Ta sœur ?

Le Gallu riposta, frappant Sin avec une telle violence qu'il tomba, mais se releva dans la seconde. Il répliqua aussitôt en fichant une dague entre les deux yeux du Démon. La créature s'effondra, et ce fut Deimos qui surgit.

— Regarde-moi ces gentils petits fumiers que ta famille a créés ! s'exclama Deimos. Allez, finissons le combat que nous avons commencé il y a un moment.

— Je bous d'impatience.

Deimos n'hésita pas : il se jeta sur Sin, qui le bloqua mais eut à peine le temps d'écarter la tête pour esquiver le poing du Dolophonos – il ne s'attendait pas à une deuxième attaque aussi rapide. Il riposta d'un direct au menton, mais l'autre réagit comme lui un instant plus tôt, et son coup ne frappa que l'air.

Pourtant, Sin sourit. Cela faisait une éternité qu'il n'avait affronté un adversaire digne de ce nom.

Kat se matérialisa quand Sin flanqua un coup dans la poitrine de Deimos, qui recula en vacillant. Elle s'approcha de Damien.

— Qu'est-ce que j'ai loupé ?

— Pas grand-chose. Un Démon tueur mangé par un Gallu, Sin qui tue le Gallu. Puis cet abruti qui se pointe et attaque Sin... Vous voulez prendre des paris sur le vainqueur ?

La légèreté avec laquelle Damien considérait la situation choqua Kat.

— Quoi ? Qu'est-ce qu'il y a ? lui demanda le Démon, l'air innocent. Je dirige un casino ! Le jeu, c'est ma vie. Si j'étais malin, je ferais tout de suite le bookmaker. Croyez-moi, Sin apprécierait et approuverait.

Le plus navrant, c'était que Damien disait probablement vrai.

214

— Vous êtes amoral.

— Non. Je suis juste un Démon.

Kat poussa un soupir écœuré, puis reporta son attention sur les deux lutteurs. Sin était encore indemne et se défendait fort bien. Damien avait raison, l'issue du combat était incertaine.

Mais elle se précisa soudain : Sin venait d'expédier Deimos droit dans l'un des miroirs, qui se fendilla. Kat grinça des dents quand le Démon s'effondra, sonné. Pas pour le compte, toutefois : il la regarda, un sourire sinistre se dessina sur ses lèvres et il se rua sur elle.

Elle se prépara au choc, mais c'était inutile : fou de rage, Sin stoppa Deimos dans son élan grâce à une cordelette qu'il fit jaillir de son poignet et lança tel un lasso autour du cou du Dolophonos, qu'il ramena brutalement vers lui.

La manœuvre était efficace. Les Dolophoni avaient une faiblesse : privés d'air, ils étaient pratiquement réduits à l'impuissance.

— Tu as commis une erreur fatale, éructa Sin à l'oreille de Deimos tout en resserrant le nœud coulant.

Les yeux du Dolophonos étaient exorbités. Il essayait fébrilement de se défaire de la cordelette, mais Sin ne relâchait pas la tension.

— Ne le tue pas ! s'exclama Kat.

— Hein ? Tu es folle ? Si je ne le tue pas, il ne s'arrêtera pas !

Peut-être, mais Deimos, si dangereux qu'il fût, faisait partie de la famille, et elle ne voulait pas qu'il meure.

— Deimos, jure que tu nous laisseras tranquilles !

— Jamais.

Les biceps de Sin se gonflèrent lorsqu'il resserra encore la cordelette. Le cœur brisé, Kat comprit que c'était fini.

Une voix retentit alors.

— Damien ! Un Gallu vient de se jeter sur une jeune femme, dans la rue. Sa mère hurle au secours !

Sin blêmit. Kat lut l'indécision dans ses yeux. Il regarda Deimos, jura, puis lâcha la cordelette. Deimos tomba en avant et, à quatre pattes, toussant à fendre l'âme, dégagea son cou.

Kat fit la grimace : le sang coulait de sa peau, que la cordelette avait entaillée aussi nettement qu'un couteau. Deimos allait garder une cicatrice l'éternité durant. Elle avait pitié de lui, mais ce fut vers Sin qu'elle courut. Elle le rattrapa sur le trottoir, où il donnait la chasse au Gallu, qui s'enfuyait en transportant sa proie.

Le Gallu s'immobilisa soudain, comme s'il avait heurté un obstacle invisible. Sin lui arracha la jeune femme, la tendit à Kat et se tourna vers le Démon… qui explosa en une boule de flammes.

Kat poussa une exclamation de surprise. Deimos la rejoignit à cet instant-là.

— Ce sont de foutus salopards, hein ?

Sin s'était pétrifié, dans l'attente de l'attaque, mais Deimos semblait las de se battre. Consterné, il constata que Deimos était plus intéressé par la femme qui sanglotait dans les bras de Kat que par lui.

— Ça va aller, pour elle ? demanda Deimos à Kat.

— Je crois. Elle est secouée mais elle ne paraît pas blessée. Je pense que Sin est intervenu à temps.

Deimos posa la main sur la tête de la malheureuse, qui sombra aussitôt dans l'inconscience. Il la prit alors contre lui, avant de l'allonger sur le trottoir avec d'infinies précautions.

Sa mère arriva, hors d'haleine.

— Crystal ?

— Elle est OK, madame. Et c'est lui qu'il faut remercier. Il l'a sauvée.

Il montra Sin d'un mouvement du menton.

Émue aux larmes, la femme dit à Sin :

— Je vous remercie. Tous les deux, messieurs. Je ne sais pas ce que ce monstre lui aurait fait si vous ne nous aviez pas aidées.

216

Deimos hocha la tête, puis posa la main sur la tête de la mère, afin qu'elle aussi oublie tout de cet épisode. Elle perdit connaissance à son tour, et Deimos l'allongea à côté de sa fille.

— Bon, dit-il ensuite, nous disposons exactement d'une minute avant qu'elles ne se réveillent.

Sin fronça les sourcils.

— Nous n'allons pas reprendre où nous en étions ?

— Contrairement à l'idée répandue, ni les Érinyes ni les Dolophoni ne sont les toutous du panthéon grec. Je n'obéis aux ordres que si je les juge justifiés. Je ne voulais te tuer que parce que tu profanais les restes humains et que tu me paraissais dingue. Maintenant, je veux t'épargner parce que tu as fait passer la vie d'un être humain avant la tienne. Et avant celle de…

Il jeta un coup d'œil à Kat.

— … quelqu'un qui t'est cher. Pour moi, cela signifie que tu mérites le pardon.

Sin n'y comprenait rien. Où était la logique dans tout cela ?

— Donc, tu tires ta révérence, Deimos ?

— Tirer sa révérence implique un sens de la chevalerie que je ne possède pas. Disons simplement que tu as de la veine que je n'aie pas trouvé de bonne raison de te supprimer. Les Dolophoni ne tuent que pour un motif valable, et ce motif doit être justifié auprès de Thémis, sinon nous sommes exécutés.

Il essuya de la main le sang qui continuait à couler de son cou.

— Ta mort ne vaut pas ma vie, continua-t-il. Mais tu as toujours un ennemi qui souhaite ta mort. Alors, surveille bien tes arrières.

— Merci, Deimos, dit Kat en souriant.

— Ne me remercie pas. Je n'ai fait de faveur à personne, là. J'ai juste fait mon job.

Sur ces mots, il se fondit dans les ténèbres. Sin baissa les yeux sur la mère et la fille, qui commençaient à

217

bouger. Kat lui fit signe de rester tranquille, lui prit la main et se téléporta avec lui dans la salle du casino, où ils avaient laissé les corps des Gallus.

— Ah, vous êtes encore vivants, dit Damien. Bien. Besoin d'un coup de main pour nettoyer le merdier ?

— C'est pour que tu fasses ce genre de trucs que je te paie une fortune, Damien, rétorqua Sin.

— Ouais, c'est ce que je me disais. Je voulais juste en être sûr, maugréa Damien.

Il tourna le dos à Sin, sans cesser de marmonner, et Kat soupçonna que ce n'était pas des compliments qu'il adressait sous cape à Sin.

— Je n'arrive pas à croire que Deimos ait laissé tomber, dit-elle. J'avoue qu'il a gagné mon respect. Quand il est apparu, j'ai cru que ta dernière heure avait sonné.

— Ah bon ? D'après moi, c'est la sienne qui avait sonné. J'ai dû lui faire peur pour qu'il capitule comme ça.

— C'est ça ! dit Kat en éclatant de rire. Pour info, Deimos n'a peur de rien. Je parierais qu'il t'a laissé gagner le combat pour te tester, pour découvrir ce que tu allais faire. Parce que ça ne lui ressemble pas, d'abandonner en chemin une chasse à mort.

— Alors, d'après toi, il aurait menti ?

— Non. Il est le fils d'Alecto, l'Érinye en charge de la colère permanente. La fureur d'Alecto coule dans les veines de Deimos. Mais il faut préciser que les Érinyes sont également appelées les Euménides, c'est-à-dire « les gentilles ». Elles sont vindicatives mais justes. Tu as fait tes preuves auprès de Deimos.

— Voilà donc un problème de moins. Combien en reste-t-il ?

— Voyons… En comptant ton frère, au moins deux douzaines.

— Charmant de rappeler que mon frère…

— Excuse-moi.

Il se frotta les yeux. Il semblait fatigué. Mais il se ressaisit tout de suite.

— Où sont les Démons, Kat ?

— Je pensais que tu les avais tués.

— Pas les miens. Les tiens. Les Charontes.

Bonne question. Dans tout ce chaos, elle avait oublié Simi et Xirena.

— J'espère qu'elles ne sont pas en train de manger quelqu'un.

— Bon sang !

En un éclair, ils furent dans la chambre qu'occupaient Simi et Xirena. Une fois que ses yeux se furent accoutumés à la pénombre, Kat faillit éclater de rire. Les deux sœurs charontes étaient profondément endormies. Et dans quelles positions ! On aurait dit qu'on les avait jetées là sans vie. La tête et un des bras de Simi pendaient du lit, tandis que ses jambes étaient appuyées en hauteur contre le mur. Xirena dormait à plat ventre, la tête par terre et le corps en travers du matelas. Toutes deux avaient laissé leurs ailes déployées, posées sur elles comme une couverture.

— Comment peuvent-elles dormir comme ça, à l'envers ? Le sang ne va pas leur monter à la tête ? demanda Sin, intrigué.

— Aucune idée, mais ne les dérangeons pas.

Sans bruit, elle poussa Sin vers la porte, qu'ils franchirent sans l'ouvrir.

— Ça fait un drôle d'effet de sortir de cette façon, remarqua Kat.

— Oui, mais c'est marrant. J'adorais faire ça pour Halloween. Pour terrifier les gosses.

— Oh ! Tu es abominable.

— Je n'ai jamais prétendu ne pas l'être.

Il ouvrit normalement la porte de son appartement, et ils entrèrent. Kat se rendait compte à présent que Sin était vraiment épuisé et soucieux. À cause de son frère, évidemment.

— Il va revenir, dit-elle doucement.

— Oui, mais dans quel état ? J'ai un mauvais pressentiment. Ai-je commis une erreur en le libérant ?

Kat prit le visage à l'expression si sombre entre ses mains.

— Sin, tu sais bien que tu ne pouvais pas faire autrement. Jamais tu n'aurais pu le laisser dans cette caverne.

Le tourment habitait les magnifiques yeux ambrés.

— Je sais, mais…

— Chut… Arrête d'y penser.

Elle ponctua son ordre d'un baiser sur sa joue rugueuse de barbe naissante. Sin soupira. Il se sentait vraiment mal.

— Tu vas bien, Kat ? s'enquit-il en la voyant porter soudain la main à son œil gauche.

— Mmm. J'ai un effroyable mal de crâne, tout à coup.

— Tu veux de l'aspirine ?

L'œil gauche fermé, elle lui adressa un pauvre sourire.

— J'aimerais bien que ça marche, mais non. J'ai juste besoin de m'allonger un petit moment.

Inquiet, Sin l'accompagna jusqu'à la chambre et l'aida à s'étendre.

— C'est mieux comme ça, Kat ?

— Non. En plus, j'ai envie de vomir.

Il approcha d'elle la corbeille à papier.

— On dit que l'une des plus grandes preuves d'amour de la part d'un homme, c'est de tendre un récipient pour que la femme vomisse dedans.

— Ne te vexe pas, mais à la seconde où tu vomiras, comme par magie, on aura immédiatement besoin de moi au casino…

— Voilà qui n'est pas très romantique, dit Kat en le regardant de son unique œil valide.

— Là, il y a un truc qui m'échappe. Dans quel univers vis-tu ? Ici, c'est la réalité. Vomir est dégoûtant. Personne ne peut trouver ça romantique !

Elle réussit à ouvrir l'œil gauche et darda sur Sin un regard noir.

— Tu vas donc me laisser toute seule alors que je suis malade ?

— Je n'ai pas dit ça. J'enverrai Damien veiller sur toi.

— Pff… Va-t'en.

Mais il ne bougea pas du pied du lit.

— Je peux rester… Pour le moment, tu ne vomis pas.

Elle se redressa, eut un hoquet, et il fit aussitôt un pas vers la porte.

— Tu te fiches de moi, hein, Sin ? dit-elle en se rallongeant.

— Moi ? Pourquoi ? Tu resterais à côté de moi si je vomissais ? Tu parles !

— Si, je le ferais peut-être.

Il n'en crut pas un mot.

— Ouais, c'est ça. Attends, on va faire le test. Je me mets le doigt dans la bouche et…

— Tu es répugnant ! s'écria Kat en lui jetant un coussin.

— Non, je suis honnête. Tout le monde est aux abonnés absents quand il s'agit de s'occuper de quelqu'un qui vomit.

— De toute façon, tu ne sais pas ce que c'est. Tu es un Chasseur de la Nuit. Tu ne peux être ni malade ni soûl.

Faux : il avait souffert de mémorables gueules de bois.

— Je suis un ex-dieu auquel ton père a confié un travail, corrigea-t-il. Je peux être malade et sacrément ivre.

— Ah bon ? Tu as été malade, toi ?

— Oui. Apparemment, j'ai perdu mon immunité contre les rhumes et la grippe. Ta mère m'a privé de ce pouvoir-là aussi.

— Et ni Damien ni Kish ne sont restés pour te soigner ?

— Ils m'ont apporté à manger. C'est à peu près tout.

— Je suis désolée, Sin, dit sincèrement Kat. C'est affreux d'être seul lorsqu'on est malade.

— Je me débrouille.

Kat était triste. Elle imaginait Sin au lit, sans personne pour le soigner…

Elle voulut se lever, aller vers lui, mais tout se mit à tourner autour d'elle. Elle eut soudain la sensation d'avoir pris feu, d'étouffer.

— Kat ? Kat !

Elle essaya de répondre, mais ne parvint qu'à émettre des borborygmes.

— Kat ! Parle-moi !

— Elle ne peut pas, énonça une voix de basse.

Sin se retourna. Zakar se tenait sur le seuil de la chambre.

— Par tous les dieux, où étais-tu ? s'écria Sin.

— Dehors, répondit son frère laconiquement, sans aménité.

— Où ça, dehors ?

Zakar haussa les épaules.

— Tu as mieux à faire que de te préoccuper de moi.

— Quoi, par exemple ?

Du menton, Zakar montra Kat.

— Ta petite amie a dû être mordue par l'un des Gallus. Elle est en train de se métamorphoser.

14

Sin resta sans voix, le souffle coupé, tandis que les mots cruels de son frère résonnaient à ses oreilles. Il regarda Kat, allongée sur le lit. La fièvre la consumait, mais rien n'indiquait qu'elle fût en pleine métamorphose.

— Qu'est-ce que tu racontes, Zakar ? Elle n'a pas été mordue.

— Fais-moi confiance, je connais les symptômes. Elle est en train de muter.

Sin serra la jeune femme contre lui. Elle était inconsciente, et pourtant, ses yeux étaient entrouverts. Son corps était complètement détendu, ses traits aussi beaux qu'à l'ordinaire, calmes, sereins. Non, elle ne devenait pas un Démon, il ne le croyait pas. Il l'observait attentivement et ne décelait aucun signe. Ses dents ne changeaient pas, ses mains ne se déformaient pas. Zakar se trompait.

— Elle est malade, c'est tout.

— Une déesse malade ? rétorqua Sin en ricanant. Tu es fou ou quoi ?

— Ça m'arrive d'être malade ! Alors, ça peut lui arriver aussi.

— Tu crois vraiment ça ?

Non, mais il voulait le croire désespérément. L'idée qu'elle puisse devenir un Démon qu'il lui faudrait tuer lui était insupportable.

Il raffermit son étreinte autour d'elle, terrifié. Était-il possible que Zakar ait raison ?

— Qu'est-ce que je peux faire ?

— La supprimer.

— Conneries !

Il n'y avait pas la moindre lueur de pitié dans les yeux de Zakar.

— Tu sais aussi bien que moi qu'il n'y a pas de traitement, aucun moyen d'inverser le processus. Une fois qu'il a commencé, la victime est foutue. Tout ce qu'on peut faire, c'est mettre un terme à son malheur.

Tuer Kat ? Grands dieux, jamais. Elle lui était devenue trop précieuse.

— Tu es immunisé contre le venin des Démons, Zakar.

— Vraiment ?

Sin frissonna, épouvanté. Zakar avait-il réellement muté ?

— Tu as été idiot de venir me chercher, Nana, s'exclama Zakar en se jetant sur Sin, qui lâcha aussitôt Kat.

Zakar s'abattit sur lui. D'un revers du bras, Sin le projeta contre le mur et constata que son jumeau paraissait normal, à l'exception de ses crocs.

— Qui es-tu ? rugit Sin, fou de rage.

— Je suis ton frère.

— Non, tu ne l'es pas !

Il le cogna au menton. Zakar tomba par terre.

Ce n'était pas son frère, mais quelqu'un d'autre. Un être totalement différent du Zakar qu'il connaissait.

— Kytara ! hurla-t-il. Si vous m'entendez, rappliquez tout de suite !

Zakar se releva en essuyant ses lèvres ensanglantées.

— Tss tss… C'est pathétique, que tu appelles une femme pour t'épauler, Sin.

— Elle ne va pas venir pour m'épauler mais pour être ta baby-sitter.

Et il envoya une décharge de foudre sur Zakar, qui chancela. Ses jambes se dérobèrent sous lui, l'obligeant à s'agenouiller, mais il réussit à se remettre debout. Sin le foudroya de nouveau. Chaque fois que Zakar bougea, il recommença, jusqu'à ce que l'autre soit acculé dans un coin de la pièce et que Kytara arrive.

Quand elle vit ce que faisait Sin, elle parut ravie.

— Très bien. Liquidez ce fumier.

Mais Sin ne le tua pas. Il était incapable de tuer son jumeau. En revanche, le frapper jusqu'à ce qu'il ne soit plus qu'une loque, il pouvait le faire. Zakar méritait cette correction.

Dès que son frère eut perdu connaissance, Sin cessa de le foudroyer, se pencha sur lui et vérifia son pouls, qu'il trouva énergique et régulier. Bien. Satisfait qu'il soit encore vivant, il l'installa un peu plus confortablement sur la moquette et étendit une couverture sur lui.

— Kytara, que savez-vous des mutations propres aux Gallus ? demanda-t-il.

— Pas grand-chose. J'appartiens à l'autre panthéon, vous l'avez oublié ? Pourquoi cette question ?

— Parce que je pense que Kat a été mordue par un Gallu.

Il revint auprès de la jeune femme. Elle tremblait tant que ses dents claquaient. Et elle demeurait inconsciente.

— Kytara, il faut que vous restiez ici pendant que je vais chercher de l'aide.

Kytara pâlit quand elle comprit ce qui affectait Kat.

— Il n'y a rien à faire, et vous le savez !

Il secoua la tête. Jamais il ne renoncerait, n'admettrait l'inconcevable. Il n'était pas prêt à laisser mourir

Kat, encore moins à la tuer. Il était déterminé à remuer ciel et terre pour la sauver.

— Surveillez Zakar, Kytara. Ne le quittez pas des yeux un seul instant. Mais ne le tuez pas, sous aucun prétexte.

— Quoi ? Vous vous moquez de moi, Sin ! Je ne suis pas une baby-sitter !

Il lui décocha son regard le plus féroce.

— Non, je ne me moque pas de vous. Je ne veux pas que mon frère meure. Vous avez dit qu'il était brisé. Nous pouvons le… réparer. Mais d'abord, il faut sauver Kat.

— Vous êtes dingue. Vous allez perdre votre temps, c'est tout.

— On verra bien. Sachez que si mon frère ne respire plus à mon retour, vous n'aurez vraiment plus à vous soucier des Onerois.

Elle lâcha un long souffle indigné. Sans lui prêter attention, Sin se téléporta, Kat dans ses bras, jusqu'au dernier endroit où il avait envie d'être : Kalosis. Il se matérialisa devant un Charonte qui le regarda avec le même intérêt affamé que s'il avait été un steak bien saignant.

Sans se préoccuper du Démon, Sin appela à tue-tête :

— Apollymi ! J'ai besoin de vous !

Elle apparut dans la seconde, les mains sur les hanches, la mine courroucée. Puis elle vit Kat, et son expression changea.

— Grands dieux, que s'est-il passé ?

Cette question pourtant simple déclencha en Sin un étrange phénomène : toutes les vannes qui contenaient ses émotions s'ouvrirent. Anxiété et chagrin le submergèrent comme un raz-de-marée. Il avait peur, si peur que Kat meure. Il avait la gorge tellement serrée qu'il arrivait à peine à déglutir.

— Je crois qu'elle a été mordue par un Gallu et qu'elle est en train de se transformer. Il faut que vous l'aidiez, que vous la soigniez. Par pitié.

Les yeux pleins de larmes, Apollymi secoua lentement la tête.

— Je ne peux rien faire contre une affection pareille.

— Mais je vous ai vue la guérir quand elle était blessée !

— Je peux soigner des blessures, oui, mais ceci... est dans son sang, se répand en elle. Cela dépasse mes capacités.

Sin était anéanti. Il serra encore plus fort Kat contre son torse et déposa un baiser sur sa tempe brûlante. Kat... Sa Kat ne plaisanterait donc plus jamais à son détriment ? N'entendrait-il plus une seule de ses remarques ironiques ? Non, non, ce n'était pas possible. Il n'allait pas la perdre à cause d'une stupide petite morsure qu'il n'avait pas cautérisée parce qu'il ne l'avait pas remarquée. Une morsure qu'elle avait reçue en voulant l'aider !

Il devait exister une solution.

— Je ne la laisserai pas mourir, Apollymi. Vous entendez ce que je dis ? Dans l'un des deux panthéons, il doit y avoir quelqu'un qui sait ce qu'il faut faire.

Elle écarta avec tendresse une mèche qui retombait sur la joue de sa petite-fille.

— Son père, peut-être... Il connaît bien mieux que moi le fonctionnement des Démons.

Acheron... qui, aux dernières nouvelles, se trouvait dans le lit d'Artémis.

— Sin, il faut que vous l'ameniez sur l'Olympe. Apostolos est le seul qui soit susceptible d'avoir une recette magique pour arrêter le processus.

Sin aurait préféré se faire crever les yeux plutôt que d'approcher de l'Olympe. Son dernier passage là-bas lui avait coûté tout ce qu'il avait, y compris sa dignité.

Mais il lui suffit de jeter un coup d'œil à Kat pour savoir qu'il était prêt, pour elle, à marcher à travers les flammes de l'enfer.

— Où est-il, exactement, sur l'Olympe ?

— Dans le temple d'Artémis.

Comme prévu, évidemment. Quel cauchemar ! Mais le passé n'avait plus d'importance, désormais. Seule Kat comptait.

— D'accord. Mais je ne peux pas me rendre chez Artémis par mes propres moyens. Artémis m'a privé de tous mes pouvoirs de peur que je ne la tue.

Apollymi lui tapota gentiment l'épaule, puis appela d'une voix forte :

— Apostolos !

— Oui, *metera* ? répondit Acheron presque aussitôt.

— Sin est ici avec Katra. Elle est malade et a besoin de toi, mais je ne puis te les envoyer sans ton aide.

Sin eut à peine le temps de cligner des yeux qu'il fut transféré sur la terrasse du temple d'Artémis. La grande porte sur sa gauche s'ouvrit et Acheron apparut, en pantalon de cuir noir et longue robe de soie atlante qui voletait autour de ses chevilles à chacun de ses pas.

— Qu'est-ce qui ne va pas ? s'enquit-il sans préambule.

Sin s'avança vers lui.

— Un Gallu l'a mordue.

Acheron blêmit.

— Où ?

— Je ne sais pas, et en plus, je n'en suis pas sûr. Nous sommes allés dans une caverne libérer mon frère, et des Gallus nous ont attaqués. C'est le seul endroit et la seule fois où Kat a pu être mordue, mais elle ne m'a pas dit que c'était arrivé.

Il baissa les yeux sur la jeune femme inerte. Pourquoi lui avait-elle caché cela ?

— Elle allait bien, reprit-il, jusqu'à tout à l'heure. Soudain, elle s'est plainte d'avoir mal à la tête, et elle est devenue brûlante de fièvre. J'ai pensé qu'elle était malade, puis Zakar est arrivé et m'a appris qu'elle était en pleine mutation.

Acheron prit Kat et la porta à l'intérieur, où il l'étendit sur une méridienne blanche. Le cœur de Sin cessa presque de battre quand il vit à quel point elle était livide. On n'apercevait entre ses cils que le blanc de ses yeux, mais au moins, elle ne claquait plus des dents. Était-ce bon ou mauvais signe ?

— Katra ? murmura Acheron après s'être agenouillé auprès d'elle.

Elle ne répondit pas. Mais lorsqu'il posa la main sur sa joue, elle cria et essaya de le mordre. Ach bondit en arrière, hors de sa portée.

Sin jura à la vue du double rang de crocs qui déformait sa si jolie bouche. Elle était vraiment en train de muter. Par tous les dieux… Il tuerait Kessar !

— C'est trop tard, n'est-ce pas ? demanda-t-il à Acheron d'une voix qu'il ne reconnut pas lui-même.

Sa douleur était si perceptible qu'Acheron se tourna vers lui. Il venait de comprendre la nature de la relation entre sa fille et Sin. Sin était là pour Kat, et non pour tuer Artémis. Il aurait pu laisser la jeune femme à Apollymi et rentrer chez lui, mais ce n'était pas ce qu'il avait fait. Il avait pris tous les risques en se rendant sur l'Olympe. Et maintenant, il fixait Kat d'un regard hanté par le chagrin.

La conclusion s'imposait : Kat et lui étaient amants.

Cette idée mit Ach en rage : comment y remédier maintenant ? Il était impossible de revenir en arrière. Ils avaient couché ensemble, il le sentait.

Il connaissait à peine sa fille, et depuis si peu de temps, qu'il ne s'imaginait pas lui interdisant de devenir la maîtresse de Sin. Elle était adulte.

Et dans un sacré pétrin.

Hélas, il n'était pas à même de régler le problème de Kat tout seul. Pour la soigner, il avait besoin d'aide.

Il se releva et darda sur Sin un regard féroce. Il fallait qu'il sache exactement ce qu'il y avait entre sa fille et lui. La vie de Kat en dépendait.

— Qu'est-elle pour toi ?

Acheron eut l'impression d'entendre se fermer une porte dans l'esprit de Sin. Pourquoi ne voulait-il rien livrer ? Par méfiance, peur ou culpabilité ?

— Pourquoi me posez-vous cette question ?

Acheron serra les dents en regardant sa fille, de nouveau aussi inerte qu'une poupée de chiffon. Il n'y avait qu'un moyen de la sauver, et cela lui brisait le cœur. Mais seule cette action expulserait le Démon qui était en elle.

— Il faut que je la lie à quelqu'un.

Sin était consterné. Acheron se dérobait. Il ne voulait pas aider sa fille. Lui, pour la sienne, aurait fait n'importe quoi !

— Quel est le problème ? s'enquit-il durement.

Acheron riva sur lui ses yeux d'argent aux pupilles tournoyantes, et Sin eut l'impression qu'il lisait jusqu'au fond de son âme.

— Écoute-moi, Sin. Je vais faire sortir le Démon d'elle en la vidant de son sang. De tout son sang. Et elle en mourra... sauf si quelqu'un accepte de se lier à elle par le sang. Ce qui signifie qu'ensuite elle dépendra de cette personne sa vie durant. Elle se nourrira sur elle. Elle sera... un vampire.

— Mais pas un Gallu ? demanda Sin après une hésitation : il n'était pas certain d'avoir bien compris.

— Non. Elle sera la même qu'avant, sauf si elle reste trop longtemps sans s'alimenter. Dans ce cas-là, elle ira se nourrir sur n'importe qui.

— J'y suis. Allez-y.

Acheron semblait contrarié, se dit Sin. Mais il s'agissait de sauver la vie de Kat. Alors, pourquoi cette répugnance ?

Acheron l'éclaira.

— De tels liens sont très lourds de sensualité. Kat est ma fille et, pour une raison évidente, je ne puis la lier à moi. Il ne me reste que... toi.

Et cela paraissait lui faire horreur.

— M'offrez-vous votre fille, Acheron ?

— J'ai condamné mon meilleur ami à mort pour avoir pris l'innocence de la seule fille que j'aie jamais connue, dit Acheron, la mine sombre.

Il posa sur Kat un regard empreint d'un tel amour que Sin fut profondément touché. Le respect qu'il vouait à Acheron décupla.

— Je m'efforce de toujours tirer les leçons de mes erreurs. Ce que tu as fait ne me plaît pas, mais cela ne mérite pas la mort. Mes émotions ont déjà causé trop de dégâts chez ceux qui me sont chers. Néanmoins, avant que je mette la vie de ma fille entre tes mains, j'ai besoin de savoir quelque chose : qu'est réellement Katra pour toi ?

Sin avoua alors à Acheron une chose qu'il ne s'était pas encore avouée à lui-même.

— Je suis devant vous, dans le temple de ma pire ennemie, et je ne compte pas essayer de la tuer. Cela vous suffit-il ?

Acheron hocha la tête.

— Le lien que je vais créer est très spécial : il sera impossible de le défaire, comprends-tu ?

— Oui. Agissez. Sauvez-la.

Une expression de soulagement se peignit brièvement sur le visage d'Acheron.

— Bien. Tiens-lui les jambes.

Sin enserra les chevilles de Kat et Acheron ses poignets. Puis, en un éclair, Acheron changea d'apparence. Il n'avait soudain plus rien d'humain. Sa peau était bleue, ses lèvres noires, et des cornes avaient jailli sur sa tête. Dans ses yeux couleur rubis luisaient des cercles mouvants jaunes. Il ouvrit la bouche, et de longues incisives pointues apparurent.

— Par tous les dieux… que… qu'êtes-vous ? s'écria Sin, effaré.

— Je suis la mort et le chagrin, répondit Acheron dans un rire amer.

Et il se pencha sur Kat et la mordit au cou.

Kat cria, se débattit, mais Acheron ne s'interrompit pas. Sin avait du mal à maintenir les jambes de la jeune femme tant elle s'agitait. Acheron s'écarta enfin et recracha le sang prélevé. Mais, au lieu de tomber par terre, le sang alla se déverser dans une jarre invisible, où il tourbillonna avant de se déposer dans le fond. Quelques instants plus tard, le liquide écarlate prit la forme d'un minuscule Démon furieux qui tenta de s'échapper de la jarre pour se jeter sur Acheron. Il échoua. Il était pris au piège comme un insecte dans une bouteille. Bien que privé de tête et encore à l'état d'ébauche, il lança d'incompréhensibles imprécations, leva le poing et frappa la paroi invisible. Acheron resta de marbre.

Sin reporta son regard sur les mains bleues de l'Atlante, qui, penché sur Kat, maintenaient celles de la jeune femme.

— Elle ne va pas devenir bleue comme vous, n'est-ce pas ? s'enquit Sin, inquiet.

— Aucune idée, répondit Acheron avant de la mordre de nouveau et de poursuivre le processus.

Sin espérait de toute son âme que Kat n'avait pas mal. Il ne supportait pas l'idée qu'elle puisse souffrir à cause de lui.

Lorsque le Démon fut complètement formé, Acheron lâcha Kat et s'accroupit. La jeune femme avait cessé de lutter et reposait désormais paisiblement.

Mais elle était si pâle, songea Sin avec angoisse. Son teint était gris, ses lèvres avaient pris une teinte bleuâtre. Elle agonisait !

— Acheron ! souffla-t-il, au bord de la panique.

Acheron lui saisit le bras et le rapprocha de la bouche de sa fille.

— Elle ne tardera pas à t'attaquer. Ne la laisse pas te prendre trop de sang, sinon elle te tuera.

— Vous parlez comme si vous vous apprêtiez à vous en aller.

— Il faut que je m'occupe de l'essence du Gallu.

Acheron se servit d'une des longues griffes acérées qui avaient remplacé ses ongles pour déchirer le poignet de Sin, qui ne put retenir un cri de douleur. Puis le poignet fut approché de la bouche de Kat. À la seconde où les lèvres de la jeune femme entrèrent en contact avec la plaie sanguinolente, elle rouvrit les yeux, saisit le bras et se mit à boire goulûment.

Acheron se détourna, attrapa la jarre invisible dans laquelle le Démon hurlait sa fureur et disparut.

Sin observait Kat qui se rétablissait peu à peu. Il aurait dû être révulsé par ce qui se passait, mais il n'en était rien. Il était tellement heureux qu'elle soit sauvée que rien d'autre ne comptait. Si son sang avait le pouvoir de préserver sa vie, alors il s'ouvrirait le poignet n'importe quand.

Du moins pensa-t-il cela jusqu'au moment où elle détacha sa bouche de la plaie ouverte et l'attira contre elle pour lui planter les dents dans le cou. Il ressentit un vif élancement et, une seconde plus tard, un spasme de plaisir d'une telle intensité qu'il gémit.

Des images s'imposèrent à son esprit. Kat enfant, adolescente, adulte.

Il comprit que c'étaient les souvenirs de la jeune femme qui se manifestaient comme s'ils étaient siens. Il la vit dans le jardin de sa mère, riant avec les autres servantes ; en Grèce, sur un bateau, en compagnie d'une dénommée Geary avec laquelle elle discutait de l'Atlantide ; puis dans un club du Minnesota, où elle dansait avec une femme blonde.

Quelle sensation étrange... Elle avait dû éprouver la même troublante impression d'irréalité lorsqu'elle s'était introduite dans son esprit, dans ses rêves.

Il lui maintenait tendrement la tête pendant qu'elle buvait et la voyait à présent dans une chambre de jeune fille blanc et bleu ciel, assise à une table blanche. Elle lisait un petit livre relié de cuir.

— Katra !

L'appel impérieux d'Artémis la fit sursauter.

— Quoi encore ? grommela-t-elle.

— Katra, s'il te plaît ! J'ai besoin de toi.

Kat se transféra dans la chambre de sa mère et se pétrifia en découvrant Sin allongé à demi nu sur le lit.

La vision s'afficha aussitôt dans l'esprit de Sin. Il aurait pu l'effacer, mais la curiosité l'emporta. Il tenait à savoir ce qui s'était passé cette nuit-là.

Affolée, Artémis était en larmes.

— Il faut que tu m'aides, Katra. Il… il est entré de force et a essayé de me… de me violer !

La robe de la déesse était maculée de sang et déchirée.

Pour la première fois depuis des siècles, Sin se rappela ce qu'il avait enfoui au plus profond de sa mémoire.

Artémis lui avait souri et offert un verre de vin.

— C'est vraiment honteux, ce que fait Ningal, avait-elle dit. Je l'ai prise sur le fait hier, dans le temple de mon frère. Elle était couchée auprès de lui. Elle n'est qu'une catin déloyale !

Sin s'était interdit de répondre. Sa relation avec Ningal ne regardait que lui, et il ne tenait pas à en parler.

— Je ne veux pas en discuter, Artémis.

D'autant moins qu'il soupçonnait la déesse d'espérer qu'il tuerait Ningal, ce qui lui vaudrait d'être châtié par les Chthoniens.

— J'ai une proposition à te faire, Sin. Tu règles mon problème, et moi, je règle le tien.

— Oh ? Et quel est donc ton problème ?

— Allons, Sin, tout le monde sait que ta femme te trompe avec tous les hommes qui passent. Que les enfants que tu crois tiens ne le sont pas. Que ton panthéon te méprise même si tu contrôles la lune, le calendrier et la fertilité. Je n'arrive pas à imaginer à quel point ce doit être difficile d'être la risée de tous, surtout quand on a autant de pouvoirs que toi.

Les choses étaient bien plus compliquées que cela. Ses immenses pouvoirs, la Table du Destin pouvait les annuler en une seconde. Privé de ses pouvoirs, il pourrait être tué sans difficulté. En outre, sa loyauté envers Zakar le condamnait à l'impuissance. S'il mourait, les autres dieux sauraient que Zakar était encore en vie et ils courraient l'exécuter dans l'heure.

Artémis s'était langoureusement appuyée contre lui et lui avait soufflé à l'oreille :

— N'as-tu jamais eu envie de te venger ?

Grands dieux, si. Et pas qu'une fois. Mais il avait les mains liées : il préférait être malheureux plutôt que de pleurer la mort de son frère.

Or, malheureux, il l'était en cet instant : il n'avait aucune envie d'être auprès d'Artémis. C'était une erreur d'avoir demandé à la voir. Il fallait qu'il s'en aille. Immédiatement.

— J'ai eu tort de venir ici.

Artémis lui avait décoché un sourire ensorcelant.

— Mais non, mon chéri. Ta place est là, auprès de moi.

Elle l'avait entraîné dans la chambre.

— Comme toi, Sin, je suis lasse de la solitude.

Elle lui avait pris la main et l'avait embrassée.

— Reste avec moi, Sin, et je ferai de toi le prochain souverain de tous les dieux.

— Je n'ai pas besoin d'être roi.

Elle lui avait servi un autre verre de vin.

— Bien sûr que non. Mais songe aux autres qui s'inclineraient devant toi, qui feraient n'importe quoi pour te plaire. Ne serait-ce pas merveilleux ? Tiens, bois, c'est bon pour toi.

Elle avait porté le verre à ses lèvres et il l'avait vidé.

La chambre s'était aussitôt mise à tourner autour de lui. Il avait alors compris qu'elle l'avait drogué. Il avait essayé de marcher mais était tombé à genoux.

— Que m'as-tu fait, Artémis ?

Le visage de la déesse avait affiché une dureté implacable.

— Je veux tes pouvoirs, Sin. J'en ai besoin.

— Tu n'es qu'une immonde garce ! avait-il grogné en tentant de se jeter sur elle.

Elle l'avait violemment frappé, mais il avait réussi à la faire basculer sur le lit. Pour la tuer. Il avait fermé ses doigts autour de sa gorge.

Et perdu connaissance.

Il se voyait maintenant, à travers les yeux de Kat, allongé sur le lit. La gorge d'Artémis portait les marques de ses doigts. Sa robe était déchirée, mais ce n'était pas de son fait.

— Il faut le priver de ses pouvoirs, Katra ! Sinon, il reviendra, et alors… Que Zeus ait pitié de moi ! À son réveil, il m'assassinera.

— *Matisera*, je…

— Tu quoi, ma fille ? Ne me dis pas que tu ne vas pas protéger ta mère d'un tueur ! Regarde-le, il dort paisiblement, comme si rien n'avait d'importance. Et regarde-moi ! Si je ne l'avais pas foudroyé, il m'aurait violée, aurait volé mes pouvoirs et m'aurait laissée aussi démunie qu'un bébé ! Moi disparue, qui te protégerait des autres dieux, Katra ?

Elle se mit à sangloter.

Sin perçut la détresse de Kat. Elle ne supportait pas de voir sa mère aussi affligée. Cela lui brisait le cœur.

— Je t'en prie, *matisera*, ne pleure pas.

— Ma fille ne m'aime pas !

— Si, je t'aime.

— Alors prouve-le ! Donne-moi ses pouvoirs !

Il lisait l'indécision dans les yeux de Kat, sentait son esprit en plein désarroi tandis qu'elle avançait vers le lit. Elle lui prit le bras et le lâcha vivement : elle avait capté les ondes de la fureur qui grondait en lui.

— Il veut ta mort, *matisera*.

— Je te l'ai dit ! S'il a encore ses pouvoirs divins à son réveil, il ne faudra qu'une seconde pour que je ne sois plus là pour veiller sur toi, Katra.

Kat était terrifiée. Sa mère était tout pour elle. L'idée de la perdre lui était insupportable.

— Je ne laisserai personne te faire du mal, *matisera*, je te le promets.

Elle se rapprocha de nouveau, prit la main de sa mère, la posa sur le cœur de Sin et ferma les yeux.

Il hoqueta en sentant ses pouvoirs quitter son corps, passer dans celui de Kat et de là s'engouffrer dans celui d'Artémis. À chacun de ses battements de cœur, il devenait de plus en plus faible et la déesse de plus en plus forte.

La colère le submergea lorsque la vérité lui apparut, atroce, glaçante : ce n'était pas Artémis qui lui avait pris ses pouvoirs.

C'était Kat.

Le souffle coupé, il regarda la jeune femme. Elle continuait à boire son sang. Il lâcha un juron et la repoussa. Elle ouvrit les yeux et cilla, déconcertée, en se rendant compte qu'il était fou de rage.

Et elle, elle brûlait de désir, un désir dévastateur qu'il fallait qu'elle assouvisse immédiatement. Elle voulait cet homme, là, sans perdre une seconde !

Elle se redressa et le plaqua sur le matelas.

— Ne me touche pas ! rugit-il en la rejetant en arrière.

Elle revint à la charge, l'enlaça avec une ardeur fébrile et tenta de l'embrasser.

— J'ai envie de toi, Sin !

Il réussit à lui échapper, bondit hors du lit et mit plusieurs mètres de distance entre eux.

— Tu m'as trahi.

Elle franchit par magie la distance qui les séparait, se nicha dans ses bras et chercha son cou pour inhaler l'odeur de sa peau... et de son sang. Dévorée par le désir de mordre, elle fit courir sa langue sur la plaie toujours ouverte.

— Tu m'as trahi, répéta Sin. Pourquoi ne m'as-tu pas dit que c'était toi, et non Artémis, qui m'avais pris mes pouvoirs ?

Le sens de la question lui échappa. Obnubilée par le goût du sang qui attisait son excitation, elle ne prêtait aucune attention à ses mots.

Sin l'attrapa par les épaules et la maintint à bout de bras. Il avait fait confiance à cette femme comme à personne d'autre, il avait baissé sa garde, et pour quel résultat ? Pour apprendre qu'elle lui avait menti, qu'elle l'avait laissé blâmer sa mère alors que la coupable, c'était elle. Pire, elle avait prétendu ne pas être en mesure de lui rendre ses pouvoirs, alors qu'elle le pouvait. Que le diable l'emporte !

— Je suis désolée, marmonna-t-elle tout à coup.

Elle avait fini par saisir le sens de ses paroles, comprit-il. Mais sa réponse n'avait vraiment rien de convaincant.

— Tu es désolée ? C'est tout ce que tu trouves à dire ? À cause de toi, toute ma famille a été anéantie, à l'exception de mon frère qui a passé des siècles aux mains de Démons qui l'ont torturé jusqu'à ce qu'il devienne l'un d'eux ! J'ai eu foi en toi, au point de venir dans le temple de mon ennemie pour te sauver, et tout ça pour quoi ? Pour découvrir que tu es aussi menteuse, traîtresse que tous les autres ! Tu m'as fait plus de mal que tous mes ennemis réunis ! Je te hais, tu entends ? J'avais recommencé à zéro, je croyais en toi, et tu m'as trompé avec une cruauté qui dépasse mon entendement !

Cette fois, la tirade pénétra l'esprit embrumé de Kat.

— Je ne voulais pas te faire de mal.

— Ah bon ? Tu imaginais donc que je me réveillerais privé de mes pouvoirs et que je t'en remercierais ? Tu es même venue à New York pour me tuer ! Tu as tout fait pour me blesser, me détruire. Félicitations, Kat. Tu as gagné le pompon de l'ignominie.

Elle fit une nouvelle tentative pour se rapprocher de lui, mais il se déroba et appela :

— Acheron !

L'Atlante apparut instantanément. Il avait repris ses couleurs normales, constata Sin avec soulagement.

— Acheron, renvoyez-moi dans mon appartement.

Les yeux de l'Atlante allèrent de Sin à Kat puis se posèrent sur Sin.

— Elle n'a pas fini de se nourrir.

— Ouais, et je n'en ai rien à foutre.

— Hé, ce n'est pas ce que tu m'avais dit.

— J'ai appris pas mal de choses, depuis.

— Par exemple ?

Sin regarda Kat. Elle était au bord des larmes. Quelques heures plus tôt, cela l'aurait bouleversé, mais maintenant il se réjouissait de la voir malheureuse. Il ne voulait plus jamais la revoir.

— Elle m'a volé mes pouvoirs et les a donnés à sa mère.

Acheron parut surpris.

— Elle a... quoi ?

— Vous m'avez entendu. Vous n'imaginez pas ce qu'on éprouve face à une telle trahison.

Acheron ricana.

— Mon gars, quand il s'agit de souffrance due à la trahison, crois-moi, tu es un néophyte. Ce qu'elle t'a fait ne figure même pas sur mon échelle de valeurs personnelle. Katra, dit-il vrai ?

— Oui. Je pensais qu'il voulait tuer ma mère. Je n'ai fait que la protéger.

Sin comprenait ce raisonnement, mais cela ne changeait rien aux faits.

— J'étais innocent, Acheron.

— Je le sais maintenant, gémit Kat. D'après toi, qu'est-ce que je ressens lorsque je pose les yeux sur toi ? Crois-tu qu'il m'a été facile d'agir comme je l'ai fait ?

— Dans ce cas, rends-moi mes pouvoirs.

Une larme roula sur la joue de Kat, et Sin se surprit à s'en émouvoir. Il se ressaisit vite. Il était hors de question qu'il laisse sa colère s'amoindrir.

— Ne penses-tu pas que si j'en étais capable, je te rendrais tes pouvoirs ? Ma mère sait comment m'en empêcher. Les seuls que je pourrais te donner, ce sont les miens…

Il attendit la suite.

— Non, s'écria-t-elle. Acheron, dis-lui que je ne peux faire cela !

— Inutile. Il t'a entendue.

La colère de Sin était intacte.

— Je veux rentrer chez moi, Acheron. Ramenez-moi, ce serait la moindre des choses.

Acheron était tiraillé entre sa loyauté envers son ami et son amour pour sa fille, cette enfant qu'il connaissait à peine. Il prit le temps de la réflexion et conclut que le plus sage était qu'il éloigne Sin de Kat pendant un certain temps. Tous deux avaient besoin de se calmer.

Mais il devait d'abord informer Sin de ses responsabilités.

— Tu as prétendu être prêt à tout pour la sauver. Tu as dit que sa vie était ce qui comptait le plus pour toi.

— C'était avant que je sache qu'elle m'avait trompé. Je peux tout pardonner, sauf la trahison.

L'orgueil précède la chute… songea Acheron.

— Renvoie-le chez lui, papa, intervint Kat.

— Que je le… Tu en es sûre ?

— Oui. Je ne veux plus de lui ici.

Voilà qui résolvait son dilemme. Sin voulait partir, et Kat était d'accord. Donc…

D'un claquement de doigts, Acheron fit disparaître Sin.

— Katra, tu ne t'es pas complètement nourrie, remarqua-t-il ensuite.

— Je survivrai.

— Exact. Mais plus longtemps tu resteras sans t'alimenter, plus tu deviendras amorale… et un jour, tu seras pire qu'un Gallu.

Elle riva sur lui ses yeux empreints de sagacité et d'innocence mêlées.

— C'est pour ça que tu supportes Artémis ?

Il opina. Inutile de cacher ce qui était si évident. Mais sa relation avec la déesse n'était pas ce qui importait pour le moment.

— Sin t'aime, Katra. Tu aurais dû voir son expression quand il t'a amenée ici. Il était terrifié à l'idée de te perdre.

Kat essuya ses yeux humides de larmes avant de répondre.

— Ce que tu me dis là ne m'aide pas à me sentir mieux, dans la mesure où c'est moi qui ai ruiné son existence.

Acheron l'attira contre lui et la serra tendrement.

— Tu sais, ce qui est fascinant avec le cœur, c'est qu'il a une incroyable capacité de pardon. Tu serais émerveillée de découvrir ce dont les gens sont capables quand ils aiment.

Elle enfouit la tête sous le menton de son père et passa les bras autour de sa taille.

— As-tu pardonné à Nick d'avoir couché avec Simi ?

Acheron serra les dents. Le souvenir de cet événement continuait à lui faire affreusement mal, mais il avait surmonté le choc.

— Oui, Katra.

— Mais lui, il ne t'a pas pardonné.

Effectivement pas. Nick ne surmonterait probablement jamais la perte de sa mère. Mais Acheron préférait que Nick le maudisse plutôt que de le savoir en proie aux affres de la culpabilité. Que les dieux viennent en aide au jeune homme le jour où il admettrait sa part de responsabilité dans cette mort ! Cela le tuerait.

— Je ne suis pas maître des sentiments de Nick.

— Et maman ? demanda Kat dans un murmure. Lui as-tu pardonné ce qu'elle t'a fait ?

Acheron prit une profonde inspiration. Sa fille n'aurait pas pu lui poser pire question.

— C'est compliqué, Katra. Là, nous ne parlons pas de passer l'éponge sur une seule faute. Chaque fois que je me dis qu'une trahison est oubliée, j'en découvre une autre, la dernière en date étant qu'elle m'a caché ton existence.

Kat recula légèrement pour le regarder dans les yeux.

— Mais tu l'aimes, n'est-ce pas ?

Il ne répondit pas.

— Papa ?

Il s'obligea à sourire.

— Je ne sais pas. On ne peut pas haïr comme je la hais quand on n'a pas aimé d'abord. Mais lorsque la haine s'émousse, reste-t-il quelque amour ? Je l'ignore, Katra.

Il prit le visage de sa fille entre ses mains. Il voulait lui offrir ce que personne n'avait offert à Artémis : Katra devait comprendre qu'elle se trouvait à un moment charnière de sa vie.

— En revanche, il y a une chose que je sais, reprit-il, c'est que j'aurais pu surmonter la première trahison, si dure qu'elle ait été, si ta mère s'était sincèrement excusée. Si elle était venue à moi et m'avait promis de ne plus jamais me blesser. Au lieu de cela, elle a laissé son orgueil la guider. Elle n'a songé qu'à me punir parce qu'elle était mal à l'aise avec sa conscience, au lieu de penser à l'avenir que nous aurions pu avoir ensemble.

— Que veux-tu dire ? Je ne comprends pas.

— Katra, j'ai vu Sin me supplier de te sauver la vie. Quand il n'y a pas d'amour, on ne fait pas cela. Il n'est pas trop tard. Il peut encore te pardonner.

— Mais son passé…

— … est un passé de douleur, et c'est pour cette raison que ce qui vient d'arriver lui fait si mal. Il n'en a que plus besoin de toi. Pour alléger sa peine.

Le cœur de Kat battait à tout rompre. Son père lui avait dit ce qu'elle avait besoin d'entendre. Néanmoins, elle doutait encore.

— En es-tu certain, papa ?

— Fais-moi confiance, bébé. Tout être a besoin de quelqu'un qui l'aime. Quelqu'un qui répare les dommages du cœur et de l'âme, qui vous remet sur pied quand on s'effondre. Sin n'est pas différent des autres.

Les larmes aux yeux, Kat comprit qu'Acheron parlait d'expérience. Il s'efforçait de lui éviter les siècles de souffrance qu'il avait traversés.

— Je t'aime, papa.

Il l'embrassa sur la joue.

— Si tu éprouves quelque chose pour Sin, ne l'abandonne pas dans les ténèbres. C'est malhonnête de montrer le soleil à un être puis de le jeter dans le noir. Même le diable pleure quand il considère l'enfer autour de lui et se rend compte qu'il est seul.

Elle prit sa main et la serra après l'avoir pressée contre son cœur.

— J'ai compris, papa. J'espère seulement que Sin m'écoutera.

— S'il ne le fait pas, dit Acheron en souriant, tu sais où Artémis garde ses filets.

— Le prendre dans un piège ne me le ramènera pas.

— Non, mais ça l'obligera à rester en place.

Kat éclata de rire.

— OK, je vais essayer ça !

— Non, bébé. Essayer, c'est pour les idiots. Toi, tu vas réussir.

Tant de confiance et de sagesse émut la jeune femme.

— D'accord. Souhaite-moi bonne chance.

— Mieux que ça : je te souhaite tout le bonheur du monde.

Galvanisée par l'amour qu'elle éprouvait pour son père, Kat se transféra de l'Olympe à l'appartement de Sin. À la seconde où elle se matérialisa dans le salon, quelque chose s'abattit sur son dos. Elle tomba en avant et se débattit pour tenter de se débarrasser du poids qui l'écrasait. Ce ne fut que lorsqu'elle parvint à se retourner qu'elle vit ce qu'était cette lourde masse.

Sin. Qui perdait son sang à flots.

15

Kat ne réussit pas à se libérer. Sin la bloquait de tout son poids.

— Ne bouge pas, lui gronda-t-il à l'oreille, avant de se relever et de se retourner pour regarder ce qui l'avait précipité sur Kat.

Elle se releva à son tour et découvrit Kessar, accompagné de six autres Démons. Son sang se glaça. Ils avaient capturé Zakar ! Il était enchaîné. Mais le pire, c'était Kytara. Étendue par terre. Morte.

La vue brouillée par les larmes, Kat regarda le cadavre de son amie. Ces monstres l'avaient à moitié dépecée. Grands dieux, pourquoi avaient-ils fait une chose pareille ?

À côté d'elle, Sin essayait de se battre contre les Démons. Essayait seulement. Il était manifeste que ses pouvoirs n'étaient pas à leur zénith.

Animée d'une fureur meurtrière, elle voulut foudroyer Kessar. Et comprit alors ce qui était arrivé à Sin : elle n'avait pas davantage de pouvoirs que lui ! Par quelque mystérieux sortilège, ils avaient été neutralisés.

— Il a la Table, lui souffla Sin sans cesser de distribuer coups de poing et de pied.

Voilà qui expliquait tout. La Table absorbait leurs pouvoirs. Les Démons n'avaient donc eu aucune peine à tuer Kytara et à s'emparer de Zakar.

Dans un grand rire démoniaque, Kessar fondit sur Kat, apparemment bien déterminé à la tuer. Mais Sin s'interposa et le frappa au plexus. Kessar ne réagit même pas. Et ce fut lui qui se débarrassa de son adversaire en l'envoyant se fracasser contre le mur.

— Simi ! Xirena ! hurla Kat.

Il fallait absolument arrêter ce massacre. Tout de suite.

Les deux Démones surgirent dans la pièce, sous leur forme de Charontes. Kat recula, hébétée. C'était la première fois qu'elle voyait Simi totalement métamorphosée. Sa peau était rouge rubis ; ses lèvres, ses cheveux, ses ailes et ses serres, noirs. En un éclair, elle se saisit d'un Gallu et l'égorgea. C'est alors que Kessar brandit la Table et prononça une phrase en sumérien.

— Nous ne sommes pas des divinités, pauvre andouille, lui lança Xirena en ricanant. Ton truc n'a aucun effet sur nous !

Et elle vola jusqu'à lui.

Kessar attrapa les chaînes de Zakar et tous deux se volatilisèrent.

— Non ! cria Sin.

Il avait tenté de les retenir, mais n'avait pas été assez rapide. Et sans ses pouvoirs, il ne pouvait les suivre.

Le cœur de Kat se serra quand elle vit le chagrin sur son visage. Il se tourna vers Simi et Xirena, qui achevaient de dévorer les Démons qu'elles avaient tués.

— Je suis désolée, Sin.

Il la considéra. À la dureté qui se peignit soudain sur ses traits, elle se rendit compte que le pardon n'était pas à l'ordre du jour.

— Tu n'arrêtes pas de dire que tu es désolée.

— Je suis sincère.

— La sincérité ne règle rien, tu le sais, ça ?

Hélas ! La sincérité ne ramènerait pas Kytara à la vie. Mais comment les Démons s'étaient-ils débrouillés pour la tuer ? Cela n'avait pas de sens.

— Que s'est-il passé ?

Sin poussa un long soupir et essuya le sang qui coulait de son arcade sourcilière.

— Lorsque je suis arrivé, Kessar tenait mon frère enchaîné et avait la Table à la main. Je pense qu'il s'est servi de la Table pour vider Kytara de tous ses pouvoirs. Elle était déjà morte.

— Mais comment a-t-il fait pour entrer en possession de la Table ?

— Du diable si je le sais ! Elle était enfermée dans mon coffre.

Kat était effondrée. Tout était sa faute. Sans elle, Sin aurait encore possédé ses pouvoirs, les Gallus n'auraient pas menacé le monde... et Kytara serait toujours vivante.

Comment réparer tous les dégâts qu'elle avait causés ? Elle avait commis une monstrueuse erreur des siècles plus tôt et déclenché une catastrophique réaction en chaîne. Le prochain épisode serait l'attaque des Dimmes. Jamais ils n'en réchapperaient.

— On est dans le pétrin, hein ? demanda-t-elle à Sin.

— Ouais. Si tu as une dernière volonté à exprimer avant l'anéantissement total, c'est le moment.

Toujours sous sa forme démoniaque, Simi s'approcha, les yeux brillants d'extase.

— Maintenant, je peux manger la garce-déesse ?

— Simi, dit tristement Kat, j'ai bien peur que la seule garce-déesse dans les environs, ce soit moi.

— Mais non. *Akra*-Katra n'est pas une garce. Elle est toujours gentille avec Simi.

— Peut-être, mais je ne l'ai pas été avec Sin, dit Kat à la Démone, avant de s'avancer lentement vers Sin et de continuer : Je sais que tu ne le crois pas, mais je suis vraiment désolée. Plus que tu ne l'imagineras jamais.

— J'apprécie ta sollicitude, dit-il froidement, mais cela ne change rien à rien.

Il se pencha sur Kytara, lui ferma les paupières, puis la recouvrit d'une couverture.

— Tu devrais ramener son corps sur l'Olympe. C'est le moins que l'on puisse faire.

— Il ne faut donc pas le brûler ?

— Non. Ils l'ont simplement tuée. Elle ne porte pas de marque de morsure. Ils n'ont pas cherché à la faire muter.

Voilà qui était étrange, dans la mesure où Kessar semblait déterminé à changer le plus de gens possible en Gallus. Une déesse des rêves eût été un bonus, pour lui.

Simi et Xirena reprirent forme humaine.

— Pourquoi ne pas nous avoir appelées dès que vous les avez vus ? demanda Simi.

— J'ai débarqué en plein milieu d'un combat, se justifia Sin d'un ton acerbe, et j'ai essayé de sauver mon frère. J'espérais que Kytara était seulement blessée. Pardon de n'avoir songé qu'à rester en vie et d'avoir du coup oublié les deux demoiselles charontes qui étaient dans leur chambre.

— Sin, s'enquit Kat, nos pouvoirs ont-ils disparu pour de bon ?

— Non. Ils ne disparaîtraient que s'ils avaient un moyen de les aspirer pour se les approprier. Nous n'allons pas tarder à les retrouver. Ce salopard de Kessar s'amuse avec nous.

— Il était terrifié par Simi et Xirena.

— Parce qu'elles sont capables de lui arracher le cœur et qu'elles sont immunisées contre la Table.

— Ce qui nous donne un avantage.

— Tant qu'ils ne sont pas nombreux, oui. Mais s'ils affluent en nombre, nos chères petites seront mortes en un clin d'œil.

248

— Je n'aime pas la mort ! gémit Xirena. La mort, c'est mauvais.

— *Akri* serait très triste si Simi mourait, et Simi ne serait pas contente non plus !

— Je ne le serais pas davantage, dit Kat. Ne vous en faites pas, nous ne laisserons personne vous manger.

Sin replia le canapé. Kat se rendait compte qu'il réfléchissait intensément, cherchant une solution.

— Kat, est-ce que ta grand-mère laisserait partir d'autres Démons ? demanda-t-il.

— Je ne sais pas. Qu'il y ait davantage de Charontes hors de Kalosis sans Apollymi pour leur tenir la bride reviendrait à lâcher davantage de Gallus dans la nature. Les humains courraient juste un autre danger.

— Ouais. Mais les Gallus ont la Lune, la Table, et nous, aucun pouvoir à leur opposer tant qu'ils détiendront ces deux éléments. Si nous les attaquons, ils nous mordront, et alors… Remarque, si je mute, ce sera la fin de mes souffrances.

Kat roula des yeux en entendant la conclusion mélodramatique de sa tirade.

— Pas la peine de faire de grandes phrases : tant qu'ils n'ont pas envoyé les Dimmes, rien n'est joué.

— Pardonne-moi si je ne me montre pas très enjoué ni débordant d'espoir, railla Sin, mais la seule personne en qui j'avais confiance est celle qui m'a le plus trompé.

Kat faillit le gifler. Son instinct lui dictait de rendre coup pour coup. Mais elle se rappela ce que lui avait dit Acheron.

Il y a une chose que je sais, c'est que j'aurais pu surmonter la première trahison, si dure qu'elle ait été, si ta mère s'était sincèrement excusée. Si elle était venue à moi et m'avait promis de ne plus jamais me blesser. Au lieu de cela, elle a laissé son orgueil la guider. Elle n'a songé qu'à me punir parce qu'elle était mal à l'aise avec sa conscience, au lieu de penser à l'avenir que nous aurions pu avoir ensemble.

Elle ne voulait pas faire la même erreur que sa mère. Elle avait trahi Sin et devait le reconnaître.

— Simi ? Tu veux bien ramener le corps de Kytara sur l'Olympe et le confier à M'Adoc ? demanda-t-elle.

Simi acquiesça, puis la prit dans ses bras et la serra affectueusement.

— Ne sois pas malheureuse, *akra*-Katra. Nous mangerons tous les Gallus et après tout ira bien. Promis.

— Mais oui, Simi, je sais que tu tiendras ta promesse, assura Kat en souriant.

Simi souleva délicatement la dépouille de Kytara. Visiblement mal à l'aise, Xirena lança :

— Je t'attends dans la chambre !

Et elle disparut. Simi et son pauvre fardeau firent de même un instant plus tard.

— Tu devrais les imiter, Kat, dit Sin en allant au bar se servir un whisky. Tu n'as plus aucune raison de traîner dans le coin.

— Oh que non. Tu ne te débarrasseras pas de moi si facilement.

Il posa si violemment le verre sur le comptoir qu'elle s'étonna qu'il ne se brise pas.

— Ne me pousse pas à bout, Kat ! Je suis à peine moins en colère contre toi que contre Kessar ! Alors, dans la mesure où, pour le moment, je ne peux pas l'attraper, je pourrais bien me défouler sur toi !

— Sin, je tiens à ce que tu comprennes à quel point je m'en veux d'avoir si mal agi envers toi et ta famille. Je donnerais n'importe quoi pour revenir en arrière et te rendre tes pouvoirs. Tu les mérites. Mais il m'est impossible de faire cela.

Il tourna les talons. Elle le retint par le bras, l'obligea à pivoter sur lui-même et l'embrassa.

— Je t'aime, Sin. Je tenais à ce que tu le saches.

Il se figea, sidéré par ce qu'elle venait de dire et par son comportement. Le beau visage de Kat n'affichait que tendresse et sincérité. Mais les mots de son épouse tournaient dans sa tête. *Tu es nul comme dieu, comme amant et comme homme…*

Le seul domaine dans lequel il eût jamais excellé était l'extermination. Mais Kat lui donnait l'impression d'avoir d'autres talents. Et de compter pour elle. Comme si, à ses yeux, il avait une valeur inestimable.

Elle posa une main aussi douce que du velours sur sa joue.

— Nous allons gagner et sauver ton frère, Sin. Je ne te laisserai pas tomber, et je te jure que je ne te ferai plus jamais de mal. Tu peux te fier à moi.

Il déglutit avec peine, submergé par l'émotion. Il voulait s'éloigner d'elle, mais s'en découvrit incapable. Il était trop tard pour fuir, comprit-il.

— Ne me déçois pas, Kat. Je ne crois pas que je m'en remettrais.

Kat eut un mal fou à retenir ses larmes. Il n'avait pas dit qu'il l'aimait, mais c'était un bon début. Il ne s'était pas moqué d'elle, ne l'avait pas chassée non plus. Et, d'une façon détournée, il lui avait promis un avenir commun, lui avait donné une chance de reconstruire ce qu'elle avait détruit. Elle ne pouvait en attendre davantage de lui dans l'immédiat.

— Tu as ma parole, Sin.

Il effleura sa bouche de la sienne. C'était à peine un soupçon de baiser, mais cela suffit à la faire vibrer des pieds à la tête. Elle plongea les doigts dans son épaisse chevelure et pressa la joue contre la sienne. Le parfum de sa peau la grisa aussitôt. Toute sa vie, elle avait attendu ce genre de contact avec un homme. Elle se sentait si bien dans les bras de Sin…

En aucun cas elle ne se comporterait comme sa mère. Elle ne laisserait pas passer sa chance, ne vivrait pas hantée par le regret de ce qui aurait pu être et n'avait pas été à cause de sa stupidité et de son entêtement. Elle ne reproduirait pas la tragédie familiale.

Elle froissa une mèche noire entre ses doigts en fixant Sin, cet homme dont elle aimait autant l'âme que le corps.

— Nous allons gagner, répéta-t-elle.

— Quand je t'entends le dire, je le crois presque.

Elle recula et lui sourit.

— Alors ? Comment procédons-nous ?

— Ah. Tout d'abord, nous ne mourons pas. Ensuite, nous ne nous laissons pas mordre.

— Et...

— On leur colle notre pied aux fesses.

— Bon plan, mais un peu vague côté détails.

— Ouais.

— Je préfère les plans un peu plus précis, dans des situations comme ça.

— J'aime les plans cool au cours desquels on improvise.

Elle se servit un verre à son tour, le but, puis demanda :

— C'est vraiment ce que tu veux faire ?

Il secoua tristement la tête.

— Non, hélas. Nous avons une bombe à retardement entre les mains. Alors, étape numéro un...

— Retrouver ton frère.

— Non. La Table d'abord.

— Tu veux laisser Zakar avec eux ?

— Cela me déchire le cœur, mais oui, dans l'immédiat. Ils savent que nous sommes en mesure de le retrouver, donc ils vont le surveiller d'encore plus près qu'avant. Et s'ils ont la Table lorsque nous le rejoindrons...

— ... ce sont eux qui nous botteront les fesses.

— Voilà. Récupérer la Table est prioritaire. La question, c'est comment faire.

Difficile, se dit Kat, de débarquer, de dire bonjour poliment et de les prier de rendre la Table. D'autant qu'ils ne savaient même pas où les Gallus la cachaient. Ce dont ils avaient besoin, c'était d'avoir quelqu'un dans la place.

— Kessar a-t-il un point faible ?

— Pas à ma connaissance.

Évidemment, sinon il l'aurait utilisé depuis belle lurette.

— Je connais peut-être la personne qu'il nous faut. Tu vas m'attendre ici.

— Où comptes-tu aller ?

— À Vanishing Isle. Toi, tu ne bouges pas, tu te reposes et, je te le répète, tu m'attends.

— Tu es sûre que tu ne veux pas que je t'accompagne ? demanda-t-il, inquiet.

— Sûre. Je dois agir seule.

— Sois prudente.

Réconfortée de voir qu'il s'inquiétait pour elle, Kat s'apprêta à se téléporter.

Elle ne put bouger de l'appartement.

— Mais que se passe-t-il ? s'écria-t-elle, incrédule.

— Bon sang, c'est la Table ! Tu es toujours privée de tes pouvoirs !

— Oh, mais il ne s'agit que d'un inconvénient négligeable, dit Kat avec détermination.

— Exactement.

Sin se plaça derrière elle. Elle ferma les yeux lorsque la chaleur de son corps se communiqua au sien. Sa présence, son odeur nourrissaient son désir et sa force.

Il posa les mains sur ses hanches, puis pencha la tête pour lui parler à l'oreille. Dès qu'elle entendit les mots sumériens, elle eut la sensation que l'adrénaline rugissait dans ses veines. La puissance induite par les mains de Sin se diffusait en elle, l'énergie faisait vibrer toutes ses terminaisons nerveuses.

— Qu'est-ce que… bredouilla-t-elle, haletante.

— Me fais-tu confiance ? Tu as voulu une seconde chance. Je m'efforce de te la donner.

Mais ne me déçois pas… ajouta-t-il *in petto*, sachant qu'elle l'entendrait.

— Non, je ne te décevrai pas.

En une fraction de seconde, Kat fut transférée dans le temple où Simi avait amené Kytara. La Démone n'était plus là. Peut-être était-elle déjà rentrée à Las Vegas.

Kat découvrit devant elle D'Alerian, M'Adoc et M'Ordant. Ils lui tournaient le dos. Vus sous cet angle, ils semblaient tous identiques, avec leurs longs cheveux noirs et leurs vêtements sombres. Ils étaient penchés sur le corps de Kytara et psalmodiaient de la même voix basse.

M'Ordant recouvrit la jeune femme d'un drap de soie, puis commenta :

— C'est désagréable d'imaginer un Gallu doté de ce genre de pouvoir. Je pensais qu'on avait vu le dernier de ces monstres il y a des siècles.

D'Alerian secoua la tête.

— Leurs dieux sont malins. Ils nous les ont dissimulés.

Kat se racla la gorge pour signaler sa présence. Ils se retournèrent. Leurs mines soucieuses s'éclairèrent à la seconde où ils la reconnurent.

— Pardonnez-moi d'écouter aux portes, leur dit-elle.

— Tu es là depuis longtemps ? s'enquit M'Adoc.

— Non. J'ai juste entendu ce que vous disiez sur les pouvoirs des Gallus. Je pense la même chose.

— Qu'est-ce qui t'amène, Katra ? demanda D'Alerian. Artémis aimerait que nous hantions quelqu'un ?

Habituellement, c'était pour cette raison qu'elle dérangeait les trois dieux.

— Non, pas cette fois. J'ai besoin de savoir si un Chasseur de Songes peut pénétrer les rêves d'un Gallu, plus précisément ceux de Kessar.

— Pourquoi diable un Oneroi...

— Pas un Oneroi, coupa Kat. Je ne cherche pas quelqu'un qui aiderait ou soulagerait un Gallu, mais quelqu'un de vicieux. Un Skotos. Qui pourrait découvrir de quoi a peur Kessar.

Ils échangèrent des regards perplexes. Puis M'Adoc répondit :

— Il y en a deux qui feraient l'affaire : Solin ou Xypher.

— Xypher ! confirmèrent les deux autres à l'unisson.

— Oui, Xypher, répéta D'Alerian. Il adore jouer sur les peurs. Mais c'est un renégat sur lequel nous n'avons aucune prise.

— Parfait, dit Kat. Où puis-je le trouver ?

— Au Tartare. Nous avons été obligés de le tuer, et maintenant, il passe l'éternité à être puni pour ses crimes.

De mieux en mieux, songea Kat, ravie.

— Vous l'avez tué ?

— Oui, dit M'Adoc. Permets-moi de t'expliquer en quoi il est un renégat : c'est à cause de lui que les gens ont peur d'aller se coucher ! S'il existe un dieu susceptible de terrifier un Démon, c'est bien lui.

— Charmant personnage. J'ai hâte de le rencontrer. L'un de vous aurait-il l'obligeance de m'expédier chez Hadès ?

— Ne peux-tu y aller par tes propres moyens ? demanda M'Adoc.

— Je manque un peu de punch, en ce moment. J'apprécierais un petit coup de main.

D'Alerian claqua des doigts, et Kat se retrouva aussitôt dans le dernier endroit où elle avait envie d'être : les Enfers. Un lieu à vous faire dresser les cheveux sur la tête et à vous glacer de terreur… Un lieu où il vous fallait sans cesse regarder par-dessus votre épaule pour vérifier si personne n'accourait pour vous dévorer. Dire qu'une foule d'êtres répugnants appelaient cet endroit leur foyer…

Mais, pour être honnête, le domaine d'Hadès n'était pas totalement abominable. Les Champs Élysées étaient magnifiques. Ils étaient le paradis des âmes pures qui vivaient là dans une complète félicité. Si seulement Xypher avait pu y résider... Mais non. Il se trouvait dans les abysses, au Tartare, là où les âmes noires étaient envoyées pour être punies. Il n'y avait ni lumière, ni rires, ni rien de beau, au Tartare. Il y faisait sombre, et les cavernes y résonnaient des cris des condamnés implorant pitié. Ils étaient dans un état si pitoyable que leur propre mère ne les aurait pas reconnus. Les cavernes s'intriquaient les unes dans les autres comme un labyrinthe sans fin.

Sans aide, Kat ne parviendrait jamais à trouver Xypher.

— Éris ! cria-t-elle, appelant la déesse de la discorde, qu'elle détestait.

Leur dernière rencontre s'était soldée par un échange de coups de foudre qui n'avait cessé que sur l'intervention de Zeus. Il les avait consignées toutes les deux dans leurs chambres respectives pour une bonne dizaine d'années.

Éris apparut dans son éternelle longue robe noire, aussi pâle qu'à l'accoutumée, ses cheveux aile de corbeau réunis en tresse à la manière d'une couronne. Quelques mèches qui s'en échappaient retombaient jusqu'à ses hanches. Aussi belle qu'Aphrodite, Éris était la divinité la plus méchante d'entre toutes.

— Tu m'as sonnée, foutue garce ?

Kat eut un mal fou à s'empêcher de répliquer vertement. Il était dans la nature de la déesse de la discorde de chercher la dispute.

— Oui. J'ai besoin de voir l'un des détenus et je suis sûre que tu peux me conduire à lui.

— Ah bon, et qu'est-ce qui te fait penser ça ?

— Tu adores torturer les gens. Chaque fois qu'Arès condamne quelqu'un, tu t'empresses de venir jouer avec lui.

— Pff... Et qui t'a dit cela ? Perséphone ?

— Peu importe qui me l'a dit. Ce qui compte, c'est que tu m'aides.

256

— Et que me donneras-tu en échange ?

Elle ne lui collerait pas sa main sur la figure, songea Kat, avant d'ajouter à haute voix :

— Je crois que je continuerai à garder secret le fait que c'est toi qui as informé Zeus de la petite aventure qu'a eue Héra avec ce top model, à New York, à l'automne dernier.

— Que... Quoi ? Comment es-tu au courant ?

— J'ai – ce qui n'est pas ton cas – un peu partout des amis qui raffolent des ragots. Bon, tu vas m'aider, oui ou non ?

Les narines frémissantes, Éris commença :

— Tu sais, je...

Kat l'arrêta d'un geste de la main.

— Ne perds pas ton temps à me menacer. Tu fais un truc qui m'énerve, et en moins de temps qu'il n'en faut pour le dire, je te fais avaler cette pomme d'or que tu aimes tant lancer aux gens. Maintenant, dis-moi où est le Skotos déchu dénommé Xypher.

Une lueur mauvaise brilla tout à coup dans les yeux sombres d'Éris.

— Tu vis dangereusement, hein ? Je vais être sympa. Je vais t'apprendre qu'il n'est plus qu'un animal.

— Impeccable. Conduis-moi à lui.

Éris l'emporta par magie jusqu'à une petite grotte plongée dans le noir dans laquelle résonnait un bruit de claquement régulier. Éris claqua des doigts, et les ténèbres se dissipèrent.

Un homme était étendu sur le sol. Son dos n'était qu'une plaie sanguinolente. Le bruit qui avait intrigué Kat était celui d'un fouet qu'un squelette actionnait comme une machine, battant le supplicié sans relâche.

Xypher poussa un grondement et attrapa la lanière, qui se désintégra dans sa main. Une autre apparut, et le squelette reprit son atroce manège.

— Hé, cousin Xypher, tu veux jouer avec cousine Éris ?

— Va te faire foutre, salope.

— De mauvaise humeur ce matin, hein, Xypher ? C'est vilain, ça. Je vais prendre un fouet moi aussi.

— Éris, s'il te plaît, laisse-nous seuls, dit Kat.

La déesse disparut.

Kat s'approcha de Xypher, qui essaya derechef d'arracher le fouet à son tortionnaire. Il y parvint et la lanière se matérialisa de nouveau. Kat percevait sa frustration, sa rage. Chaque coup pénétrait profondément dans ses chairs. Mais il ne se plaignait pas.

Elle ferma les yeux et fit appel à ses quelques pouvoirs encore intacts. La *sfora* accrochée à son cou devint bouillante quand elle réussit à faire disparaître le squelette-bourreau.

Xypher redressa la tête et la regarda avec tant de haine qu'elle frissonna. Il se leva lentement.

— À toi, garce.

— À moi... quoi ?

— De t'amuser. Je ne sais pas quel supplice tu me réserves, mais vas-y. Je suis prêt.

Quelle tristesse ! Il n'attendait rien d'autre d'un visiteur que de nouveaux tourments.

— Je ne suis pas venue pour te punir.

— C'est ça !

— Je t'assure que tu te trompes.

— Alors, pourquoi es-tu ici ? Pour rigoler ?

— Pour des renseignements.

— Dans la mesure où je suis coincé dans ce trou depuis des siècles, j'ai du mal à te croire. Je ne sais même pas quelle année on est, alors je ne vois pas ce que je pourrais savoir qui t'intéresserait.

— On m'a dit que tu étais un Skotos de phobies. J'ai besoin de savoir s'il t'est déjà arrivé de t'introduire dans les rêves de Démons.

— Dans quel but ? demanda-t-il après une hésitation.

— Il faut que je sache ce qui effraie l'un d'entre eux et...

Deux squelettes venaient de surgir du néant, munis de fouets en fil de fer barbelé. Or Kat n'avait aucune autorité sur eux, aucun droit de leur ordonner de s'en aller. Les maigres pouvoirs qui lui restaient, elle devait les garder précieusement jusqu'à ce que les effets de la Table cèdent.

Xypher esquiva le premier coup, mais la conséquence de son mouvement fut terrible : des lianes descendirent du plafond et s'entortillèrent autour de ses bras. Il se débattit comme un beau diable, avec pour seul résultat de se retrouver étroitement ligoté. Et les coups de fouet reprirent, avec la régularité d'un métronome.

Il serra les dents et cessa de lutter.

— Tu veux mon aide ? Alors sors-moi d'ici.

— Je ne peux pas faire ça, Xypher.

— Dans ce cas, je n'ai rien à te dire.

Le spectacle qu'elle avait sous les yeux donnait la nausée à Kat. C'était le summum de la cruauté. Elle ignorait de quoi exactement Xypher s'était rendu coupable, mais cela ne méritait certainement pas pareil châtiment.

— Hadès ? appela-t-elle.

Le dieu se matérialisa devant elle. Grand, mince, avec des cheveux noirs bouclés jusqu'aux épaules, il était magnifique. Il posa sur elle un regard amusé.

— Te revoilà ? Tu n'as donc rien de mieux à faire qu'abuser de ma patience ?

— Je ne t'ai pas vu depuis dix ans, Hadès !

— Vraiment ? Il me semble que c'était hier.

Il se tourna vers les squelettes.

— Mais qu'êtes-vous donc ? Des fillettes ? Apprenez à frapper correctement ! Ma femme ferait ça mieux que vous, sapristi !

Les squelettes redoublèrent de vigueur et accélérèrent le rythme.

— S'il te plaît, Hadès, arrête-les ! intervint Kat.

— Il doit être puni. On est au Tartare, je te le rappelle. Et que fait-on, au Tartare ? Rien de gentil ni de chaleureux. Ici, on punit !

— Oui, mais j'ai besoin qu'il me rende un service, et il refusera tant que tu le feras battre.

— Quel genre de service un type comme lui pourrait-il bien te rendre ?

— J'ai besoin de renseignements sur un rêve.

— Va les demander à un autre Oneroi.

— J'ai essayé, et on m'a envoyée à Xypher. Il est le seul qui puisse m'aider.

— Eh bien, je te plains.

— Non, Hadès, plains-nous tous ! Les Démons sumériens, les Gallus, ont été libérés, et les Dimmes ne vont pas tarder à l'être aussi. Nous sommes incapables de les arrêter. Seul quelqu'un qui se serait introduit dans la tête de l'un d'eux pourrait nous dire comment faire.

Hadès leva la main, et les squelettes se figèrent.

— Katra, sais-tu ce qui s'est passé la dernière fois qu'une des Dimmes a été libérée ?

— Non, mais vu les ravages causés par les Gallus, je peux l'imaginer.

— Erreur. Tu ne l'imagines pas, parce que cela dépasse tout.

Il s'approcha de Xypher.

— Sais-tu quelque chose sur les Gallus ?

Xypher ne répondit pas. Hadès lui donna un coup de poing.

— Hé, il a déjà eu sa dose ! intervint Kat.

— Non.

Xypher cracha sur Hadès, mais le crachat, au lieu d'atteindre sa cible, lui revint en pleine figure.

— Sympa, ce tour, hein ? railla Hadès. Tu croyais être le premier à faire ça ? Maintenant, réponds à ma question !

Les yeux de Xypher brillaient d'une rage assassine.

— Et pourquoi je le ferais ?

— Parce que je peux rendre ta vie encore pire que ce qu'elle est actuellement.

Kat posa la main sur le bras d'Hadès.

— S'il te plaît, essayons ma méthode.

— Tu n'es qu'une sotte, Katra. Il ne comprend que la violence, et c'est pour cela qu'il est ici. Sais-tu qu'il a fallu onze Onerois pour le tuer ? Onze ! Et ils ont tous failli y passer.

— Oui, et le dernier Chasseur de Songes que j'ai envoyé chasser les Gallus a été massacré.

Manifestement, Hadès était au courant.

— Kytara. Elle est désormais aux Champs Élysées.

Une petite consolation pour Kat. Mais ce qui était arrivé à son amie la bouleversait.

— Il me faut quelqu'un qui soit capable de s'introduire dans l'esprit des Gallus pendant leur sommeil sans qu'ils s'en aperçoivent.

Hadès montra Xypher d'un mouvement du menton.

— Il est mort.

Kat se tourna vers Xypher.

— Si on te rend la vie, est-ce que tu nous aideras ?

— Non, intervint Hadès. Je ne laisserai pas repartir un être aussi monstrueux que lui.

— Mais qu'a-t-il donc fait de si horrible ?

— Il a torturé les gens, Katra. Il les a rendus fous avec ses cauchemars ! Et il se fichait pas mal de savoir qui il torturait ! Il n'a aucun sens moral, aucune conscience.

— Je ne veux pas qu'on me rende ma vie, rugit Xypher. Vous pouvez vous asseoir sur cette idée !

Sa colère stupéfia Kat.

— Mais alors, que veux-tu ?

— Ma liberté.

— Jamais ! assena Hadès.

— Je t'en prie, le supplia Kat. Je te sais capable de négocier. Faut-il que j'en appelle à Perséphone ?

À la seule mention du nom de sa femme, Hadès se crispa. Kat et Perséphone étaient des amies de longue date, et Perséphone prenait toujours le parti de Kat contre son mari.

— Bon. Qu'est-ce que tu veux ?

Kat poussa un soupir de soulagement. Elle allait finalement l'emporter.

— Xypher, si tu m'aides, Hadès te relâchera et fera de toi un humain.

Étant un homme, s'il recommençait à mal se comporter, ils pourraient le tuer de nouveau, et cette fois sans difficulté.

Une lueur d'intérêt mêlée d'espoir s'était allumée dans les yeux du Skotos.

— Tu jures que tu me feras libérer ?

— Oui.

— D'accord.

— Hadès ? dit Kat, tout sourire.

Il hésita, avant de déclarer d'une voix sévère :

— S'il t'aide, il gagnera sa liberté mais il ne sera humain que pendant un mois. Si, au cours de ce mois, il ne fait pas preuve d'humanité, il sera renvoyé ici illico.

L'expression de Xypher était claire : qu'Hadès se mette donc son ultimatum là où il pensait. Du moins fut-ce là ce qu'il rumina quelques instants durant. Avant de comprendre qu'une telle offre ne se représenterait pas.

— Entendu.

Les lianes se détachèrent aussitôt, et il tomba brutalement par terre. Il se releva lentement, et Kat songea que, même blessé, affaibli, il était remarquablement imposant.

— De quoi as-tu besoin ? demanda-t-il à Kat.

— De savoir où se trouve la Table du Destin et de connaître la faiblesse du Démon Kessar. Le tout pour… hier.

— OK. Hadès, il me faut récupérer mes pouvoirs.

— Mais tu es mort !

Imperturbable, Xypher continua :

— Tous mes pouvoirs d'Oneroi, sinon je ne serai bon à rien.

— Mmm. Ne te fais pas d'illusions : même si je te les rends, tu ne pourras pas m'échapper. Tu as conclu un marché. Pas question que tu ne respectes pas ta part.

— Je tiendrai parole.

Hadès claqua les doigts. Le soulagement se peignit sur les traits de Xypher. Il regarda Kat, et elle lut dans ses yeux une gratitude sincère.

— On reste en contact, dit-il avant de disparaître.

Kat souriait lorsque Hadès déclara en secouant la tête, l'air sombre :

— J'espère que tu sais ce que tu fais.

— Je crois que oui.

— Non, Katra. Sinon, tu aurais insisté pour connaître les raisons précises qui lui ont valu une sentence de mort.

— Mais tu l'as dit. Il était un Skotos rebelle, qui n'en faisait qu'à sa tête.

— Effectivement. Mais il était également un sadique qui rendait les humains fous. Et pas qu'un ou deux, Katra. Des milliers. Sa dernière victime s'est immolée par le feu pour essayer d'échapper aux cauchemars induits par Xypher.

Kat était épouvantée.

— Grands dieux, mais pourquoi ne me l'as-tu pas expliqué ?

— Mais parce que tu as prétendu savoir ce que tu faisais ! Je suis enchanté d'apprendre que tu mens comme tout un chacun.

Elle n'avait jamais menti à personne ! Pas sciemment, en tout cas. Maudit Hadès, qui venait de frapper là où cela faisait mal.

Mais elle se garda bien de lui montrer qu'il avait mis dans le mille.

— Merci pour ton aide, Hadès.

Il inclina la tête, puis disparut à son tour. Restée seule avec ses appréhensions, Kat soupira. En voulant arranger les choses, elle les avait peut-être aggravées. Pourquoi craindre les Gallus ? La pire menace qui pesait sur l'humanité, c'était elle !

Rongée par la culpabilité, elle partit rejoindre Sin pour lui rapporter les dernières nouvelles.

16

Elle se matérialisa dans la chambre de Simi et de Xirena. Elle ignorait si Simi était proche de Kytara, mais si c'était le cas, elle devait être éplorée. Simi supportait très mal la mort de ses amis. Jamais elle n'aurait dû l'envoyer sur l'Olympe rapporter la dépouille de Kytara.

Ce qu'elle vit chassa immédiatement ses craintes. Simi avait appelé le service d'étage et fait monter deux solides repas, pour Xirena et elle-même.

— Les bagarres donnent faim aux Charontes, expliqua Xirena en mâchant un hamburger.

Bien. Les deux Démones étaient occupées, et Simi n'était pas traumatisée. Kat les laissa donc et se rendit dans l'appartement de Sin, qu'elle trouva endormi à plat ventre sur le lit, tout habillé, comme s'il ne s'était allongé que pour quelques minutes et avait succombé à l'épuisement.

Pauvre Sin ! Ces derniers jours avaient été difficiles pour lui.

Elle se servit de ses maigres pouvoirs pour lui enlever ses vêtements. Voilà. Il se sentirait mieux, maintenant.

Mais pas elle : le spectacle de son corps nu la chavirait. Elle brûlait de se jeter sur lui et de mordiller ses larges épaules, de lécher ses cicatrices, stigmates de tous ses combats, de caresser la peau bronzée de son dos athlétique... Il était tentant comme le péché.

Pourtant, elle se contenta de passer doucement la main dans ses boucles sombres et soyeuses.

— Alors, Kat ? Comment ça s'est passé ?

La voix grave la fit sursauter.

— Je croyais que tu dormais.

— C'était le cas jusqu'à ce que tu me touches.

Il bâilla longuement puis se mit sur le dos, offrant au regard de Kat le côté face de son anatomie.

— Hé, tu es sûr que tu n'es pas le dieu Priape ?

— Pff... fit-il sans chercher à se couvrir. Aux dernières nouvelles, cet obsédé était piégé dans un livre et servait d'esclave sexuel aux femmes. Pas mon genre, ça. Il semblerait que je ne puisse en satisfaire qu'une.

Et il décocha à Kat un regard lourd de sens.

— Est-ce une façon de me dire que tu m'as pardonné ?

J'aimerais tant pouvoir rester fâché contre toi... les mots faillirent lui échapper, mais il se retint à temps. Il refusait de montrer à Kat le pouvoir qu'elle avait sur lui. Savoir cela lui aurait donné l'avantage, et nul doute que ça aurait fini par se retourner contre lui.

Il se borna donc, lorsqu'elle se pencha pour déposer un baiser sur ses lèvres, à souffler :

— Peut-être.

— J'étais sincère, tout à l'heure, quand je t'ai promis que je ne te ferais plus jamais de mal, Sin.

— Je ne demande qu'à te croire. Je ne doute pas de ta sincérité, mais l'expérience m'a appris que l'on ne pouvait se fier à personne.

Kat secoua la tête, puis entreprit de lui embrasser le torse. Elle commença à la hauteur des clavicules et descendit lentement vers le nombril. Sin retint sa respiration. Il ne connaissait rien de plus agréable au monde que les baisers de Kat. Où qu'elle pressât ses lèvres, c'était le nirvana. Et c'était ce don qu'elle avait de l'embraser qui était dangereux. Il la désirait jusqu'à la folie, il avait besoin d'elle. Et c'était malsain. Un homme asservi à ce point à une femme devenait idiot.

Mais il avait beau le savoir, il ne parvenait pas à se départir de la fascination qu'elle exerçait sur lui. Il était perdu. Il lui appartenait physiquement et mentalement. Il avait fait naufrage dans l'océan de douceur, de tendresse, de sensualité dans lequel elle l'avait plongé. Elle était allongée tout contre lui, à lui couvrir la poitrine de baisers suggestifs, et il était au paradis. Restait à deviner à quel moment ce paradis se changerait en enfer.

Toutes les femmes de sa vie lui avaient enseigné de sacrées leçons qu'il n'était pas près d'oublier. Sa mère lui avait appris la haine, sa femme le mépris, Artémis la trahison.

Et sa fille, l'amour.

Qu'est-ce que Katra allait lui apprendre, une fois leur histoire terminée ? Cette perspective le terrifiait. Il lui avait ouvert son cœur, elle s'y était installée. Jamais il n'avait accordé pareille liberté à aucun être.

Il lui avait donné le pouvoir de le détruire.

Kat lut dans les yeux mi-clos de Sin tout le plaisir que lui apportaient ses baisers. Elle avait commencé à l'embrasser parce que la saveur de sa peau la grisait, mais, apparemment, il aimait cela. Elle en était ravie. Elle tenait tant à ce qu'il soit bien avec elle, à regagner sa confiance, même si elle ne le méritait pas. Elle essayait d'obtenir son pardon à sa façon. En le caressant, en le câlinant.

Mais elle avait peur d'échouer.

Elle avait également peur de trop s'impliquer. Jusqu'à présent, jamais elle ne s'était laissé déposséder de son indépendance. Mais Sin avait abattu toutes ses barrières. Il s'était si aisément frayé un chemin vers son cœur ! Qu'y avait-il donc de si spécial en lui pour qu'elle ait capitulé aussi totalement, sans même lutter une seule seconde ? C'était comme un enchantement. Elle n'aspirait qu'à le rendre heureux.

De la folie, voilà ce que c'était. Une folie qu'elle assumait. Il suffisait qu'il lui sourie pour voir des étoiles.

Mais ce n'étaient pas des étoiles que Kat voyait dans les yeux de Sin. C'était du feu. Un brasier de désir semblait gronder en lui. Il la fit basculer, se hissa sur elle et lui plaqua les bras sur le matelas. Du genou, il lui écarta les jambes et la pénétra fougueusement, plongeant le plus profondément possible en elle.

Kat lâcha un long gémissement de bonheur tout en adaptant instinctivement son rythme à celui de son amant. Ce n'était pas l'excitation de Sin qui l'avait contaminée. Il lui avait suffi de l'approcher pour perdre la tête.

Sin avait du mal à comprendre ce qui lui arrivait. Il avait eu bien des femmes dans sa vie, des maîtresses expérimentées, d'une sensualité débridée, qui l'avaient comblé de plaisir. Mais avec Kat, l'amour était totalement différent. Il ne s'agissait plus d'un acte où chacun recherchait égoïstement son plaisir, mais d'un échange dans lequel le bonheur de l'autre passait en priorité.

Et puis, Kat lui avait dit qu'elle l'aimait. Cela aussi était nouveau pour lui. Aucune femme ne lui avait jamais fait cet aveu. Il avait de la peine à y croire, tout en espérant de toutes ses forces que ce soit vrai. Des fantasmes d'amour qu'il avait gardés scellés au fond de son cœur resurgissaient, venaient flotter à la surface de son esprit. Les rêves d'un avenir avec Kat.

D'une famille.

À la seconde où cette pensée s'imposa à son esprit, il sursauta. Et se retira, déclenchant un concert de protestations chez Kat. De petits gémissements, des grognements...

Une famille... Mais à quoi pensait-il ? C'était de la folie pure. L'idée la plus stupide qu'il eût jamais eue.

Et cette idée faisait son chemin à la vitesse de la lumière. Il imaginait tout à coup un enfant. Se demandait s'il serait aussi blond que sa mère, ou brun comme lui. Aurait-il leurs pouvoirs ? Mais quelle importance ? Ce bébé serait la fusion de leurs deux êtres.

Grands dieux, voilà qu'il se mettait à raisonner comme une vieille femme ! Encore un peu, et il ferait de petits napperons au crochet et découperait des bons de réduction dans les journaux. Et il porterait un long peignoir rose bonbon et des pantoufles ornées d'un pompon en duvet.

Kat sentait un troublant changement en Sin. Il la serrait contre lui non plus avec fièvre mais tendresse. Le rapport passionné qu'il avait interrompu avait été remplacé par une douce étreinte langoureuse, et elle était aux anges. C'était ce qu'elle voulait : aimer, être aimée... Elle avait attendu bien longtemps, et un jour, le destin lui avait amené Sin. Il n'y avait eu aucun homme avant lui et il n'y en aurait jamais d'autre. Elle le garderait, son amant. Le protégerait de ceux qui lui voulaient du mal.

Il revint en elle sans hâte, et la montée vers la jouissance reprit aussitôt, comme si jamais elle ne s'était interrompue. Kat atteignit l'orgasme en tremblant, et Sin la rejoignit, criant avec elle, la tête renversée en arrière.

Un long moment après, elle lui chuchota à l'oreille :

— Je crois que tu m'as cassée.

— Comment cela ?

— Je ne sens plus mes jambes. Je pense que je ne vais plus jamais quitter ce lit. Je n'en ai aucune envie. Et de toute façon, je ne peux pas : tu es trop lourd.

— Moi, trop lourd ? Madame, sachez que...

— Tu mesures pas loin de deux mètres ! Et tu pèses des tonnes ! La prochaine fois, je tiens à être dessus.

— Oh, très bien. Je suis d'accord : tu te mettras sur moi aussi souvent que tu en auras envie, dit Sin en roulant sur le flanc.

— Parfait, acquiesça Kat en lui caressant le torse.

Elle ne cessa pas de le caresser pendant qu'elle lui racontait sa rencontre avec Hadès et Xypher aux Enfers. C'était un récit terrifiant, et Sin était très impressionné par son courage. Pourtant, il était en érection. C'était incompréhensible. Une partie de lui-même semblait s'être libérée de sa volonté pour se mettre sous la coupe de Kat. Le monde extérieur n'avait aucune prise sur ce qui était désormais la propriété de la jeune femme.

Lorsqu'elle lui mordit le cou pour se nourrir, il ressentit une plénitude inconnue jusqu'alors. Elle buvait son sang, et leurs âmes communiaient.

Il s'était endormi quand elle cessa de boire.

Repue, elle soupira. Sin ronflait doucement, un son sourd et régulier qui la berçait. Elle s'assoupit à son tour, sombrant dans un sommeil peuplé de cauchemars. Elle se vit cernée de Gallus et entendit Kessar exhorter les Dimmes à la tuer.

Pourvu que ce fût bien un cauchemar, et non une prémonition !

Kat se réveilla dans un lit vide et se renfrogna aussitôt. La chaleur de Sin lui manquait.

Puis elle entendit marcher dans l'appartement. Elle attrapa la chemise de Sin et l'enfila sans la boutonner. Ainsi, peut-être serait-il tenté de revenir au lit.

Un sourire aux lèvres, elle ouvrit la porte. Il était là, penché derrière le bar. Elle s'approcha à pas de loup. Elle allait nouer les bras autour de lui quand il se redressa.

Elle poussa un cri. Cet homme était trop petit, trop chétif !

C'était Kish qui était là. Kish qui se retourna et resta bouche bée à la vue de sa poitrine nue.

Kat pivota sur ses talons et regagna la chambre en courant. Elle claqua la porte.

— Tout va bien, Kat ! Je n'ai rien vu ! cria Kish de l'autre côté du battant.

— Ouais, c'est ça !

— Bon, écoutez, je ne reconnaîtrai jamais avoir vu quelque chose, ça vous va comme ça ? Ce sera notre secret. Promis, juré.

Kat s'habilla en grommelant. Puis elle se rappela qu'elle aurait pu le faire par magie au lieu de s'enquiquiner avec des boutons et une fermeture Éclair. Elle était tellement troublée qu'elle n'y avait même pas songé.

— Que faites-vous ici, Kish ?

— Le ménage. Sin ne laisse entrer aucune femme de chambre chez lui. Il ne leur fait pas confiance.

Elle ouvrit la porte.

— Il ne fait confiance à personne.

— Exact. J'ai gardé votre petit déjeuner au chaud. Sin m'a assuré qu'il me les couperait si je ne m'occupais pas bien de vous. Alors, comme je préfère avoir mes bijoux de famille solidement attachés au corps, j'ai bien l'intention de vous chouchouter... sur un plan purement platonique !

— Où est Sin ? demanda Kat, amusée.

— Au rez-de-chaussée. Il organise la destruction des Gallus avec Damien. Il a dit que vous aviez besoin de dormir et que je ne devais en aucun cas vous déranger. Je ne vous ai pas dérangée, hein ?

— Pas jusqu'à il y a quelques instants.

Il afficha une mine consternée.

— Vous allez me faire tuer, n'est-ce pas ?

— Non, assura-t-elle après un temps, comme si elle avait sérieusement réfléchi à la question.

Il lâcha un soupir de soulagement avant de retourner vers le bar.

— Je ne savais pas ce que vous aimiez, alors j'ai commandé un peu de tout. Des crêpes au fromage, des toasts, des œufs cuits de neuf façons différentes, des bagels, des... On ira plus vite si vous me dites ce que vous voulez. J'irai le chercher dare-dare. Ce que vous laisserez, on le donnera aux deux Démones.

— Je suis sûre qu'elles apprécieront.

— Ah, ça, vous n'avez pas idée à quel point. Ils sont en train de devenir dingues en cuisine, parce qu'elles commandent quelque chose toutes les cinq minutes. On a dû appeler en renfort des cuisiniers d'autres casinos et de plusieurs restaurants, juste pour répondre à leurs besoins !

Kat éclata de rire puis alla prendre un toast.

— Œufs brouillés, bacon, toasts et jus de fruits, ce sera parfait.

— Bien. Installez-vous.

Kish lui désigna un tabouret devant le bar.

— Confiture ? Jambon ? Beurre ?

— Rien de tout cela, merci.

Kit le considéra pendant qu'il préparait le plateau, se demandant ce qui avait conduit quelqu'un d'aussi peu banal à se mettre au service de Sin.

— Il y a longtemps que vous travaillez pour Sin ?

— Quelques milliers d'années, à une dizaine d'années près.

Cette réponse la laissa sans voix. Elle avait cru Kish humain.

— C'est vrai ? dit-elle enfin.

— Oui. Et c'est pour ça qu'il a confiance en moi.

Il posa devant Kat une assiette et des couverts en argent.

— Mais vous êtes humain, non ?

— Je suis effectivement humain, sauf quand je me réveille le matin. Là, je n'ai pas grand-chose d'humain.

En temps ordinaire, Kat aurait ri, mais elle était trop intriguée par ce mystère.

— Si vous êtes simplement un homme...

— ... comment se fait-il que je sois vivant après tant de temps ?

Il sourit et lui fit un clin d'œil.

— Je lis dans les esprits.

272

Il prit le temps de servir les œufs brouillés avant de poursuivre :

— Il y a des lustres, j'ai conclu un très mauvais marché avec un Démon. J'ai échangé mon âme contre l'immortalité et la richesse.

Il regarda Kat droit dans les yeux, et elle vit dans les siens toute la gratitude et l'admiration du monde lorsqu'il précisa :

— Sin m'a sauvé.

— Comment cela ?

— Je n'ai pas demandé les détails. J'avais trop peur de découvrir ce que ça lui avait coûté. Tout ce que je sais, c'est qu'il a obtenu ma liberté. Je suis auprès de lui depuis. Il n'y a rien que je ne ferais pour cet homme.

La loyauté de Kish forçait le respect. Tant de gens, dans de telles circonstances, se seraient montrés ingrats, se seraient retournés contre leur sauveur à la première occasion. Kish n'était pas fait de ce bois-là. Il n'avait jamais oublié ce qu'avait fait son bienfaiteur et se considérait toujours comme son débiteur.

— Comment vous êtes-vous rencontrés ?

— Comme Damien et lui. C'est-à-dire que j'essayais de le tuer.

Elle ne s'était pas attendue à cette réponse.

— Sin vous a quand même épargné ?

— Ouais. Marrant, non ? dit Kish en riant. Sin baigne dans la mort en permanence, et croyez-le ou non, il sauve tous ceux qu'il peut sauver. Je n'avais pas encore été mordu par mon Démon, alors j'étais récupérable. La plupart de ceux qui bossent pour lui ici lui doivent la vie d'une façon ou d'une autre.

Extraordinaire. Sin, qui se méfiait de tous, qui gardait ses distances avec les gens, était en fait un être débordant de compassion. Alors qu'il avait été si souvent et si cruellement trahi, il n'hésitait pas à voler au secours de ceux qui étaient dans la détresse.

Elle ne l'en aimait que davantage.

— Expliquez-moi comment vous avez pu rester en vie.

— Sin était le dieu du calendrier. Artémis lui a pris ses pouvoirs, mais pas tous. En particulier, elle lui a laissé celui de la gestion du temps. Il est donc capable de stopper le vieillissement. Pas de façon aussi efficace que lorsqu'il était un dieu sumérien, mais suffisamment pour me garder en vie et jeune.

Chouette pouvoir, songea Kat.

— Ne peut-il pas faire cela pour Damien ?

— Non. Ils ont essayé une fois, et Damien a failli en mourir. Il a été frappé par un sort, et ça, Sin ne peut rien y changer.

— S'il vous a sauvé, vous, c'est parce que vous étiez un homme bon...

— J'étais la pire des ordures ! s'écria Kish en pouffant. Un menteur, un voleur. Pour quelques sous, j'aurais tranché la gorge de n'importe qui. Homme, femme, enfant. Je ne suis pas fier de ce que j'étais, Kat. Si Sin m'avait tué, je n'aurais eu que ce que je méritais.

Il s'interrompit, son regard soudain troublé errant sur les murs de la pièce.

— Je n'ai jamais compris pourquoi il m'avait sauvé, dit-il enfin. Les dieux savent que je n'étais pas digne de l'être. La compassion était pour moi un concept inconnu jusqu'à ce que Sin m'épargne.

Plus elle en apprenait sur Sin, plus Kat était émerveillée. Curieuse de savoir pour quelle raison il avait préservé la vie de Kish, elle posa la main sur le bras de ce dernier et se concentra. Les images affluèrent aussitôt.

Kish était étendu sur le sol, baignant dans son sang, Sin debout devant lui, tenant dans la main le couteau qu'il lui avait arraché lorsque Kish avait tenté de le tuer.

— Vas-y ! rugit Kish. Achève-moi !

Sin se pencha, l'attrapa par le col de sa tunique et le releva. Puis il riva ses yeux aux siens. Il vit alors ce qu'avait été la vie de Kish jusqu'à cet instant. Une vie de terreur, de souffrance. Celle d'un esclave en fuite qui n'aspirait qu'à la liberté et à un peu de paix.

— La vie n'a que la valeur qu'on lui donne, dit Sin. La tienne ne vaut rien pour toi. Par conséquent, elle ne vaut rien non plus pour les autres. Si je te tuais, personne ne te pleurerait. Est-ce cela que tu veux ?

— Peuh… Ma vie ne m'appartient pas. Elle ne signifie rien pour moi.

— Voilà pourquoi elle n'a d'importance pour personne. Mais si tu pouvais la recommencer du début, serait-elle toujours sans signification pour toi ?

— Je ne comprends rien à tes devinettes. Je ne suis qu'un serviteur.

— Serviteur ou maître, tu n'es pas stupide. Ma question est simple : si je te rends ta vie, la considéreras-tu comme négligeable une nouvelle fois, ou bien comptera-t-elle pour toi ?

Kish ne répondit pas, mais la lueur que Sin distingua dans ses yeux le décida à l'épargner.

Kat lâcha le bras de Kish, le sourire aux lèvres.

— C'est moche d'espionner quelqu'un comme vous le faites, lui reprocha Kish. Et très indiscret.

— Je suis désolée. Je voulais seulement savoir.

— Et vous trouvez que c'est une excuse suffisante pour vous glisser dans mon passé et mes émotions ?

Il semblait réellement contrarié et choqué.

— Pardonnez-moi. Bon sang ! Vous êtes vraiment comme Sin. Je vous promets que je ne recommencerai pas ce petit tour, OK ?

— Ouais. Parce que je n'ai pas apprécié. Qu'est-ce que vous diriez si j'allais me balader dans votre mémoire sans votre permission, hein ?

— Kish, je…

Il recula, la mine renfrognée.

— J'essaie juste de vous dire que ce genre de pouvoir, ce serait bien que vous le gardiez dans votre poche, c'est tout.

Kat leva les mains en signe de reddition.

— D'accord. Mais changez de sujet, sinon je raconte à Sin que vous m'avez vue à moitié nue.

L'expression de Kish s'éclaira tout de suite.

— Je ne remettrai jamais cette histoire sur le tapis. Quelle histoire, d'ailleurs ? J'ai oublié. Je souffre d'Alzheimer. Bon, vous voulez autre chose, ou je range ?

Il montra les mets.

— Vous pouvez en disposer.

Kish poussa aussi vite qu'une luge sur une piste le chariot hors de l'appartement, direction la chambre de Simi et de Xirena. Kat acheva son petit déjeuner d'excellente humeur, puis prit une douche et s'habilla. Elle gagna ensuite le rez-de-chaussée.

Sin était censé être dans le bureau de Damien, mais elle trouva ce dernier assis dans son fauteuil, seul. Il parlait dans son téléphone portable. Il coupa la communication à la seconde où il vit Kat.

— Je ne voulais pas vous interrompre, Damien.

— Vous ne m'avez pas interrompu. J'étais simplement en train de râler.

— À quel propos ?

— À propos de la famille de Sin, qui pensait pouvoir maîtriser les Démons.

— Moi aussi, je râle à cause de ma famille, certains jours. Sauf que la mienne se met dans des colères noires.

Un sourire se dessina sur les lèvres de Damien.

— Vous avez vraiment envoyé un Skotos espionner les Gallus ?

— Pourquoi ? Vous avez une meilleure idée ?

— Non. La seule idée brillante que j'aie eue s'est retournée contre moi, et j'en ai pris plein la figure. Je ne veux pas être de nouveau humilié comme ça.

Au moins, il prenait les choses avec humour, constata Kat avec plaisir. Elle examina le bureau, décoré d'affiches et d'objets de films cultes. Damien semblait si normal, si gentil. Un type tout ce qu'il y avait de banal. Et pourtant, c'était un tueur, un vampire qui vivait d'âmes humaines.

— Imaginez-vous à quel point c'est déstabilisant pour moi de discuter avec un Démon ?

— Et pour moi, de travailler pour un Chasseur de la Nuit ?

— Vous paraissez vous être bien adapté.

— On est tous prêts à tout pour survivre.

— Je suppose. Savez-vous où est Sin ?

— Il est parti il n'y a pas longtemps. Pourquoi ?

— Pour rien. Je me posais juste la question. Où est-il allé ?

— Aucune idée. On discutait du planning de la semaine prochaine, et tout à coup, il s'est crispé, comme quand il flaire un Gallu en vadrouille. Il m'a dit de l'attendre ici et il a filé.

— Et vous l'avez laissé partir seul ?

— Évidemment. Vous savez quelle heure il est ? Il y a dehors un gros truc bien brillant qui s'appelle le soleil. Un Démon carbonisé ne serait plus utile à personne.

— Ah oui… Je n'y pensais plus. Mais pourquoi n'êtes-vous pas venu me prévenir qu'il partait seul ?

— Parce qu'il fait ça tout le temps. À l'avenir, je vous tiendrai au courant de tous ses faits et gestes, comme ça vous pourrez lui couper sa viande, lui lacer ses chaussures et l'emmener faire popo.

Kat hésitait entre l'irritation et l'amusement.

— Je n'aurais jamais cru rencontrer mon alter ego question sarcasme, dit-elle sèchement. Vous ne l'êtes pas tout à fait, mais vous vous en approchez.

— Je prends ça comme un compliment, dit Damien en souriant. Maintenant, si vous voulez bien m'excuser…

Il prit sa veste posée sur le dossier du fauteuil et l'enfila.

— Il faut que j'aille faire ma ronde. À plus tard.

Restée seule dans le bureau, Kat dut lutter contre l'envie perverse d'effacer tous les dossiers contenus dans l'ordinateur. C'eût été puéril. Elle était au-dessus de ça, quand même. Du moins, pour le moment.

Et puis, elle avait mieux à faire que jouer un sale tour au Démon. Avant toute chose, il lui fallait localiser un ex-dieu.

Elle ferma les yeux et se servit de ses pouvoirs pour trouver Sin. Cela fait, elle se téléporta et se matérialisa à quelques mètres derrière lui. En pleine rue. Il maintenait un homme à terre et lui tapait dessus de toutes ses forces. Ce ne fut qu'en s'approchant qu'elle vit que sa victime était un Gallu.

— Sin ! Hé, Sin ! Tu l'as tué.

Il décocha un dernier coup de poing, puis se tourna vers elle. Son expression lui fit froid dans le dos.

Il mit le feu au Gallu avec un plaisir manifeste.

Avant de connaître Sin, elle aurait trouvé qu'il agissait comme un monstre. Mais maintenant, elle savait qu'il ne commettait pas une telle abomination sans une bonne raison.

— Que s'est-il passé ? demanda-t-elle.

— Il était sur le point d'attaquer un enfant.

Quelle horreur. Pas étonnant que Sin ait été aussi furieux.

— Mais tu l'as arrêté à temps, n'est-ce pas ?

— Juste à temps, oui. Une seconde de plus et…

Il secoua la tête.

— Toute mon attention était concentrée sur toi. C'était une erreur. Je ne dois pas me détourner de mon but. Imagines-tu ce qu'il aurait pu faire à cet enfant ?

Kat sentit son sang se glacer.

— Qu'es-tu en train de me dire ?

— Que j'ai besoin que tu repartes sur l'Olympe et que tu y restes jusqu'à ce que tout soit fini.

La colère s'empara immédiatement de Kat. Comment osait-il ?

— Tu peux toujours courir.

278

Mais la détermination qu'elle lisait dans le regard de Sin l'inquiétait. Elle devinait que rien n'allait le faire changer d'avis.

— Tu ne te rends pas compte que ce n'est pas un jeu, Kat ? Des vies d'hommes, de femmes, d'enfants sont en danger. Nous ne pouvons pas prendre ça à la légère.

Si, elle s'en rendait compte, mais qu'il lutte seul contre les Gallus était du suicide.

— Tu n'y arriveras pas sans aide.

— Pff... Je suis seul depuis la nuit des temps. J'ai toujours combattu les Gallus sans personne à mes côtés, et je suis encore là. Crois-moi, Kat, tu dois faire ce que je te demande.

Non, elle n'accepterait jamais cela. Elle ne renoncerait pas à ce qu'il y avait entre eux à cause d'un drame qui aurait pu se produire mais qui n'avait finalement pas eu lieu.

— Sin, tu es intervenu à temps ! Ne sacrifie pas notre histoire sous de fallacieux prétextes !

— Et si je n'étais pas arrivé à temps ? Qu'aurais-tu dit aux parents de l'enfant, hein ? « Désolée, je n'ai pas pu sauver votre fille parce que j'étais trop occupée à tirer un petit coup » ?

Kat fut choquée de l'entendre s'exprimer aussi crûment, mais elle sentit qu'il y avait un sens caché derrière la vulgarité de ses mots.

— Sin, qu'est-ce qui te tracasse réellement ?

— Je ne vois pas ce que tu veux dire, répondit-il, le visage soudain fermé.

— Oh que si, tu le vois. Ce n'est pas seulement ce moment de déconcentration qui te tracasse. Il y a autre chose.

Sin ne voulait à aucun prix que la souffrance qui grandissait en lui prenne davantage d'ampleur. Ce qu'il voulait, c'était rester en colère. La colère, il savait la gérer. C'était un sentiment qui lui était familier. Mais la culpabilité, la peur, les regrets, la tristesse, le sentiment de solitude étaient des émotions qu'il rêvait de supprimer à jamais, car elles étaient synonymes de faiblesse.

Le problème, c'était que lorsqu'il posait les yeux sur Kat, toutes ces émotions revenaient. Et il ne savait comment les chasser sans la chasser, elle.

— Ils ont eu mon frère parce que je ne pensais qu'à toi, Kat. Ton sort me préoccupait davantage que le sien. Et là, je viens de les laisser approcher un enfant. Il m'est impossible de vivre ainsi. J'ai besoin d'avoir les idées claires. Je ne peux pas laisser un sentiment, quel qu'il soit, m'affaiblir.

— Si tu veux, je peux te remettre les idées en place à coups de pied aux fesses tous les jours de la semaine et six fois le dimanche !

Le chagrin qui perçait dans sa voix serra le cœur de Sin.

Il était écartelé. Il n'aspirait qu'à la prendre dans ses bras, mais la partie rationnelle de son esprit lui intimait de n'en rien faire. Kat était un danger pour lui. Mais il ne voulait pas la perdre. Il avait serré sa fille contre lui jusqu'à ce qu'elle rende son dernier souffle. Sa mort l'avait dévasté. Il ne supporterait pas de revivre ce cauchemar avec Kat.

— Tu as été mordue lors d'un combat, alors que moi, je n'ai même pas eu une égratignure. Tu te souviens de ça, Kat ? Tu as failli devenir comme eux.

— D'accord, j'ai fait une erreur ! Nous étions en pleine tourmente et, du coup, j'ai oublié cette morsure. Je ne pensais qu'à Zakar. Tout est de ma faute, alors vas-y, fais-moi un procès !

— À t'entendre, tout est très simple, mais ce n'est pas vrai. Je ne peux pas prendre le risque d'être déconcentré parce que je ne songerai qu'à veiller sur toi. Ce serait le meilleur moyen pour qu'ils nous tuent tous les deux.

— Ohé, Sin, je ne suis pas Ishtar. Je ne serai pas leur victime.

— Tu l'as déjà été, hélas.

— Une sale expérience dont j'ai tiré les leçons. Cela ne se reproduira pas.

— Tu reconnais donc que quelque chose de très mauvais s'est passé, Kat. Je ne courrai pas le risque qu'un autre... incident survienne. Tu vas embarquer tes Démones et partir.

Quelle tête de mule ! songea Kat, furieuse. Pourquoi refusait-il d'entendre raison, bon sang ?

— Donc, l'idée, c'est que je t'abandonne avec une armée de Gallus face à toi ? Ton plan est idiot. Si tu ne veux pas de moi, OK, je suis une grande fille, je peux m'en arranger. Mais garde Simi et Xirena pour protéger tes arrières.

— S'il n'y a que cela pour te faire plaisir, d'accord. Qu'elles restent. Maintenant, file.

Kat comprit qu'il ne reviendrait pas sur sa décision.

— Entendu. Joue le macho si ça t'amuse. Moi, je me retire du jeu.

Elle ne disparut pas d'un seul coup mais lentement, graduellement, sous les yeux de Sin. Le cœur serré par le désespoir, il n'avait qu'une envie : lui crier de rester. Mais il se l'interdit. C'eût été de la folie de la garder auprès de lui. Il n'aurait pas cessé de s'assurer qu'elle n'était pas en danger et serait devenu aveugle aux autres périls, ceux qui menaçaient les humains. Tous les êtres qu'il avait aimés au cours de son existence, il les avait perdus. Il préférait savoir Kat en vie et en bonne santé loin de lui qu'en danger de mort à ses côtés ou, pire, carrément morte.

Tôt ou tard, elle se remettrait de leur rupture. Et lui aussi.

Folle de chagrin, Kat poussa les portes de la salle du trône d'Artémis. Elle avait besoin de sa maman. Sans comprendre vraiment pourquoi : sa mère n'était pas la plus compatissante ni la plus affectueuse des femmes. Et pourtant, elle avait besoin du réconfort que lui prodiguerait sa présence.

— *Matisera ?*

Artémis ne se montra pas. En revanche, Acheron, si. Il sortit de la chambre et fronça aussitôt les sourcils.

— Quelque chose ne va pas ?

Elle réprima son envie de se jeter dans ses bras. Elle préférait garder ses distances. Son père lui rappelait trop Sin.

— Où est Artémis ?

— Là-haut, dans la grande baraque prétentieuse sur la colline. Zeus donne une soirée et Artémis tenait à y faire un saut.

Un saut qui pouvait durer des heures, Kat était bien placée pour le savoir. Quelle guigne !

— Je peux t'être utile, Katra ? demanda Acheron en se rapprochant de la jeune femme.

— Non. Tu es un homme, et en ce moment, je déteste tous les hommes.

— Fort bien, dit-il en reculant. Dans la mesure où le seul fait de me voir semble te faire de la peine, je vais amener ma virilité sur la terrasse, où tu pourras me rejoindre si tu te sens capable de supporter mon manifeste défaut de naissance.

Il sortit et s'assit sur la balustrade, le dos appuyé à une colonne. Kat refoula l'envie de se précipiter sur lui et de le faire tomber sur la pelouse en contrebas. Puis, en son for intérieur, elle sourit : elle n'était pas vraiment en colère contre son père. C'était Sin qu'elle voulait punir.

Elle sortit, et Acheron lui adressa un regard interrogateur.

— Pourquoi faut-il que les hommes soient aussi pénibles, papa ? Je savais que vous l'étiez tous, et pourtant, je suis bêtement tombée amoureuse de l'un d'entre vous ! Pourquoi ? Je suis maso, c'est ça ? On donne son cœur à un type, et que fait-il ? Il vous dit : « Change de disque, bébé. » Vous êtes tous de sinistres blocs de glace. Vous ne vous préoccupez que de vous-mêmes !

Elle avait croisé les bras sur sa poitrine, et Acheron l'imita avant de répondre :

— Tu veux mon avis, ou simplement te défouler sur moi ?

— Les deux.

— OK. Dévide ta tirade et à la fin, tu auras mes commentaires.

Que son père se montre si raisonnable, si posé fit tomber la colère de Kat de plusieurs degrés.

— Non, vas-y. Tu as quelque chose à dire, alors dis-le.

— Je te signale, Katra, que ce n'est pas une histoire d'antagonisme homme-femme, mais un problème relationnel. Tu prétends que les hommes sont froids, mais tu n'as pas la moindre idée de la difficulté qu'il y a à être un homme face à une femme ! Si je commets la sottise de poser la main sur un sein, je suis arrêté illico. Mais sais-tu combien de femmes se sont permis de m'attraper les parties quand l'envie les en a prises, et ce en toute impunité ?

— Papa !

— Navré, ma belle, mais c'est la vérité. Les femmes sont aussi promptes à se servir des hommes que les hommes des femmes. Il est injuste de porter un jugement général sur un sexe ou un groupe en fonction des actes de quelques abrutis. Cela étant dit, qu'a fait Sin pour que tu en viennes à détester tous les hommes ?

— Il ne s'agit pas seulement de Sin ! Pense à ce que grand-père a fait à grand-mère ! Et à ce que...

Elle s'interrompit, les joues empourprées, et ce fut Acheron qui acheva :

— ... j'ai fait à ta mère.

— Je... je ne voulais pas dire ça.

— Non, mais tu l'as pensé et je l'ai lu dans ton esprit.

Zut, elle avait oublié ce don qu'avait Acheron.

— Je suis désolée.

— Mais non, tu ne l'es pas. Tu as beaucoup réfléchi à cela. Et n'oublie pas que tu as hérité de mes dons. Toi aussi, tu sais lire dans les pensées et ressentir les émotions des autres.

Pauvre Kish ! Elle comprenait maintenant qu'il l'ait remise si sèchement à sa place.

— C'est donc si évident que je peux faire ça ?

— Probablement.

— Pas étonnant, alors, que j'irrite les gens.

— Je suis sûr qu'ils ne t'en veulent pas longtemps.

Kat, elle, en était nettement moins sûre, mais elle s'abstint de le dire.

— Pour ta gouverne, ma fille, sache que je n'ai rien fait à ta mère.

— Tu l'as séduite.

— Je l'ai simplement embrassée. Jamais je n'ai eu l'intention de la faire fondre de désir pour moi. En fait, j'espérais qu'elle me tuerait pour avoir osé lui voler un baiser.

Cette confession sidéra Kat : la version d'Acheron ne correspondait pas du tout à celle d'Artémis.

— Je ne comprends pas, papa.

— Jamais de ma vie je n'ai voulu séduire une femme. J'ai passé mon existence à essayer de tenir les gens à distance. Alors, avant de me blâmer pour avoir séduit ta mère et l'avoir rejetée, prends le temps de considérer les faits tels qu'ils se sont réellement passés. J'ai embrassé Artémis une fois, souhaité que cela me vaille la mort, et elle ne m'a plus lâché.

Kat avait du mal à le croire, même si elle devait reconnaître que, présentée ainsi, l'histoire de ses parents tenait la route.

— Mais rien de tout cela, continua Acheron, ne doit avoir d'incidence sur ta relation avec Sin. Ton problème avec lui est simple : il a peur, et toi, tu le pousses à faire un pas qu'il répugne à faire. Pour le moment.

— Tu m'as dit d'aller vers lui !

— Et tu t'es excusée ?

— Oui.

— Alors, accorde-lui du temps, Katra. Quand on a été trahi par tout le monde pendant des siècles, on a tendance à se méfier. Sin a peur d'aimer.

— Comment peut-on avoir peur de l'amour ?

Acheron resta un instant bouche bée avant de reprendre :

— Mais comment ne pas en avoir peur, Katra ? Lorsque l'on aime – un amant, un ami –, on ouvre son cœur, on offre une part de soi-même, on laisse l'autre prendre de la place en soi, et, ce faisant, on lui donne des armes pour nous blesser. Et quand cela arrive, on est en miettes, le cœur déchiré, l'âme saccagée. Car on aime toujours son tortionnaire. Et on se demande, éperdu, ce qu'on a fait pour mériter un tel supplice. Puis on finit par se dire que personne ne nous aimera jamais sincèrement, qu'on sera toujours trahi. Souffrir comme un damné une fois est déjà bien difficile... Alors, quand cela se reproduit encore et encore, on se met en retrait, on se jure que plus jamais on ne se fera piéger. Et on a peur.

La peine qu'elle percevait chez Acheron bouleversa Kat. Les larmes aux yeux, elle se nicha dans ses bras.

Sa fille... sa fille était contre lui, songeait Acheron, trop ému pour parler. Personne, à part Simi, ne l'avait serré ainsi, tendrement, sans arrière-pensée, sans rien attendre en retour. Juste pour lui apporter du réconfort.

Grands dieux, quel bonheur...

— Je t'aime, papa. Je ne te ferai jamais de mal.

— Je sais, bébé, dit-il en lui caressant les cheveux. Laisse à Sin un peu d'espace, afin qu'il fasse la paix avec son passé.

— Et s'il n'y parvient pas ?

— Je le traînerai hors de son casino par la peau du cou et je le battrai comme plâtre pour avoir fait pleurer ma petite fille.

Kat rit à travers ses larmes.

— Je me le rappellerai, tu peux compter là-dessus.

— Chose promise, chose due. Le Sumérien a intérêt à protéger ses fesses.

Une fois qu'elle eut séché ses yeux, Kat s'enquit, curieuse :

— Comment t'occupes-tu quand maman te laisse seul comme maintenant ?

— J'écris des romans sentimentaux.

La réponse avait été si spontanée et énoncée sur un ton tellement neutre que Kat douta que ce fût une boutade.

— C'est vrai ?

— Naaan. Je n'ai pas le talent pour ça, et je ne sais absolument rien de la romance. Je voulais seulement voir ta réaction.

Décidément, l'ironie de son père n'avait pas fini de la déstabiliser.

— Alors que fais-tu ?

— Rien. Je m'ennuie à mourir. Artémis m'interdit d'avoir le moindre truc personnel ici. Pas de guitare, pas de chaîne de dessins animés, pas de bouquin… Mais, de temps en temps, j'en prends un, juste pour le plaisir de la mettre en pétard.

Mais cela n'avait aucun sens ! Pour quelle raison sa mère se montrait-elle si cruelle ?

— Pourquoi te défend-elle d'avoir le moindre objet personnel ici ?

— Parce que cela me distrairait, et elle ne le tolère pas. Ma part du marché que nous avons conclu, c'est que je sois à sa totale disposition. Alors, j'attends en me tournant les pouces, et pour elle, c'est une petite victoire.

— Cela me dépasse que tu supportes ça.

— Je le supporte pour la même raison qui fait que Sin s'est résigné à mourir. Il y a sur terre des milliards de personnes qui ont besoin d'autres personnes pour les protéger de dangers bien plus redoutables qu'un inspecteur du fisc ou un sadique armé d'un couteau. Des dangers qu'aucune arme ne peut éradiquer. Quand je mets dans la balance la vie de tous ces gens, je me dis que ce que je subis est une bien petite humiliation. Et de toute façon, je me suis habitué.

— Peut-être, mais tu es un dieu du destin. Ne peux-tu rien changer à cette situation ?

— Tu raisonnes comme un enfant, Katra. Imagine un mécano réparant le radiateur d'une voiture et, ce faisant, le perçant sans s'en rendre compte, déclenchant ainsi de bien plus gros dégâts dans le moteur. Sur terre, les gens sont connectés les uns aux autres. Il suffit de modifier un détail qui semble sans importance pour bouleverser l'humanité tout entière. Voilà un exemple : si je t'avais empêchée de priver Sin de ses pouvoirs autrefois, il ne serait pas celui qu'il est maintenant, mais un être aussi froid que ta mère.

— Oui, mais son panthéon n'aurait pas été anéanti.

— Crois-tu ? Le destin ne suit pas une ligne droite. Plus tu tentes de lui donner une autre direction, plus tu aggraves ton propre sort. Le destin ne doit pas être changé. Sin aurait perdu ses pouvoirs d'une façon ou d'une autre, et celui qui les lui aurait pris l'aurait peut-être tué. Sin mort, le monde se serait éteint il y a bien longtemps, ou bien les Gallus l'auraient envahi. Mais il y a une infinité d'autres probabilités.

— Si le destin ne peut être changé, comment se fait-il qu'il y ait cette infinité de possibilités ?

— Seuls certains aspects sont déterminés. L'issue ne l'est pas. Il était écrit que Sin perdrait son état de dieu, mais pas quand ni dans quelles circonstances. Chacun conserve son libre arbitre, et personne, pas même moi, ne peut l'altérer.

— Je ne comprends pas, papa.

— Je vais te donner un exemple. Lorsque j'ai rencontré Nick Gautier, il était écrit qu'il se marierait à trente ans et aurait une douzaine d'enfants. Au fur et à mesure que notre amitié grandissait, j'ai perdu la capacité de savoir ce que l'avenir lui réservait. Puis, lors d'un accès de colère, j'ai modifié son destin en lui disant qu'il devait se tuer. Je ne le pensais pas vraiment mais j'étais le dieu du destin, et donc, aussitôt, les événements ont été modifiés de façon qu'il décide de se suicider. La femme qu'il allait épouser a été retrouvée morte dans sa boutique, la vie de sa mère a été prise par un Démon, et Nick s'est tiré une balle devant son cadavre. Et tout cela pourquoi ? Parce que je l'avais privé de son libre arbitre.

Kat commençait à y voir plus clair.

— N'agis jamais sur un coup de tête ou, pire, poussée par la colère, Katra. Et n'essaie jamais d'imposer ta volonté à autrui, sinon, ensuite, tu ne connaîtras plus la paix.

Artémis imposait sa volonté à Acheron depuis des siècles. Apollymi avait subi celle de son mari, et les conséquences avaient été désastreuses pour tous.

Kat voulait Sin de toute son âme, mais s'il ne venait pas à elle de son plein gré, ils ne seraient jamais heureux ensemble.

Telle était la leçon que lui avait apprise Acheron.

— J'ai compris, papa.

— Bien. Tu as gravi le premier échelon.

Probablement. Mais laisser le destin suivre son cours lui coûtait terriblement : elle brûlait d'envie de contraindre Sin à la reprendre.

— Tu es un grand sage, dit-elle à Acheron, qui éclata de rire.

— Uniquement quand il s'agit des autres. Il m'est facile de voir comment leurs existences pourraient être organisées au mieux. C'est nettement moins évident quand il s'agit de la mienne.

Elle l'embrassa sur la joue.

— Merci, papa.

Puis elle tourna les talons et gagna sa chambre. Pour ce faire, elle devait sortir du temple et traverser le dortoir des servantes d'Artémis. La petite alcôve fermée de rideaux qui lui était réservée était la dernière sur la gauche.

D'accord, elle allait donner à Sin tout l'espace dont il avait besoin. Il pourrait réfléchir sans être perturbé par sa présence. Et le jour où il aurait pris sa décision, il l'appellerait.

Elle s'apprêtait à ouvrir les rideaux pour laisser entrer le soleil quand elle entendit un bruit derrière elle. Elle se retourna et vit Xypher. Son expression était dure, fermée. Il traînait un Gallu sur le sol. Le Démon, qu'il tenait par le cou, criait pitié. Xypher était couvert de sang, et tout un côté de sa figure était lacéré de coups de griffes, mais cela ne semblait pas le troubler le moins du monde.

Il jeta le Démon devant Kat et lui donna un coup de pied lorsqu'il tenta de se relever.

— J'ai trouvé cette ordure en train d'essayer de manger une femme sur un trottoir, devant un restaurant. Je me suis dit qu'il pourrait nous filer quelques renseignements, et j'avais raison.

Il saisit le Démon par les cheveux et le secoua avant de l'obliger à regarder Kat bien en face.

— Répète à la dame où Kessar garde la Table du Destin !

— Il la porte autour du cou ! Et il ne laisse personne s'en approcher !

— Ouais. Et Zakar ?

— Zakar est attaché au trône du maître !

Xypher laissa retomber le Démon par terre.

— Pas mal, hein ? demanda-t-il à Kat. Je peux le tuer, maintenant ?

Elle considéra les blessures de Xypher.

— T'a-t-il mordu ? Es-tu en train de muter ?

— Je suis déjà mort, répondit-il en riant. On ne peut pas muter, quand on n'a plus de cœur qui bat.

Ouf. Quel soulagement.

— Alors ? Je peux l'achever ?

Kat regarda le Démon impuissant étalé par terre, hésitante. C'était une chose de tuer lors d'un combat, c'en était une autre de le faire de sang-froid alors que l'adversaire était vaincu. Cela ne semblait pas juste.

— Mais qu'est-ce que tu as ? s'exclama Xypher. Ne me dis pas que tu souhaites épargner ce misérable animal alors que lui ne connaît même pas le sens du mot « pitié » ! Crois-moi, mieux vaut trancher la tête d'un cobra avant qu'il morde.

— Un cobra ne peut lutter contre sa nature profonde. Pourquoi punir cet être qui se comporte en fonction de ce pour quoi les dieux l'ont créé ?

— Bon sang, Katra, on va discuter philosophie, maintenant ? Ou bien tu veux que je lui donne un bisou et que je le lâche ? Comme ça, il te sautera à la gorge tout de suite.

Xypher avait raison. La pitié n'était pas de mise. Elle avait vu de quoi étaient capables ces Démons. Mais était-ce une raison pour agir comme eux ?

— D'accord. Tue-le, mais sans le faire souffrir.

— Mais bien sûr, ma reine, railla Xypher. Je vais me servir d'une lame toute douce…

— Je me passerai volontiers de tes sarcasmes.

— Et moi de ton cœur si sensible.

— Hé, Xypher, rappelle-toi que c'est grâce à mon cœur si sensible que tu as gagné ta liberté.

L'expression ironique de Xypher se fit sévère.

— Ma reine, c'est mon cœur sensible qui m'avait mis dans cette fichue situation. La personne que j'essayais de protéger ne m'a pas rendu la pareille, loin s'en faut. Cette saleté ne faisait que m'utiliser. Alors, suis mon conseil : étouffe dans l'œuf tout élan de compassion que tu pourrais ressentir. Tu me remercieras plus tard.

Sur ces mots, Xypher disparut avec son captif.

Kat ne bougea pas. Elle réfléchissait aux paroles de Xypher. Il avait certainement raison. Tout être était capable de trahir son prochain. Au moins, les Gallus ne faisaient pas semblant, eux. Ils étaient des Démons et l'assumaient. Avec eux, on savait exactement à quoi s'en tenir. Ils ne prétendaient pas vous aimer pour ensuite vous poignarder dans le dos. Ils vous sautaient immédiatement à la gorge. Et ils méritaient un certain respect pour cela.

Ces pensées en amenèrent une autre, proprement terrifiante : Sin savait comment la tuer. Elle lui avait confié un secret que personne, pas même sa mère, ne connaissait. Sa gentillesse envers elle n'était-elle qu'une façade derrière laquelle il dissimulait la trahison qu'il fomentait ?

Non, bien sûr que non.

Mais elle lui avait pris ses pouvoirs. Des siècles durant, il avait cru Artémis coupable de ce forfait, et il venait d'apprendre que la déesse était innocente...

Allons, pas de paranoïa, se morigéna Kat. Jamais Sin ne lui ferait du mal. Jamais ! Il était en plein désarroi, exactement comme elle. Rien d'autre. Elle n'allait pas laisser la peur et la méfiance détruire ce qu'il y avait entre eux.

Mais... qu'y avait-il entre eux ? Pas grand-chose, puisqu'il l'avait renvoyée.

Elle fit taire la vilaine petite voix dans sa tête. Non, elle ne continuerait pas à l'écouter. Elle aimait Sin. Il l'aimait aussi, espérait-elle.

Parce que s'il ne l'aimait pas... il la tuerait.

17

— Ça fait une semaine qu'elle est partie, et tout ce que tu as fait depuis, c'est broyer du noir comme une vache à l'agonie ! persifla Kish.

— Les vaches à l'agonie ne broient pas du noir.

— Qu'est-ce que tu en sais ? Tu fréquentes beaucoup les vaches à l'agonie ?

Sin jeta un regard mauvais à Kish, occupé à nettoyer l'appartement. D'accord, cela faisait effectivement une semaine qu'il n'avait pas quitté le canapé que pour tuer quelques Démons et chercher Kessar et son frère. Sinon, il dormait, mangeait sur le canapé et broyait du noir, oui, toujours couché. Tout cela dans un effort aussi constant que vain de chasser Kat de ses pensées, de sa vie.

Mais elle lui manquait affreusement. Tout lui manquait – le parfum de ses cheveux, de sa peau, le son de sa voix, le contact de sa main sur la sienne. Et même cette façon qu'elle avait de hausser les sourcils quand elle le trouvait idiot.

Par-dessus tout, les rires qu'ils partageaient lui manquaient, ainsi que ses boutades sarcastiques.

Il se sentait vide sans elle. Son absence lui pesait tant qu'il en perdait toute énergie, toute envie de parler. Il voulait qu'elle revienne, et la maudissait pour cela.

Kish ramassa le carton qui contenait une pizza intacte et le mit dans un sac-poubelle en marmonnant :

— Je dis juste qu'une vache à l'agonie pourrait bien broyer du noir.

— Tu pourrais au moins le traiter de taureau à l'agonie, lança Damien en entrant dans la pièce. Ce serait déjà un progrès, comparé à la fillette geignarde qu'on a sur les bras depuis une semaine !

Sin leva les bras et envoya à chacun des deux hommes une décharge de foudre qui les fit décoller du sol. Ils hurlèrent.

— Vous avez d'autres plaintes à formuler, les filles ? demanda Sin en ricanant.

— Aïe ! gémit Kish. Ça fait mal !

— Où exactement ?

— Partout.

Damien se jucha péniblement sur l'un des tabourets de bar.

— Hé, Sin, tu as un miroir ?

— Pourquoi ?

— Parce que ça pourrait t'être utile. Pas étonnant que Kat soit partie. Tu pues, tes cheveux ressemblent à un magma de toiles d'araignée… Et depuis combien de temps tu ne t'es pas rasé ? Pas la peine que tu te battes contre les Gallus. Il suffira qu'ils te reniflent pour tomber raides morts.

Puis il lança à Kish :

— Ne gratte pas d'allumette, il est tellement imbibé d'alcool qu'il s'enflammerait comme un cierge.

— La ferme ! aboya Sin.

Il se leva, prit la bouteille de Jack Daniel's posée sur la table basse puis fila dans sa chambre, espérant échapper aux moqueries de ses deux employés. Hélas, les cloisons étaient minces.

— Ça remonte à quand, la dernière fois qu'il a changé de vêtements ? entendit-il Damien demander à Kish.

— Il me semble que ça date du jour où il s'est lavé...
Le jour du départ de Kat, donc.

Il y eut un cliquetis de verres entrechoqués.

— Merde, il a bu combien de bouteilles ? s'enquit
Damien.

— J'en sais rien : je renouvelle le stock deux fois par
jour.

— Comment fait-il pour chasser les Démons dans cet
état ?

— Probablement comme tu l'as dit : il leur souffle
dessus et ils clamsent.

— Si ce n'était pas si triste, je rigolerais.

— Ouais, moi aussi, surtout si je n'avais pas trouvé ça
sous son oreiller.

Sin frémit : il avait compris ce qu'avait trouvé Kish.
Le pyjama de flanelle de Kat, qu'il gardait comme un
précieux trésor pour en humer le parfum.

Quel pitoyable imbécile il était ! Il s'était fait prendre
comme un bleu. Et maintenant... un autre homme touchait les vêtements de Kat !

Fou de rage, il déboula dans le salon et arracha le
pyjama des mains de Kish.

— Tu permets ? Ce n'est pas à toi.

— Pardon.

Sin se tourna vers Damien.

— Qu'est-ce que tu regardes comme ça ? aboya-t-il.

— Rien. J'essaie juste de t'imaginer en pyjama de flanelle rose. Je suis sûr que tu dois être craquant.

Kish éclata de rire.

— C'est vrai que ça doit lui aller au teint, cette jolie
couleur automnale...

— Mais non, rectifia Damien. Estivale.

Sin leur jeta un coup d'œil glacial.

— Je trouve fascinant que des nanas comme vous en
sachent autant sur les accords de couleurs. Et toi,
Damien, que tu aies corrigé Kish me terrifie.

— Hé, ce n'est pas moi qui dors dans un pyjama rose.

— Heureusement que tu restes concentré sur ton boulot dans mon casino, sinon je te tuerais sur place.

Il regagna sa chambre, ferma la porte et s'adossa au battant. Là, incapable de s'en empêcher, il porta le pyjama à son nez. Comment un simple parfum parvenait-il à l'apaiser et à le mettre au supplice en même temps ?

Kat... il la voulait ici. Avec lui. Être seul le rendait fou. Pourquoi l'avait-il renvoyée ?

Allons, il le savait bien. Il fallait qu'elle soit loin de lui. Il en allait de sa survie. Si Ishtar avait été victime des Gallus, Kat s'effondrerait encore plus facilement, face à eux. Il était hors de question qu'il mette sa sécurité en péril par égoïsme.

Mais sa faiblesse l'écœurait.

Il jeta le pyjama sur le lit et pénétra dans la salle de bains. À la seconde où il capta son image dans le miroir, il comprit ce que Damien et Kish avaient voulu dire : il avait l'air d'un épouvantail.

Les yeux creux à cause du manque de sommeil, le menton et les joues mangés par la barbe, les cheveux sales et emmêlés... Si Kat l'avait vu ainsi, elle l'aurait salement secoué. En plus, il devait empester.

La tête basse, les épaules voûtées, il entra dans la douche. Il devait prouver aux autres qu'il était capable de fonctionner sans Kat. Même s'il n'en avait pas la moindre envie.

Pendant qu'il attendait que l'eau atteigne la bonne température, il appuya le front contre la paroi carrelée, ferma les yeux. Et Kat lui apparut en esprit.

Sin ?

Il avait l'impression qu'elle se trouvait juste derrière lui.

Puis il sentit la douceur de sa main sur son épaule. C'était tellement exquis qu'il se refusait à ouvrir les yeux, de peur de briser le charme.

Tu vas bien, Sin ?

Bof. Ça dépend.

De quoi ?

De ta présence... ou de ton absence quand je me retournerai.

Oh. Tu veux que je m'en aille ?

Il voulait dire non. Pour son bien, Kat devait partir. Et il le pensa de toutes ses forces. *Oui, va-t'en, va-t'en...*

La main ne se retira pas de son épaule. Il entrouvrit les paupières et vit ce qu'il y avait de plus beau pour lui : le visage de Kat. Incapable de se maîtriser, il l'attira contre lui et l'embrassa.

La vigueur de l'étreinte de Sin confinait à la brutalité. Kat avait du mal à respirer. Elle essaya de plonger les doigts dans ses cheveux, ce geste qu'elle aimait tant faire, mais des nœuds les bloquèrent. Elle tenta de forcer ces obstacles, sans succès. Elle lui faisait certainement mal, mais il ne paraissait pas s'en rendre compte : il ne se préoccupait manifestement que de sa bouche, qu'il dévorait fébrilement. Son menton hérissé d'une barbe drue blessait le sien.

Son odeur de whisky la grisait. Elle entendait son cœur battre à tout rompre. Par tous les dieux, comme elle était heureuse... Elle avait eu si peur qu'il la rejette. Son enthousiasme était une merveilleuse surprise.

— Dois-je comprendre que tu es heureux de me voir, Sin ?

Il cilla. La voix de Kat... Elle n'était plus dans sa tête.

Il ne s'attarda pas sur cette anomalie. Le corps qu'il serrait dans ses bras lui paraissait bien réel, et cela seul comptait.

— Oui, je suis heureux. À un point que tu n'imagines même pas.

Par magie, il la dévêtit et, sans perdre une seconde, pencha la tête vers ses seins pour les lécher. Là encore, sa barbe irrita la peau de Kat, mais la sensation de douleur se confondit avec le plaisir des caresses. Elle gémit, ensorcelée par la fougue de Sin, qui trouvait tant d'écho en elle.

L'extase la faisait trembler. Lorsqu'elle avait décidé de revenir, elle s'était dit qu'il la renverrait tout de suite, en lui enjoignant de ne plus jamais revenir. Ou tout simplement, qu'il lui montrerait sans mot dire le ciel d'un index impérieux et lui tournerait le dos, attendant qu'elle disparaisse.

Pas un instant, même dans ses rêves les plus fous, elle n'avait espéré le trouver aussi affamé d'elle qu'elle l'était de lui. Sa façon de la toucher trahissait son désespoir, son incrédulité. Elle lui avait manqué autant qu'il lui avait manqué, constatait-elle, émue aux larmes. Il l'enlaçait si étroitement qu'on eût dit qu'il cherchait à l'absorber en lui.

— Je te veux, Sin. Tout de suite.

Il la souleva, l'appuya contre la paroi de la douche, puis, les deux mains sous ses fesses, la hissa à hauteur de son sexe. Elle cala ses pieds à plat contre la paroi opposée et poussa un long gémissement quand il la pénétra.

Il la regarda et sourit de bonheur en la voyant s'abandonner à lui, tête inclinée en arrière, yeux mi-clos, bouche entrouverte. Puis il se mit à bouger, donnant des coups de boutoir à une cadence dont il savait désormais qu'elle l'appréciait. Les ongles plantés dans ses épaules, elle ahanait avec lui, gémissait, de plus en plus fort. La jouissance s'empara d'eux au même instant, étourdissante.

Lorsque le plaisir reflua, Kat eut l'impression que la cabine de douche tournait tout autour d'elle. Elle se sentait comme ivre, incroyablement légère, repue.

— Voilà un cadeau que je n'avais pas prévu, souffla-t-elle dans un petit rire.

Lentement, elle laissa redescendre ses jambes et posa les pieds dans le bac. Sin se retira d'elle. Il aurait aimé rire lui aussi, mais il n'y parvenait pas. Il venait de gâcher une semaine de son existence à penser à elle, sombrant dans une profonde morosité, ne rêvant que de sentir la main de Kat sur sa joue. Grands dieux, il aurait vendu son âme pour quelques instants avec la jeune femme.

— Que fais-tu ici ? demanda-t-il.

— Xypher m'a révélé quelle était la faiblesse de Kessar, et je me suis dit que tu aimerais la connaître.

Quoi ? C'était là l'unique raison de son retour ? Pendant que lui fonctionnait au ralenti, ne fermait pas l'œil, devenait une vraie loque, elle, elle accomplissait sa mission ?

Il étudia ses traits. Ils étaient bien reposés. Elle n'avait pas eu d'insomnies, pas de crises de larmes. Elle était éblouissante.

Et cela le mettait en colère.

— Ça va, Sin ? s'enquit-elle, alarmée par son air soudain renfrogné.

— Ouais.

— Ah bon ? Moi, je dirais que tu es en pétard. Pourtant, ce que je viens de t'apprendre devrait te faire plaisir.

— Je suis au septième ciel, répliqua-t-il avec un sourire sardonique.

Elle lui donna une petite tape sur la joue.

— Tu es un foutu idiot.

— Un foutu idiot ? C'est tout ce que tu trouves à me dire après une semaine d'absence ?

Elle croisa les bras sur sa poitrine puis le toisa.

— Oui. Ça, et que tu as sacrément besoin de te doucher.

— C'est ce que je m'apprêtais à faire quand tu as débarqué.

— À ce que je constate, tu as pas mal de douches en retard.

— Tu es revenue pour m'insulter ? Parce que si c'est le cas, il y en a deux à côté qui sont plus doués que toi dans ce domaine.

— Je n'en crois rien.

— Pff… Dis-moi ce que tu as appris et barre-toi.

— Non. Pas tant que tu ne m'auras pas avoué ce qui te tourmente.

— Rien ne me tourmente.

— Sin, arrête de bouder et parle-moi.

— Je ne boude pas.

— Si ! Comme un gamin de deux ans !

Elle posa les mains sur ses hanches et fit la moue, avant de lâcher d'une petite voix de bambin :

— Ze ne boude pas, na !

Sin lui jeta un regard noir. Il aurait voulu être en colère, mais l'envie de rire l'emporta.

— Je te déteste, Kat !

Elle lui donna une claque sonore sur les fesses.

— Bon, alors je vais me chercher quelqu'un d'autre à aimer.

Elle recula jusqu'à la porte de la cabine, mais il la retint par le bras. La colère avait repris le dessus sur l'amusement, et cela devait se voir, car Kat se figea.

— Qui ? gronda-t-il.

— Qui quoi ?

— Qui vas-tu chercher ?

Après quelques instants de flottement, elle comprit.

— Oh, bon sang, Sin ! Tu ne crois quand même pas que j'étais sérieuse ? Je suis restée chaste onze mille ans, ce n'est pas pour aller maintenant me faire sauter à droite et à gauche ! Crois-moi, s'il est une chose dont je suis capable, c'est de maîtriser mes pulsions ! Alors, mets ta jalousie dans ta poche et colle ton mouchoir par-dessus, OK ? Parce que je ne veux plus jamais voir cet aspect de ta personnalité. Plus jamais !

Il recula.

— Mais qu'est-ce que je suis censé penser, hein ? Tu parais tellement en forme !

— En forme ?

— Laisse tomber, répliqua Sin en ouvrant le robinet d'eau chaude.

Elle lui saisit la main.

— Attends. Est-ce que tu t'imagines que j'ai eu une semaine facile ? Mon garçon, si tu n'étais pas aussi beau quand tu es nu, je t'écorcherais vif pour avoir osé me dire ça ! J'ai vraiment dégusté à cause de toi. Alors, si tu penses que je suis revenue en rampant pour entendre des âneries, tu vas être déçu. C'est peut-être difficile à concevoir pour toi, mais j'ai ma fierté ! Et tu l'as mise à mal pour la dernière fois, je te le garantis.

Tout à coup, il semblait ravi.

— Je t'ai manqué, Kat ?

— Quoi ? C'est tout ce que tu as retenu de ce que je t'ai dit ?

— Non, mais j'aimerais bien entendre ta réponse sur ce fait précis.

Elle lâcha un long soupir.

— Oui, Sin, tu m'as manqué. J'ai pleuré, je t'ai haï, j'ai eu envie d'imiter Simi et de te dévorer avec de la sauce barbecue… et je n'ai cessé de rêver d'être dans tes bras. Tout en toi m'a manqué. De ce petit son agaçant que tu émets quand tu es contrarié jusqu'à la façon dont tu te presses contre moi quand tu dors. Bon, tu es content, maintenant ?

— Fou de joie, assura-t-il, les yeux pétillants.

Il enlaça Kat et l'embrassa, mais elle ne tarda pas à le repousser.

— J'ai l'impression d'être un yo-yo. Un coup tu me veux, un coup tu me rejettes… Il faut que tu arrêtes de jouer avec moi, parce que je commence à en avoir vraiment marre.

— Je te veux ici, avec moi, Kat. De tout mon cœur. Cette semaine, j'ai été incapable de fonctionner normalement.

— Oh ? C'est vrai ?

300

— Hélas ! Quand tu n'es pas là, je suis deux fois plus distrait qu'en ta présence.

Elle ignorait si c'était un élément positif ou négatif mais, sans l'ombre d'un doute, cela lui plaisait.

— Bien, dans ce cas, prends une douche, parce que tu sens très, très mauvais, dit-elle avec un large sourire.

— Tu exagères !

Elle se pinça le bout du nez entre le pouce et l'index.

— Disons que tu sens... un peu.

— Pff...

Il ouvrit le robinet en grand, se plaça sous le jet d'eau et prit le gant de toilette, qu'il inonda de savon liquide. Pour son plus grand plaisir, Kat le rejoignit sous l'eau, s'empara du gant et entreprit de lui frotter le dos.

— Alors ? Qu'as-tu appris concernant Kessar ? demanda-t-il.

— Que la seule chose qui lui fasse peur est une femme qui s'appelle Ravanah.

— Mais ce n'est pas une femme ! C'est un autre Démon.

— Un Démon vivant ?

— On raconte qu'elle est bien en vie et en pleine santé. Toutefois, personne ne l'a vue depuis des siècles.

— Est-ce un Gallu ?

— Oh non. Elle est unique en son genre.

— Comment ça ?

— Elle se nourrit de la chair des autres Démons. Voilà pourquoi Kessar a peur d'elle.

— Elle pourrait nous être fort utile.

— À condition qu'on la trouve. Mais moi aussi, je serais terrifié si elle était dans les parages. Car, lorsqu'il n'y a pas de Démons à dévorer dans le coin, elle mange la chair des enfants et des femmes enceintes. C'est un monstre de vice.

— Elle m'a l'air charmante. On devrait l'inviter à dîner un soir.

Le côté pile lavé, Kat fit pivoter Sin vers elle pour s'occuper du côté face. Elle avait du mal à se concentrer sur la discussion. Le spectacle du corps nu de Sin lui embrouillait l'esprit et lui coupait le souffle. Il était tellement sexy qu'elle ne songeait qu'à batifoler de nouveau.

— J'allais oublier, continua-t-elle néanmoins, j'ai également découvert où Zakar était détenu.

— Enchaîné au trône de Kessar, qui porte la Table à son cou.

Elle prit le temps de passer longuement le gant sur son pénis avant de demander :

— Tu le savais ?

— J'ai obtenu l'information d'une de mes récentes victimes. Elle ne me l'a pas donnée de très bon gré, mais seul le résultat compte.

— Super. Donc, tous mes renseignements ne servent à rien. Ravie de l'apprendre.

Il prit sa main libre et la pressa contre son buste. Kat avala sa salive avec peine. Dommage qu'il y ait toute cette mousse sur la peau de Sin. Elle aurait bien aimé le lécher, mais le goût sur sa langue n'aurait rien eu d'aphrodisiaque.

Il se pencha et déposa un petit baiser dans son cou.

— Au moins, tu as essayé. C'est déjà beaucoup.

— J'espérais être plus efficace.

— Tu l'as été.

Il s'empara du gant de toilette, ajouta du savon et, prenant Kat par surprise, commença à le faire glisser sur ses seins.

Elle gémit puis se ressaisit.

— Il y a autre chose, Sin.

— Oui ?

Elle dut s'accrocher à ses épaules pour ne pas chanceler. Le manège auquel il se livrait lui faisait tourner la tête.

— Tu sais sans doute que les Dimmes n'apprécient guère les Gallus. Kessar a donc regroupé ses Démons autour de leur tombe.

— Et tu sais où se trouve cette tombe ?

— Oui.

Sin l'embrassa de nouveau.

— Merci, Kat !

— Aaaah ! Je suis donc efficace ?

— Absolument. Maintenant, il faut qu'on mette un plan au point.

— Un plan qui, de préférence, ne s'achève pas par notre mort à tous.

— Ce serait bien, oui.

Elle écarta les jambes lorsqu'il passa le gant entre ses cuisses. Ses va-et-vient insistants finirent par allumer un incendie dans le ventre de Kat, que Sin attisa en lâchant le gant pour le remplacer par ses doigts. Il glissa son majeur au plus profond d'elle, le fit tourner lentement, puis le retira. Kat songea qu'elle n'allait pas tenir longtemps debout, soumise comme elle l'était à la fulgurance de chaque sensation qui partait de son bas-ventre et irradiait dans tout son être. Ses jambes se dérobaient sous elle.

Mais Sin plaqua fermement les mains sur ses hanches pour la stabiliser tandis qu'il s'agenouillait devant elle.

— J'étais tellement pressé les autres fois que je n'ai pas pris le temps de te savourer…

Elle ne voyait plus que le sommet de sa tête, ses cheveux luisants d'eau encore emmêlés et ses épaules carrées. Il avait enfoui son visage entre ses cuisses. De la langue, il déclencha un orgasme auquel Kat crut ne pas survivre tant il fut violent. Elle tendit les bras, s'accrocha au porte-savon d'un côté, au montant de la porte coulissante de l'autre et cria sans retenue. Lorsque le plaisir reflua, elle se prit à espérer que le bruit du jet avait masqué ses cris. Des cris qui reprirent de plus belle quand Sin approfondit ses caresses, joignant les doigts à sa langue. Cette fois, ce fut à ses épaules qu'elle se retint, le corps tremblant, agité de spasmes.

Jamais Sin n'avait autant désiré rendre une femme heureuse. Il voulait faire connaître à Kat ce qu'il y avait de plus ensorcelant dans l'acte d'amour, qu'elle en découvre le moindre recoin de paradis. Lorsqu'elle lui agrippa les cheveux et se pencha sur lui, il comprit qu'elle était au bord de l'extase. Il se releva alors, la redressa et la plaqua contre la paroi, puis il la pénétra.

À l'instant de l'orgasme, qu'ils atteignirent ensemble, Kat plongea ses canines dans la jugulaire de Sin et but son sang, son énergie vitale, sa force, à longues et voraces goulées qui amplifièrent leur plaisir à tous deux.

Enfin, elle détacha la bouche de son cou. Un peu de sang rougit l'eau qui ruisselait sur leurs corps imbriqués l'un dans l'autre.

— Tu es insatiable, Sin.

— Je suis un ex-dieu de la fertilité, l'aurais-tu oublié ? Ces dieux-là sont comme ça.

— Je comprends pourquoi les femmes vous courent après, répondit Kat en riant, avant de se hisser sur la pointe des pieds pour l'embrasser sur la joue. Mais que cela ne te monte pas à la tête, hein !

— Ce ne sera pas le cas. Telle que je te connais, tu te chargerais de me remettre les idées en place dans la minute.

Ils finirent de prendre leur douche, puis Sin convoqua Damien, Kish et les deux Démones charontes. Dès qu'elle vit Kat, Simi glapit de plaisir.

— *Akra*-Katra, tu es de retour !

— Hé oui, Simi, je suis là. Comment vas-tu ?

— Très bien. On a fait un shopping d'enfer, Xirena et moi.

Elle tendit les mains. Elle portait une bague à chaque doigt, pouce compris.

— Tu savais qu'il y avait des boutiques, dans le casino, Katra ? On les a dévalisées !

— Leur chambre ressemble à un entrepôt, maintenant, confirma Kish.

— C'est chouette, les entrepôts, dit Simi. C'est rempli de belles choses dedans.

— C'est pour ça que je leur ai montré le site Container's Store sur le Web, expliqua Kish.

— Ouiiiii ! cria Simi. C'est génial. On a trouvé plein de boîtes pour ranger ce qu'on a acheté au téléachat et tous nos trucs qui brillent.

Sin se racla bruyamment la gorge.

— Cela m'ennuie de vous interrompre, dit-il, mais nous traversons une crise légèrement plus grave que le problème du rangement des bricoles de ces demoiselles charontes. Kat, montre-leur ce qui se passe.

Kat se servit de ses pouvoirs pour faire apparaître le plan de la caverne dans les airs.

— D'après Xypher, Kessar dort ici.

Elle marqua l'endroit d'une croix.

— C'est au fond du corridor, là, qu'il se retrouve avec les autres Démons pour parler stratégie. Quant aux Dimmes, elles sont là.

Elle montra une pièce circulaire assez éloignée de la chambre où dormait Kessar.

— Le problème, c'est qu'il projette de déplacer tous les Gallus dans le secteur des Dimmes, à qui il donnera quarante humains en guise d'offrande. Pendant que les Dimmes mangeront les humains, il leur proposera une alliance. Si les Dimmes acceptent cette alliance, elles débarqueront sur la terre, leur force unie à celle des Gallus.

— Et si elles refusent ? demanda Damien.

— Il a prévu cela. Il percera un grand trou à la surface de la caverne pour que les Gallus s'échappent, puis il abattra les Dimmes.

— Bon sang ! Kessar peut faire ça ?

— Je ne sais pas, avoua Kat. La Table ne marche pas sur Simi et Xirena. Marcherait-elle sur un Démon sumérien ?

— Les seuls qui pourraient répondre sont Anu ou Enlil, dit Kish, or ils sont morts.

— Ce qui nous est très utile, commenta Damien, sarcastique.

— Ne pourrait-on pas leur balancer une bombe atomique sur la tronche ? demanda Kish.

— Ce sont précisément les essais nucléaires qui ont contribué à les libérer. Une bombe atomique ne ferait que les renforcer.

— Pourtant, on peut les brûler.

— C'est un procédé différent. Cela ne fonctionne pas comme une bombe. Une histoire de molécules ou je ne sais quoi, dit Sin. Je ne suis qu'un ex-dieu de la fertilité, pas un scientifique. Je ne sais qu'une chose, c'est que le feu marche mais pas les bombes atomiques.

— Alors, procurons-nous du napalm, proposa Kish.

— Attendez, intervint Kat. Pourquoi ne se sont-ils pas établis sur la terre ? S'ils peuvent sortir par petits groupes, pourquoi, jusqu'à aujourd'hui, n'ont-ils pas choisi de s'installer ici ?

— Ils l'ont fait, dit Sin en s'approchant du plan. Acheron et moi les avons pourchassés chaque fois qu'on a su où ils étaient. Mais Kessar est resté sous terre parce que, là, il est protégé. Ces cavernes sont devenues leur forteresse. Elles sont désormais leur domaine.

— Et ils sont nombreux dedans, ajouta Damien.

— Oui, confirma Sin. Il y en a des milliers. Aller chercher les Dimmes dans ces souterrains serait du suicide.

— Bof, qui a envie de vivre éternellement ? dit Kat en riant.

— Moi, s'exclama Kish.

— Alors, pourquoi m'énerves-tu aussi souvent ? lui demanda Sin.

— Les tendances suicidaires sont inhérentes à mon espèce.

— Finalement, Kytara avait raison, remarqua Kat. On a besoin d'une armée.

— Sur ce point, on est un peu juste, dit Sin. Les Chasseurs de la Nuit ne peuvent pas s'unir : ensemble, ils s'affaiblissent les uns les autres. Quant aux dieux grecs, ils s'en fichent, et ceux qui ne s'en fichaient pas sont morts. Il ne reste que nous.

— Pas pour longtemps, si j'ai bien compris, dit Damien, mais nous mourrons pour une cause juste.

— Ce qu'il nous faudrait, c'est un miracle, déclara Sin.

— Ou au moins un plan qui n'implique pas ma mort, conclut Kish.

Kessar grognait en traînant Xypher enchaîné, lequel luttait de toutes ses forces. Il n'était pas sous sa forme corporelle habituelle. Comment le Démon s'était-il débrouillé pour le capturer, il l'ignorait, mais ce qu'il savait, c'était que s'il réussissait à se libérer, il mettrait ce salaud de Kessar en pièces, lentement.

Il se retourna, cherchant le regard de Zakar. Le dieu des rêves l'avait-il donné ? Probablement. Sinon, comment Kessar aurait-il pu arriver jusqu'à lui ?

Xypher bouillait de rage. Il avait aidé Zakar, lui avait permis de le voir, et le Sumérien l'avait trahi. Au temps pour la solidarité et la gratitude...

Une Démone se jeta sur lui et lui planta les crocs dans la cuisse. Il poussa un cri de douleur et essaya de la repousser, mais Kessar imprima une violente traction aux chaînes qui enserraient ses poignets, le réduisant à l'impuissance.

— Il a mauvais goût ! s'exclama la Démone en recrachant son sang par terre.

— Je ne suis pas vivant, salope ! Mon sang est épais parce qu'il ne circule pas dans mon corps comme celui d'un humain.

— Merci pour la leçon de biologie, dit Kessar en lui donnant un coup de pied dans les côtes.

La Démone s'essuya les lèvres en faisant la grimace.

— À quoi nous sert-il ? Tue-le !

Kessar considéra Xypher comme s'il s'était agi d'un répugnant insecte.

— Il est déjà mort. Je ne crois pas qu'on puisse s'en débarrasser.

Xypher pointa un doigt vers lui.

— Un point pour le génie !

Cette fois, Kessar le cogna encore plus durement, et Xypher maudit *in petto* le sort qui voulait que la sensation de la douleur perdure après la mort. Mais après tout, quelle importance ? Il était habitué.

— Qu'est-ce que tu fous ici ? lui demanda Kessar. Tu espionnes pour le compte de Sin ?

— Qui diable est Sin ?

Encore un coup, et Kessar reprit :

— Ne fais pas ton timide. Tu es venu pour espionner, et le seul qui s'intéresse à cet endroit, c'est Sin.

— Faux. Je jetais juste un coup d'œil quand je me suis aperçu qu'il y avait une flopée de gens en colère, ici. Rien de plus.

Kessar se pencha sur lui et Xypher sut ce qu'il avait besoin de savoir : Kessar portait la Table autour du cou. Un médaillon superbe, rond, en or, qui scintillait.

Il agit si vivement que Kessar fut pris au dépourvu : il attrapa le médaillon, l'arracha et s'échappa en roulant sur lui-même.

Kessar hurla, se précipita sur lui. Xypher se crut perdu. Mais à la seconde où le Gallu agrippait les chaînes, il fut violemment tiré en arrière.

Zakar ? Oui. Et qui ordonna à Xypher :

— Va dire à Sin que la Baguette est dans la maison. Il comprendra.

Instantanément, Xypher fut transféré sur l'Olympe, au milieu du quadrilatère formé par les temples de Zeus, d'Apollon, d'Artémis et d'Arès.

— Mais comment est-ce... marmonna-t-il avant que ses idées s'éclaircissent : il n'y avait qu'une explication.

Afin de le sauver et s'assurer qu'il délivrerait le message à Sin, Zakar s'était sacrifié.

18

Les coudes sur le bar, Sin étudiait le plan en silence pendant que Damien et Kat prenaient des notes sur un bloc, à côté de lui.

Il devait exister un moyen de régler le problème sans que tout le monde meure. Mais il ne parvenait pas à le trouver. Tous les scénarios qu'il imaginait finissaient de la même manière : ils étaient dévorés.

Il pensa tout à coup à quelque chose. Il scruta le plan encore plus attentivement puis demanda :

— Où est la serrure ?

Kat leva les yeux de son bloc.

— Quelle serrure ?

— Celle que je dois réenclencher pour garder les Dimmes dans leur cage. C'est Zakar qui s'en est occupé la dernière fois. Elle devrait se trouver quelque part sur une chaîne, mais je ne la vois pas.

Kat se pencha à son tour sur le plan.

— De quoi a-t-elle l'air ?

— D'une serrure sumérienne.

— Pas drôle. Et je ne la vois pas non plus.

— C'est très mauvais, ça. S'il n'y a pas de serrure, rien ne les arrête.

Sin perçut soudain une présence derrière lui. Les bras couverts de chair de poule, il se retourna, prêt à se battre, et découvrit le Skotos Xypher, dans un état effroyable.

— Grands dieux, que vous est-il arrivé ? demanda-t-il.

— On m'a de nouveau confondu avec un punching-ball. Mais j'ai l'habitude.

Il jeta un coup d'œil au plan.

— Votre frère vient de se condamner à mort pour me sauver.

Sin en perdit le souffle.

— Quoi ?

— Il a fait ça, oui, et nous devons aller le sortir de là tout de suite. Kessar a prévu de l'offrir en sacrifice aux Dimmes. À moins qu'il ne l'ait déjà tué pour le punir de m'avoir libéré.

Ainsi, Zakar n'avait pas totalement muté, songea Sin avec soulagement. Il tentait encore d'agir dans le sens du bien.

— Zakar m'a chargé de vous dire que la Baguette était dans la maison. J'espère que cela signifie quelque chose pour vous, parce que moi, je n'y comprends rien.

Sin secoua la tête. Lui non plus ne comprenait pas.

Puis une petite lumière s'alluma dans son esprit.

— Attendez... La Baguette...

Il fonça vers sa chambre, Kat sur ses talons. Il ne se préoccupa pas d'elle. Tout ce qui l'intéressait, c'était son coffre-fort.

Il en sortit plusieurs rouleaux de parchemin, les posa sur son lit et entreprit de les dérouler.

— Qu'est-ce que tu fais ? s'enquit Kat.

— Tu sais lire le sumérien ?

— Ça remonte à loin, mais oui, j'ai su.

Il lui tendit l'un des parchemins.

— Nous cherchons ce qui a trait à la Baguette du Temps.

— La Baguette du Temps, la Lune Maudite, la Table du Destin... Vous, les Sumériens, vous adoriez vraiment les termes ampoulés, hein ?

— On ne m'a pas demandé mon avis au moment de les choisir.

— Voilà qui me rassure, parce que mon avis sur tes capacités intellectuelles en aurait pris un sacré coup.

Dissimulant son amusement, Sin lui montra son bureau du menton.

— Va t'asseoir là-bas et commence à lire, sinon je te bats avec ma baguette personnelle.

Kat lui décocha un coup d'œil coquin.

— Je pense à de bien meilleures façons d'employer cette baguette, bébé.

Sin lâchait un long soupir faussement désespéré quand Xypher vint les rejoindre. Tous trois se plongèrent dans les parchemins. Au fur et à mesure de sa lecture, Sin se fit la réflexion que les siens avaient été des gens bien ennuyeux, incapables de surcroît de mettre en valeur un bon récit. Ah, le parti qu'aurait tiré un éditeur de l'histoire de Gilgamesh, de nos jours...

Il était sur le point d'abandonner lorsque Xypher s'exclama :

— J'ai trouvé !

Il brandit un parchemin sur lequel était dessinée la fameuse Baguette, qui ressemblait à une dague à la lame tordue.

Sin l'étudia attentivement. Il se rappelait l'avoir vue des siècles auparavant.

— Bon, dit-il enfin, maintenant, la question est : dans quelle maison l'a-t-il mise ?

— Il a dit que vous le sauriez, remarqua Xypher.

Et Sin sut. L'idée était vraiment géniale.

— Dans la tombe d'Ishtar !

— Quoi ? s'écria Kat, soudain très pâle.

Sin était tout à coup aussi blême qu'elle. La perspective de retourner là-bas le rendait malade.

— C'est le seul endroit sûr. Aucun Gallu ne songera jamais à y aller, et de toute façon, elle est bien cachée. Aucun archéologue n'a trouvé cette tombe. Zakar a dû y dissimuler la Baguette après avoir enfermé les Dimmes. J'y vais.

— Attends ! s'exclama Kat. Je t'accompagne.

— Non… commença-t-il en secouant la tête.

— Tu ne dois pas y aller seul, Sin, coupa-t-elle avec détermination.

Il aurait aimé argumenter, mais elle avait raison. De tous les lieux au monde, celui-là était bien le dernier où il eût envie d'aller seul, et Kat le percevait.

Il noua ses doigts aux siens.

— Merci, Kat.

Et ils se transférèrent en une seconde dans la partie la plus reculée du Sahara, dans une caverne à l'entrée fermée par des dunes de sables mouvants et gardée par un sort qui empêchait l'œil des mortels de discerner ce qui se trouvait à l'intérieur.

C'était ici que Sin avait offert à sa fille le repos que lui-même avait toujours été incapable de trouver, du moins jusqu'à ce que Kat entre dans sa vie.

Kat hésita. Ils s'étaient matérialisés à l'intérieur d'une grotte profonde et sombre. Elle entendait des grattements de rongeurs, et il lui semblait que des insectes lui frôlaient le visage. Elle se crispa. S'il y avait une chose qu'elle détestait, c'était bien les rats et les araignées.

Sin leva le bras, et une torche apparut dans sa main. Kat se détendit quand il l'alluma : pas de rats ni d'araignées. Ouf !

Elle regarda autour d'elle et fut stupéfiée par la beauté de l'endroit. Les parois étaient couvertes de peintures – enfants jouant dans des bassins, daims courant dans une forêt… De l'eau coulait d'une fontaine d'or pur dans un angle, encadrée par les images d'un corbeau perché et d'une fillette qui se mirait dans le bassin.

— C'est superbe, Sin.

Sin lui répondit d'une voix nouée par l'émotion :

— Quand elle était petite, Ishtar adorait jouer dans les fontaines et avec les animaux.

Il fit quelques pas, puis s'arrêta devant l'image d'une petite fille qui avait un papillon sur l'épaule. D'une main elle donnait à manger à un faon, de l'autre à un renard.

— Je l'ai trouvée comme ça, un jour. Elle avait quatre ans. Elle a levé vers moi ses grands yeux bleus et m'a dit : « Ne t'inquiète pas, papa, je ne leur ferai pas de mal. »

Kat l'enveloppa de ses bras et le serra contre elle. Elle le sentait si malheureux qu'elle en avait les larmes aux yeux.

— Elle n'était pas vraiment ta fille, n'est-ce pas ?

— Non, mais cela n'avait aucune importance. Dans mon cœur, elle a toujours été mon enfant.

— Je sais.

Il s'éclaircit la gorge avant de poursuivre :

— Je n'ai jamais su qui était son père. Ningal n'en a rien dit et elle avait beaucoup d'amants. Cela aurait pu être n'importe qui.

Non, Ishtar n'était pas sa fille, mais il l'avait toujours considérée comme telle, et pour cela, Kat l'aimait encore plus.

— J'ignore pourquoi Ningal me haïssait. J'ai tout fait pour que ça marche entre nous, mais rien ne lui convenait. On aurait dit qu'elle ne voulait que me blesser, que c'était son grand plaisir.

Kat se tendit brusquement : une pensée venait de lui traverser l'esprit. Elle se mordit la lèvre pour s'empêcher de l'exprimer. Compte tenu de ce que lui avait révélé Sin, il était possible qu'Ishtar ait vraiment été sa fille. Si tel était le cas, Ningal avait fait preuve d'une cruauté effarante en lui laissant croire que son enfant était celle d'un autre.

Cela dépassait l'entendement, que Ningal ait été aussi perverse. Elle avait donné à Sin le coup le plus bas qu'elle pût lui infliger.

Il se détacha des bras de Kat et avança vers un couloir étroit qui conduisait dans une deuxième chambre. Elle le suivit. À la seconde où ils entrèrent, les torches fichées dans les parois s'allumèrent d'elles-mêmes. Les flammes créèrent aussitôt des ombres mouvantes qui prirent la forme d'enfants qui jouaient et d'animaux qui gambadaient.

Kat resta bouche bée, émerveillée par la splendeur du lieu. L'or ruisselait partout. Des pierres précieuses étaient enchâssées dans le sol. Diamants et émeraudes figuraient un gazon étincelant sur lequel dansaient les enfants. Au centre se trouvait un sarcophage en forme de temple. C'était d'une beauté confondante.

Au sommet du sarcophage se dressait un buste d'Ishtar. Ses yeux étaient de saphir. Kat examina longuement le visage avant de conclure en elle-même que Ningal avait bien été un monstre de cruauté : Ishtar ressemblait à Sin comme deux gouttes d'eau.

Les traits profondément marqués par la douleur, Sin posa la main sur le visage de la statue. Devoir ouvrir la tombe le mettait manifestement au supplice.

— Veux-tu que je le fasse ? lui demanda Kat, désireuse de lui éviter davantage de souffrance.

— Non. Elle n'a jamais aimé que des inconnus la touchent. Elle était très timide.

Il ferma les yeux et commença à faire glisser le couvercle du sarcophage. La pierre crissa, et l'écho se répercuta dans toute la caverne.

Kat s'approcha et retint un cri : le corps d'Ishtar était intact. Étant une déesse, elle était restée aussi parfaite morte que vivante. Elle semblait dormir, et Kat, en dépit de toute logique, eut l'impression qu'elle allait soulever les paupières puis se redresser. Elle se demanda si Sin éprouvait la même chose.

Ishtar avait été enterrée dans une robe rouge à l'ourlet constellé de rubis qui mettaient en valeur son teint mat et ses cheveux noirs. Ses mains gantées d'or étaient croisées sur sa poitrine.

Posées sur la Baguette du Temps, elle aussi d'or incrusté de gemmes.

— Comme elle est belle… souffla Kat.

— Je sais, murmura Sin en prenant délicatement la Baguette.

Une larme roula sur sa joue.

— Elle me manque tellement…

Il se tourna vers Kat, l'air éperdu.

— Jamais je ne veux te voir ainsi, Katra, comprends-tu ? Jamais !

Bien qu'elle fût elle aussi bouleversée, elle répondit d'un ton léger :

— Moi non plus, mon vieux, je ne veux pas te voir comme cela. S'il t'arrivait malheur, ça ficherait ma journée en l'air.

Il referma le sarcophage, puis, la Baguette bien serrée entre ses doigts, déclara :

— Maintenant, il nous faut la serrure.

— Et un miracle.

Kessar se tenait devant la serrure, Neti derrière lui. Grand, mince, vêtu de brun foncé, Neti, l'ancien gardien des Enfers sumériens, travaillait désormais pour Kessar, exemple parfait d'une mutation réussie.

— Tu es diabolique, maître.

C'était exact. Il était le maître et il était diabolique, songea Kessar avant d'éclater de rire : la chaîne munie d'une serrure qui retenait les Dimmes captives, il l'avait encastrée dans la poitrine de Zakar. Désormais, le seul moyen pour Sin de sauver le monde serait de tuer son frère.

L'image de Sin déchirant le torse de son jumeau pour lui arracher le cœur le mettait en joie.

Évidemment, c'eût été encore plus jouissif s'il avait pu enlever la petite amie de Sin et encastrer la serrure dans sa poitrine à elle. Mais l'idée était mauvaise : sa mort aurait fait déferler sur lui une armée de Charontes. Non, décidément, utiliser Zakar était de loin préférable. Sin aurait l'impression de se tuer lui-même, en pire.

Kessar regarda Zakar, que la souffrance dévastait : il avait eu la poitrine ouverte. La chaîne qui le reliait à la tombe des Dimmes sortait de son dos.

— Qu'est-ce que c'est que cette drôle d'expression humaine que j'ai apprise hier ? Ah oui. Parfois on est le chien, et parfois on est le lampadaire. Là, tu es le lampadaire, hein, Zakar ?

— Va te faire foutre.

— Non, merci, je préfère les femmes.

Zakar lui cracha dessus mais ne l'atteignit pas.

— Vous autres, les dieux, vous vous croyez tellement supérieurs... continua Kessar. Mais vous pleurez et demandez merci, exactement comme n'importe qui. Vous n'avez pas plus de dignité que le plus misérable des mendiants.

Il attrapa Zakar par les cheveux et tira violemment.

— Je brûle d'impatience de te voir mourir.

Les gémissements de Zakar redoublèrent, ce qui excita Kessar, qui recula.

Bon sang, il fallait qu'il se trouve une femme.

— Neti, surveille-le bien, je reviens tout de suite m'amuser avec lui.

Sin venait de regagner son appartement avec Kat quand la Baguette commença à luire. Deux secondes plus tard, une secousse aussi puissante qu'un tremblement de terre secoua le casino. Des tableaux se décrochèrent des murs et s'écrasèrent par terre.

— Hé ! Qu'est-ce que c'est ? Un essai atomique ? s'écria Damien.

Pris d'un mauvais pressentiment, Sin secoua la tête. Il consulta Kat du regard pour voir si elle réagissait comme lui.

— Non, dit-il à Damien, il s'agit d'autre chose.

— Ça ne me plaît pas du tout, dit Kat.

— C'est peut-être le séisme annoncé depuis si long-temps sur Las Vegas ? suggéra Kish.

La Baguette était toujours lumineuse. Soudain, elle se mit à luire davantage et une grande femme aux cheveux noirs, vêtue d'une longue robe marron, apparut.

Qui était-ce ? se demanda Sin, effaré.

— La serrure lâche, déclara-t-elle en sumérien. Les Dimmes seront libérées dans six crans. Il faut sceller de nouveau leur tombe !

— Six crans ? s'enquit Damien. Qu'est-ce que ça veut dire ?

— Deux heures, répondirent en chœur Sin et Kat, avant que cette dernière se tourne vers lui pour ajouter : Je croyais qu'on disposait de deux semaines ?

— Moi aussi. Quelque chose a dû se passer, et l'horloge du temps s'est accélérée.

— Mais c'est magnifique, feignit de s'extasier Damien. Quelle belle journée !

— Ouais, ajouta Kat. Parfait pour organiser notre attaque, hein ?

Sin traversa le plan de la caverne pour aller chercher sa dernière canne susceptible de tuer les Gallus.

— Il faut qu'on batte le rappel, dit-il, qu'on réunisse autant de monde que possible.

— Ça m'embête d'être négatif, patron, remarqua Damien, mais tous les gens qu'on peut rameuter sont déjà dans cette pièce.

Sin posa successivement les yeux sur Simi, Xirena, Damien, Kat, Kish et Xypher. Une bien petite troupe.

— Il faut qu'on s'arme.

Damien se signa et commença à réciter :

— Je vous salue, Marie, pleine de grâce...

— Qu'est-ce qui te prend ? lança Kish. Tu n'es pas catholique.

— Non, mais je me sens tout à coup très porté sur la religion, et ça me semble une bonne initiative.

Sin haussa les épaules avant de s'adresser à Simi et à Xirena.

— Toutes les deux, vous êtes nos blindés chargés de couvrir les autres afin qu'ils ne succombent pas sous le nombre. Si nous les perdons, personne ne viendra nous prêter main-forte.

— Attends, je viens de penser à un truc ! intervint Kat. Prépare-toi, arme tout le monde. Je reviens tout de suite.

Sin voulut protester, mais elle avait déjà disparu.

Kat se transféra directement sur la terrasse de sa mère, sur l'Olympe. Par chance, Acheron était assis là. Il semblait mort d'ennui.

— Les Dimmes sont-elles déjà sorties ? demanda-t-il sans préambule.

La question la laissa un instant interdite.

— Comment as-tu...

— J'ai perçu la vibration, Katra. Comme la dernière fois où elles ont été à deux doigts de s'échapper. Quant à ce que tu veux savoir et que je lis dans ton esprit, il faut que tu demandes à ta mère. Je ne peux pas bouger d'ici tant qu'elle ne m'y autorisera pas.

— Allons, papa, tu plaisantes.

— Oh que non ! Quand il s'agit d'Artémis, je ne rigole jamais. Je lui ai promis de rester là, alors je reste là à me tourner les pouces. Je ne suis qu'un énorme chien de garde qui s'ennuie. Je préférerais me jeter contre une clôture électrique. Ce ne serait pas pire.

— Où est-elle ?

— Toujours avec son père.

Kat leva les yeux au ciel et jura. Elle détestait aller là-haut.

— Bon, d'accord, dit-elle de mauvaise grâce. Je vais lui parler.

— Bonne chance, fit Acheron en ricanant.

Cette fois, ce fut dans le temple de Zeus que Kat se téléporta. Manifestement, les dieux donnaient une soirée. Elle resta quelques instants dans l'ombre, le temps de se faire une idée de la situation. Apollon se tenait sur la droite, avec Arès et Déméter. Athéna était assise avec Aphrodite et Niké. Hadès était dans un coin avec Perséphone, et Zeus riait avec Hermès.

Ô merveille, Artémis était seule, une coupe à la main. Les autres dieux dansaient gaiement au son de la musique.

Kat se déplaça sans bruit jusqu'à sa mère, qui sursauta quand elle la vit.

— Que fais-tu ici, Katra ?

— Je dois te parler.

Artémis regarda nerveusement autour d'elle.

— Ce n'est pas le moment.

— C'est extrêmement important que tu m'écoutes. Tout de suite.

— Katra…

— S'il te plaît.

Artémis lui décocha un coup d'œil mauvais mais se dirigea vers les jardins.

— Bon, vas-y, Katra. Parle.

— Il faut que tu laisses partir Acheron.

La réponse fut immédiate et péremptoire.

— Non !

— *Matisera*, je t'en prie, les Dimmes sont sur le point de s'évader. Si Acheron nous aide, il pourra faire venir davantage de Charontes et…

— Es-tu folle, ma fille ? As-tu jamais vu ce qui arrive quand les Charontes sont en liberté ? Oh non, tu ne l'as pas vu, sinon tu ne serais plus en vie. Autant lâcher dans la nature des nuées de sauterelles dotées de dents de piranhas !

— Mais Acheron les contrôlerait !

— Et pourrait se faire tuer. Ce que je ne laisserai jamais arriver.

— Et moi, *matisera* ?

— Toi, tu t'en sortiras.

— J'ai besoin d'Acheron !

Artémis leva la main, balayant ses arguments d'un geste.

— Laisse les humains se débrouiller. Il sera toujours temps d'en créer d'autres.

Sur ces mots, Artémis tourna les talons et s'en alla. Kat était sidérée. C'était donc là tout ce que sa mère avait à dire ? « Il sera toujours temps d'en créer d'autres » ?

Mais pourquoi était-elle étonnée ? Qu'avait-elle espéré ? Qu'Artémis se change en Mère Teresa ?

Écœurée, elle revint dans l'appartement de Sin. Celui-ci l'interrogea du regard.

— Ne me pose pas de questions !

— Oh ? Tu as eu une réponse typique d'Artémis, je présume.

— Je t'ai dit de ne pas me poser de questions.

Le cœur lourd, elle s'approcha des armes qu'il avait étalées sur le lit et choisit une petite arbalète. Arbalète dont elle aurait bien aimé tirer une flèche droit dans le cœur de sa mère.

Elle venait de la soulever lorsqu'un éclair illumina la pièce. Bandant aussitôt ses muscles, Kat chercha des yeux la source du danger. Et elle découvrit Deimos, accompagné de quinze autres Dolophoni.

Elle n'aurait pas été plus étonnée si sa grand-mère était apparue.

Sin recula, méfiant.

— Qu'est-ce que c'est ? demanda-t-il.

— Du renfort, déclara Deimos. Katra, j'ai entendu ce que tu as dit à ta mère… et ce qu'elle t'a répondu. Nous ne sommes pas tous aussi impitoyables qu'elle.

— Et puis, ajouta l'une des Dolophoni femelles en souriant, nous battre est ce que nous faisons le mieux.

Après une hésitation, Sin tendit la main à Deimos.

— Bienvenue dans la bataille.

Deimos inclina la tête et prit la main offerte.

— Pour information, sache que je ne t'aime quand même pas.

— Pareil pour moi, Deimos.

Sin s'approcha de la carte établie par Kat à partir du plan de la caverne. D'Alerian, M'Adoc et M'Ordant surgirent à leur tour, laissant Kat bouche bée.

— Vous avez de la place pour trois de plus ? demanda M'Adoc à Sin.

— Oh que oui. Un peu plus de carburant pour le bûcher ne peut pas faire de mal.

— Hé, je ne brûle pas bien, moi, intervint Kish.

Xirena lui renifla les cheveux.

— Crois-moi, humain, tous ceux de ton espèce brûlent vachement bien.

— C'est vrai, ajouta Simi. Je peux même les rendre très croustillants.

— Charmant, lâcha Kish dans un soupir.

Tous les autres avaient rejoint Sin devant la carte.

— La bonne nouvelle, dit-il, c'est qu'ils n'ont pas encore eu le temps de réunir assez d'humains pour le sacrifice. J'espère que lorsqu'ils ont accéléré l'horloge, ils n'ont pas compris les conséquences que cela pourrait avoir.

— Et s'ils l'ont fait exprès ? demanda Damien.

— Soyons positifs, OK ? proposa Kat sur un ton de maîtresse d'école. Faisons comme si nous étions tous sûrs de survivre à cela.

— Je suis avec Kat, approuva Kish. J'aime son plan. Beaucoup.

Sin ramena vers lui l'attention de tous d'un claquement de doigts.

— Bon, les enfants ! Nous allons débarquer dans une soirée où nous ne serons pas les bienvenus. Chacun de vous sait ce qui l'attend ?

— Pas le moins du monde, dit Kish, mais j'ai ma petite idée : mort, dépeçage, pluie d'entrailles, peau écorchée...

— Toujours positif, hein, Kish ? lança Damien en riant.

— On verra si tu continues à te marrer quand ils te jetteront dehors, en pleine lumière du jour !

— Kish a raison, remarqua Sin. Il fait grand jour. Je ne veux pas qu'on prenne de risques.

— Mais nous serons sous terre, objecta Damien.

— Oui, et nous allons faire de grands trous dans les parois. Si la lumière entre, tu es mort, Damien.

Manifestement, Damien était très contrarié que sa faiblesse ait été pointée du doigt. Mais il finit par reconnaître que Sin avait raison.

— D'accord. Mais quand ils te botteront le cul, rappelle-toi que j'ai essayé de te sauver.

Sin lui tapota affectueusement le dos, puis se tourna vers les autres.

— J'aimerais bien trouver quelque chose de très inspiré à vous dire, vous faire un beau discours qui vous galvaniserait, mais tout ce que je vois quand je vous regarde...

— ... ce sont des gens qui vont mourir, conclut Kish.

— Exactement ! s'exclama Kat en riant. En attendant, essayons d'en liquider le plus possible.

Elle s'approcha de Sin et lui prit la main.

— Tu n'es pas tout seul, bébé.

— Merci à tous d'être là, lança Sin en serrant très fort la main de Kat. Les humains ne sauront probablement jamais ce que vous avez fait, mais la gratitude est dans leur nature. Maintenant, allons flanquer une dérouillée aux Démons.

19

C'était une chose de planifier une bataille, c'en était une autre de la livrer.

Kat s'arrêta devant le groupe avant qu'il fonce vers la chambre où se trouvait le tombeau.

— Je vais faire une reconnaissance rapide. Il faut découvrir s'ils savent que la serrure est en train de lâcher et s'ils nous attendent.

Sin enlaça ses doigts aux siens et la fixa intensément pendant une minute.

— Ne t'avise pas de te faire blesser, dit-il enfin.

— Continue à me parler comme ça et je finirai par penser que tu tiens un peu à moi, répliqua Kat gaiement.

— Je t'aime, Kat. Et je ne veux pas avoir à organiser tes funérailles.

Elle savait combien cela avait dû lui coûter de faire cet aveu devant les autres, et cela l'émut profondément.

— Ne t'inquiète pas, je serai si vite de retour pour recommencer à te tourmenter que je n'aurai pas le temps de te manquer.

— J'y compte bien.

Il lui donna un baiser puis la laissa partir.

Elle prit sa forme d'Ombre et flotta le long des corridors de la caverne, invisible et inaudible. Mais elle eut beau s'aventurer dans le moindre recoin, elle neremarqua aucune agitation anormale. Les Démons ne semblaient pas être occupés à regrouper leurs forces.

— Quand commençons-nous à réunir les humains ? entendit-elle tout à coup.

Une voix féminine, autoritaire, provenant d'une salle juste devant Kat, qui s'approcha pour regarder. Kessar et une femme discutaient devant un feu.

— À la fin de la semaine, répondit Kessar. Inutile de les amener ici plus tôt. Je déteste les entendre gémir, pleurer, ces pathétiques créatures geignardes.

Le pouls de Kat s'emballa : il ignorait que la serrure ne tenait plus qu'à un fil ! Formidable. Finalement, la chance était peut-être de leur côté.

Le sourire aux lèvres, elle recula... et heurta une masse solide.

De nouveau, son cœur palpita, mais d'angoisse, cette fois. Elle tendit la main derrière elle et toucha un bras. *Ô dieux, pourvu que ce soit l'un des nôtres...* pria-t-elle *in petto*.

Lentement, elle se retourna, espérant se retrouver nez à nez avec Xypher ou un autre de leur groupe.

Hélas, c'était un grand Démon mâle qui la fixait comme si elle avait été une juteuse dinde de Thanksgiving. Il la voyait, donc. Ce qui n'aurait pas dû être le cas.

— Kessar ! cria-t-il soudain. Nous avons une espionne ! Juste là !

Et il essaya de se saisir de Kat, mais elle se téléporta instantanément et réapparut devant Sin.

— Allô, Houston, gros problème ! débita-t-elle d'une traite. Un Démon m'a démasquée et a donné l'alerte.

Sin jura.

— Mais, poursuivit Kat, la bonne nouvelle, c'est qu'ils ne sont pas au courant, pour la serrure. Ils ignorent que le débit du temps s'est accéléré.

— Avec un peu de veine, ils penseront que Kat était seule, dit Deimos à Sin.

— Ouais. Il faut qu'on se sépare, de façon qu'ils ne puissent pas déterminer combien nous sommes. Kish, tu restes avec Simi et Xirena, et vous nous suivez, Kat et moi. On va aller à la tombe pour arrêter l'horloge.

— Nous, on va distraire les Démons, dit Deimos. On fera un sacré foin.

— Merci.

Deimos inclina la tête puis demanda à ses compagnons :

— Vous êtes prêts ?

Manifestement, ils l'étaient. Les Dolophoni poussèrent en chœur un hurlement de guerre à glacer le sang avant de foncer droit dans le corridor. Heureusement que les dieux ne se trouvaient pas sur une montagne enneigée : un tel vacarme eût à coup sûr déclenché une avalanche.

M'Adoc s'était bouché les oreilles. Il n'abaissa ses mains que quand les Dolophoni eurent disparu.

— Je déteste leur goût pour les effets dramatiques et les taux élevés de décibels.

Cela étant précisé, il partit à la suite du gros de la troupe avec D'Alerian et M'Ordant.

— Où est Xypher ? demanda Kat après avoir balayé la caverne du regard.

— Il est allé jeter un œil sur toi.

— Je ne l'ai pas vu.

— Parce que je faisais ma petite reconnaissance perso, déclara Xypher.

Sin et Kat pivotèrent d'un bloc vers lui. La pâleur du Skotos les alarma.

— Où étiez-vous ? interrogea Sin.

— Je sais pourquoi l'horloge est déréglée, et ça ne va pas vous plaire. Zakar. Ils ont incrusté l'horloge dans sa poitrine.

— Quoi ? Vous n'êtes pas sérieux ? demanda Sin, soudain nauséeux.

— Si. Je suppose donc que ce qui fait accélérer l'horloge, c'est…

326

— ... le fait que Zakar soit mi-Démon, mi-dieu. La combinaison des deux a dû détraquer l'horloge.

Xypher approuva d'un hochement de tête.

Le cœur de Kat s'était serré. Pauvre Zakar, qui avait déjà enduré tant de souffrances et subissait maintenant ce nouveau supplice !

— Pourrions-nous extraire l'horloge de sa poitrine ? s'enquit-elle.

— Vous pouvez essayer, mais je doute que ce soit possible.

— Je sais pourquoi Kessar a fait ça, reprit Sin. C'est sa façon à lui de me faire payer la mort de son frère.

— Et il punit Zakar pour m'avoir aidé, ajouta Xypher d'une voix morne. Foutu salopard.

Kat posa la main sur le bras de Sin. Un geste de réconfort qu'elle savait pourtant vain, compte tenu de l'ampleur de son affliction.

— Conduisez-nous à lui, Xypher, dit Sin.

Quelques instants plus tard, tous trois étaient auprès de Zakar.

Il était à genoux près de la tombe qui retenait les Dimmes prisonnières. Il ne portait qu'un jean et était enchaîné, bras écartés, à la paroi de pierre.

Sin se précipita vers lui.

— Zakar ?

La souffrance qui habitait les yeux de son jumeau était insoutenable. Sin aurait donné n'importe quoi pour le soulager.

— Tu comprends ce qu'ils ont fait, Sin ?

— Oui.

— Alors tue-moi ! Mets un terme à mon supplice. Je ne mérite pas d'être sauvé.

— Non, je ne te tuerai pas.

— Katra, dites-lui ! Nous n'avons pas le temps de discuter. Les Démons arrivent, je les entends. Dites-lui de me tuer, je vous en supplie.

Demander à Sin de tuer son jumeau ? Kat ne pouvait s'y résoudre. C'eût été la pire des cruautés. Et l'aboutissement du plan de Kessar.

Elle réfléchit. Parmi tous les pouvoirs qu'elle avait, n'y en avait-il vraiment aucun qui soit susceptible d'arrêter le processus ?

Une idée jaillit dans son esprit.

Elle s'approcha de Zakar et examina la façon dont l'horloge avait été incrustée dans sa poitrine. Quelle horreur ! Kessar avait vraiment tout fait pour que la douleur soit atroce.

Elle capta le regard plein d'espoir de Sin.

— Simi peut retirer le cadenas, et moi, refermer instantanément la plaie, dit-elle.

— Tu en es sûre ?

— Absolument.

Sin prit le visage aux traits ravagés de son frère entre ses mains.

— J'ai confiance en toi. Reste avec moi et je te sortirai de là.

Une lueur d'espoir passa alors dans le regard de Zakar. Simi s'approcha de lui, attrapa la chaîne qui sortait de son dos et lui dit :

— Ça va faire très, très mal, annonça-t-elle. Je suis désolée.

Et elle arracha la chaîne. Zakar hurla et s'effondra en avant, dans les bras de Sin. Du sang jaillit de sa bouche.

— Je m'occupe de lui, Sin. Concentre-toi sur l'horloge.

Sin obéit. Kat posa la main sur le dos de Zakar, ferma les yeux et rassembla ses pouvoirs. Il fallait qu'elle referme cette plaie au plus vite, sinon le blessé n'en réchapperait pas.

Sin s'apprêtait à insérer la Baguette dans la serrure du cadenas quand elle s'envola de ses mains. Quant à Kat, elle constata avec effroi que ses pouvoirs demeuraient sans effet. Zakar ne guérissait pas. Mais pourquoi ?

La réponse s'imposa à elle : Kessar.

Il se dressait sur le seuil et tenait le cadenas.

— Vous n'avez quand même pas cru que vous alliez remporter si facilement la victoire, n'est-ce pas ? lança-t-il à la cantonade. Que vous pourriez envoyer vos sbires attaquer mes Démons et que moi, j'ignorerais où vous trouver ? Pff... Lamentable.

Sin fondit sur lui, mais Kessar le projeta à terre sans même le toucher. Xypher, qui prit le relais de Sin, subit le même sort.

— Je détiens la Table du Destin ! Vous n'avez aucun pouvoir.

— N'importe quoi, riposta Xypher. Je te l'ai prise.

Et il sortit le médaillon de sa poche.

Kessar éclata de rire, tendit le bras, et tous virent se balancer, accroché à un bracelet autour de son poignet, le même petit médaillon.

— Tu me croyais donc si bête ? Si tu m'avais vraiment pris la Table, je t'aurais pourchassé dans tout l'Olympe jusqu'à ce que je l'aie récupérée. Je le répète, tu n'as aucun pouvoir, et les autres non plus.

— Moi, j'ai les miens, intervint Xirena d'un ton guilleret.

— Moi aussi, ajouta Simi.

Mais les deux Démones n'eurent pas le temps de faire un pas : Kessar avait reculé et les avait tous enfermés dans la salle. Un gigantesque panneau de pierre obstrua la porte en un éclair. Kat se précipita, essaya de le déplacer et comprit que même un éléphant n'y serait pas parvenu.

— Bons dieux, je n'arrive pas à y croire ! s'exclama-t-elle. Nous sommes coincés ici avec les Dimmes ! Et la Baguette est de l'autre côté ! Sin, à ton avis, dans combien de temps retrouverons-nous nos pouvoirs ?

— Si je me base sur ce qui s'est passé la dernière fois, quelques heures.

— Oh, parfait. Et de combien de temps disposons-nous avant que les saletés dans la tombe se réveillent ?

— Deux heures, pas davantage.

— Le moins qu'on puisse dire, c'est qu'on est dans un sacré merdier.

Sin avait pris Zakar dans ses bras et le serrait contre lui. Kat était au bord des larmes. Elle s'approcha et massa doucement le dos de Sin.

— Je suis navrée. Je ne me doutais pas que ça tournerait comme ça.

— Je sais.

Zakar était perdu ; eux, piégés. Quel désastre ! songea Kat en se laissant tomber à côté de Sin. Elle l'enlaça. Il ne lâcha pas son frère.

— *Akra*-Kat ?

— Oui, ma Simi chérie ?

— Simi va aller chercher son *akri*. Il va venir et arranger les choses.

Si seulement cela avait pu être aussi facile... Mais Acheron était aussi coincé qu'eux.

— J'ai déjà essayé ça, Simi.

— Hé, pourquoi on n'enverrait pas les deux Charontes récupérer la Baguette ? suggéra Kish.

Ce fut Xypher qui répondit.

— On ne peut pas les envoyer dehors seules. Il y a trop de Démons, de l'autre côté. Deux contre des milliers, ce serait un carnage.

— Je vais chercher mon *akri*, répéta Simi.

Et elle se volatilisa.

Sin était resté muet. Il serrait son frère contre lui, et sur ses traits s'affichait toute la détresse du monde.

— Je ne comprends pas ta mauvaise humeur !

Acheron leva les yeux au ciel.

— Je ne suis pas de mauvaise humeur, Artie. Je suis de mon humeur habituelle quand tu es dans les parages. Il n'y a rien de nouveau sous le soleil.

La déesse n'eut pas le temps de répondre : Simi venait d'apparaître devant le canapé sur lequel elle était allongée.

— Oh non ! Acheron, flanque cette chose dehors avant qu'elle ne souille mon tapis !

— Tu n'as pas de tapis, fit remarquer Acheron, contrarié par la désobligeante remarque de la déesse.

— Mon dallage, alors.

Simi siffla en direction de la déesse. Un long et menaçant sifflement de serpent.

— Qu'est-ce qu'il y a, mon bébé ? demanda Acheron à Simi. De quoi as-tu besoin ?

— *Akra*-Katra a de gros ennuis. Les Démons les ont enfermés et ils n'ont plus de pouvoirs. *Akra*-Katra va se faire manger !

Artémis se leva d'un bond et, livide, vint se placer face à Simi.

— Qu'est-ce que tu racontes ? Katra n'a plus de pouvoirs ?

— Non. Ils ont pris le médaillon qui aspire les pouvoirs des dieux et ils s'en sont servis contre *akra*-Katra. Et maintenant, ils vont la tuer.

Artémis disparut en un éclair, mais réapparut tout aussi promptement.

— À la réflexion, ce serait bien que tu m'accompagnes, Ach.

— Attends, attends... Tu me libères de ma promesse, là ? C'est bien ça ?

— Oui ! Et maintenant, viens m'aider à protéger ma fille !

Kat, qui avait les yeux rivés au sol, sursauta lorsqu'une grande ombre s'étira soudain devant elle. Elle releva la tête, et son cœur manqua plusieurs battements.

— Acheron ! Tu es venu !

D'un geste du pouce par-dessus son épaule, il montra Artémis.

— Il n'y a rien de plus redoutable qu'une maman ourse qui s'inquiète pour son petit.

Il vit Zakar dans les bras de Sin et fronça les sourcils.

Sin lâcha son frère, mais ne se jeta pas sur la déesse. Il resta là où il se trouvait.

— Que s'est-il passé ? demanda Acheron.

— Kessar l'a tué, dit Kat, et il m'a privée de mes pouvoirs. Je n'ai pas pu le ramener à la vie.

Acheron croisa le regard désespéré de Sin.

— Ne t'en fais pas, Sin. Tu as déjà perdu assez d'êtres chers comme ça. Je ne permettrai pas que cela t'arrive encore.

Il s'agenouilla devant le cadavre, posa la main sur la poitrine béante et, quelques secondes plus tard, Zakar se redressait et se mettait à tousser.

Une expression d'intense soulagement se peignit sur le visage de Sin.

— Merci, Acheron, merci.

— Peux-tu arrêter les Dimmes ? demanda Kat à son père.

Acheron se gratta le menton tout en réfléchissant puis déclara :

— Je n'ai aucun contrôle sur la Baguette parce qu'elle n'est pas atlante. Seuls Sin ou Zakar peuvent neutraliser les Dimmes.

Sin aida son frère à se mettre debout. Zakar respirait avec peine, mais il était bien vivant, et cela seul comptait. De surcroît, chacune de ses inspirations semblait le régénérer.

— Il nous faut nos pouvoirs, dit Sin à Acheron, lequel se tourna vers Artémis.

Elle posa un regard vide sur les trois hommes.

— Quoi ? Qu'est-ce qu'il y a ?

— Même affaiblie, Kat peut absorber des pouvoirs, expliqua Acheron sans cacher son agacement. L'un de nous deux va devoir partager les siens avec elle, et l'autre aller reprendre la Baguette à Kessar puis la rapporter ici.

— Jamais je ne toucherai ce Démon ! s'exclama Artémis. Il est répugnant.

— Dans ce cas, Artie, comme je viens de le dire, il faut que tu partages quelques-uns de tes pouvoirs avec Kat et Sin.

La déesse était mécontente. Elle détestait partager quoi que ce soit.

— Bon, concéda-t-elle sans enthousiasme. Mais qui va protéger Kat si tu ne réussis pas à reprendre la Baguette ?

— Simi. De toute façon, fais-moi confiance, je réussirai.

Kat n'était pas aussi optimiste que son père.

— Que se passera-t-il si Kessar absorbe tes pouvoirs avant que tu t'empares de la Baguette ?

— Il faut espérer que la Table ne peut pas faire cela. Ou qu'elle me laissera assez de puissance pour créer pas mal de dégâts.

Dans les circonstances présentes, Kat n'aimait pas le mot « espoir ». Elle préférait nettement « certitude ».

— L'espoir n'est pas ce dont on a besoin en ce moment.

— Mais si, le moment est parfait : plus une situation est moche, plus l'espoir est nécessaire.

— Vous savez que quelque chose va aller de travers, remarqua Sin.

— Probablement, concéda Acheron, dont les yeux d'argent scintillaient. C'est toujours comme ça.

Artémis croisa les bras sur sa poitrine et déclara :

— Ce plan ne me plaît pas. Je veux garder mes pouvoirs.

— Artie, il n'y a pas de plan B, objecta Acheron, et pas assez de temps pour en élaborer un.

Il montra la tombe.

— Il te serait plus facile de négocier avec Apollymi qu'avec les Démones qui sont là-dedans. Le seul qui puisse les retenir, c'est Sin, et il a besoin de ses pouvoirs pour y arriver.

Kat s'adressa à sa mère.

— S'il te plaît, nous avons besoin de toi. *J'ai* besoin de toi.

À contrecœur, Artémis tendit la main à Kat, qui ressentit une profonde bouffée de gratitude : pour une fois, la déesse se montrait raisonnable.

— Vous avez intérêt à me dire merci, lança celle-ci à la cantonade.

Kat s'approcha de Sin, mais il eut un mouvement de recul.

— Es-tu sûre de vouloir me rendre ce qui m'appartient, et non me priver du peu qu'il me reste pour le donner à Artémis ?

Kat comprenait qu'il ait peur. Pourtant, elle ne put s'empêcher de le taquiner.

— Difficile de me faire confiance, hein ?

Sin était carrément terrifié. Kat pouvait le tuer, mais ce n'était pas ce qu'il craignait le plus. Si jamais elle le trahissait... Ô grands dieux, jamais il ne s'en remettrait. Depuis qu'il était amoureux de Kat, il était encore plus vulnérable qu'avant. Les souffrances qu'il avait endurées durant tant de siècles ne lui donnaient qu'une envie : s'enfuir en courant.

Mais après avoir longuement scruté l'expression de la jeune femme, il rendit les armes. Elle était sincère. Elle ne lui ferait aucun mal, du moins intentionnellement.

Il devait se décider.

Le cœur battant à tout rompre, il prit la main de Kat et attendit, fou d'angoisse.

Kat ferma les yeux. Elle frémit quand elle sentit une sorte de décharge électrique lui traverser le corps : le contact était établi. Il lui restait maintenant à faire le tri parmi les pouvoirs propres à sa mère et ceux qu'elle avait volés à Sin. Dès qu'elle les eut trouvés, elle les aspira et les restitua à son amant.

— Hé ! Tu m'affaiblis trop, Katra ! s'écria Artémis.

Sin était effaré : non seulement Kat ne l'avait pas trahi, mais elle lui avait rendu toute sa puissance de dieu. Et cela lui faisait un bien fou.

Il porta sa main à ses lèvres et l'embrassa.

— Hé là ! rugit Acheron. Si tu veux que ta bouche reste attachée à ta figure, tu ferais bien de l'éloigner de la peau de Katra !

Sin lâcha la main de Kat en riant.

— Désolé, Acheron. Bon, je suis prêt pour la bataille.

— OK. Allons-y.

Acheron sentait l'adrénaline courir dans ses veines tandis qu'avec Zakar, qui allait prétendre être Sin, il marchait au combat. L'odeur du sang imprégnait l'atmosphère. Il se lécha les lèvres avec gourmandise. L'envie de sang le dévorait. Il était avide de goûter ce qu'il humait. Il lui était difficile de tenir en laisse la bête qui vivait en lui, surtout au cours des batailles. Il était affamé. Depuis quand ne s'était-il pas nourri ? Il aurait dû mordre un peu Artémis avant de se lancer. Maintenant, c'était trop tard.

Il entra dans la caverne principale. Les Dolophoni étaient toujours là, mais deux d'entre eux gisaient sur le sol. M'Adoc, dans un coin, mettait en pièces deux Démons à coups de dague.

Acheron croisa le regard de D'Alerian à l'instant où un Démon fondait sur l'Oneroi. D'Alerian tua son agresseur, mais deux autres Gallus l'assaillirent. Les incisives d'Acheron jaillirent de ses gencives à la seconde où son corps passa en mode combat. Il attrapa le premier Démon, lui déchira la gorge d'une main avant de le jeter par terre, puis se tourna vers le deuxième et lui décocha une décharge de foudre entre les deux yeux.

— Kessar ! hurla-t-il à l'intention de Zakar quand il aperçut le chef des Gallus parmi ses troupes.

Kessar se pétrifia, incrédule : il s'était attendu à tout sauf à voir Acheron. Il saisit le médaillon accroché à son poignet, le brandit et commença à réciter une litanie en sumérien. Ce qui déclencha l'hilarité d'Acheron.

— Qu'est-ce qui te fait croire que tes vieilleries d'incantations auront de l'effet sur moi ?

Kessar ne se tut pas.

Acheron fonça sur lui, déterminé à s'emparer du médaillon, referma les doigts dessus et lâcha une bordée de jurons : il s'était brûlé. Il avait oublié que les emblèmes des autres panthéons ne lui réussissaient jamais. Mais cela n'avait aucune importance. La douleur, il pouvait la supporter.

Il attrapa donc la Table et serra les dents tant la souffrance était effroyable. Elle l'affaiblissait un peu, mais il lui restait quand même une sacrée dose d'énergie.

Il lança la Table à Zakar, puis fonça sur Kessar, qui recula en vacillant, avant de se ressaisir et d'émettre un ricanement diabolique.

Un mauvais pressentiment s'empara d'Acheron.

— Qu'est-ce qui te fait rigoler ?

Le Démon se pencha pour lui souffler à l'oreille :

— Amener Zakar ici et lui confier la Table couverte de ton sang, quelle bonne idée… En faisant cela, tu as ouvert la tombe des Dimmes. Félicitations, Apostolos, tu es le messager du *Telikos*… la fin du monde.

20

Le grondement de la tombe fit à Kat l'effet d'une décharge électrique. Avec Artémis, elle bascula en arrière contre Kish, qui écarquilla les yeux en entendant les vibrations. Des pans de la voûte s'abattirent sur eux tandis que le bruit s'amplifiait.

Kat regarda Sin. Son expression confirma ses craintes.

— Je t'en prie, dis-moi que la caverne a seulement un petit problème de digestion, lui dit-elle.

Sa boutade n'allégea pas l'atmosphère : des cris aigus résonnaient. Les Dimmes sortaient.

Kat se prépara à l'assaut. Des doigts apparurent entre les fissures de la pierre. Des doigts de femme, longs, fins, qui s'achevaient par des ongles noirs et acérés.

— Reculez ! cria Sin.

— Je suis impuissante ! gémit Artémis. Je ne peux pas me battre contre un Démon, puisque j'ai prêté temporairement mes pouvoirs à quelqu'un, ajouta-t-elle en regardant Kat.

Kat secoua la tête. Elle avait rendu ses pouvoirs à Sin, en avait gardé une toute petite partie pour elle-même, mais jamais elle ne s'approprierait ceux d'Artémis. Kat était parfois en désaccord avec sa mère, mais à l'issue de leurs querelles, elle faisait toujours le même constat : elle l'aimait plus que tout au monde.

Sin lança un coup d'œil lourd de sens à la déesse.

— Je crois que nous avons trouvé qui leur offrir en sacrifice, railla-t-il.

— Mais non ! protesta Simi. Nous ne pouvons pas laisser la déesse rouquine se faire tuer ! S'il ne pouvait plus se nourrir sur elle, *akri* mourrait !

Elle se plaça entre Artémis et la tombe.

— Viens, Xirena, il faut aider Simi à protéger la garce-déesse.

Xirena obéit sans enthousiasme. Kish se rapprocha d'Artémis.

— L'endroit le plus sûr pour un humain qui n'a pas envie d'être dévoré, dit-il.

Xypher, lui, vint se placer entre Sin et Kat, puis demanda à Sin :

— Vous avez un plan ?

— Ouais. Rester en vie.

— Oh, j'adore. C'est simple, clair et net.

— Qu'est-ce que tu as à délirer, Xypher ? se moqua Kat. Tu es déjà mort !

— Exact. Et pour une fois, je dirais que je suis content d'être moi !

Effectivement, songea Kat, il y avait de quoi l'envier.

— Comment s'y prend-on pour tuer ces choses-là ? demanda-t-elle à Sin.

— Aucune idée. La dernière fois, pour les attraper, il a fallu qu'on s'y mette à trois. Et je dis bien « attraper », pas tuer. Ce sont de vraies saloperies.

Super, songea Kat. Elle avait hâte de faire leur connaissance.

Un fracas retentit soudain au fond de la caverne. Kat se retourna : Acheron venait d'entrer dans la salle avec Zakar et le reste du groupe.

— Scelle la porte derrière nous, ordonna Acheron à Deimos.

338

— Euh... désolée de me mêler de ce qui ne me regarde pas, dit Kat, mais le but, ce n'était pas d'ouvrir cette porte ?

— Si ça te tente de la laisser ouverte afin que les Démons se précipitent ici, ne te gêne pas, remarqua une Dolophonos.

— Oh. C'est bon, fermez.

— Je pensais bien que tu serais d'accord.

Deimos et son jumeau Phobos bloquèrent le panneau de pierre. Comme tous les autres, ils étaient couverts de sang et hors d'haleine.

— Bon, dit M'Adoc en s'essuyant le front, au moins, il n'y en a que sept.

— Qui sont vingt fois plus redoutables que leurs copains, remarqua Sin.

Kat décida que le temps n'était plus à la plaisanterie. Elle tendit les mains et en fit jaillir des lames. Quant à Sin, il donna à Zakar la Baguette qui provenait de la tombe d'Ishtar.

— Simi, ramène Artémis sur l'Olympe, ordonna Acheron.

— Mmm...

— J'espère qu'un jour tu me laisseras la manger, marmonna la Démone.

— Simi !

— J'y vais, j'y vais...

Et elle s'exécuta.

Sin lança un coup d'œil réprobateur à Acheron.

— Vous étiez vraiment obligé de faire ça ?

— Ouais. Oublie les Dimmes. Si Artémis mourait, il te faudrait me combattre quand je suis sous ma vraie apparence. Es-tu prêt pour cela ?

— Pas aujourd'hui. Je suis un peu fatigué.

Zakar inséra la Baguette dans l'horloge, mais lorsqu'il essaya de la fixer, la Baguette se mit à trembler.

— J'ai peur qu'on n'ait attendu trop longtemps. On ne pourra pas arrêter le processus.

Kat regarda les doigts des Dimmes qui sortaient par les fissures du rocher, effritaient la pierre, la poussaient.

— Elles sont bien réveillées et très actives, remarqua-t-elle.

— Bons dieux, qu'est-ce qui peut tuer une Dimme ? demanda Xypher.

Un nuage verdâtre s'échappa tout à coup de la tombe. Les Gallus retenus hors de la salle commencèrent à marteler la porte de pierre, qui joua légèrement. Les Dimmes poussèrent des hurlements de triomphe et redoublèrent d'efforts.

La question de Xypher tournait dans l'esprit de Kat : qu'est-ce qui était susceptible d'anéantir une créature quasi invincible ? Elle ne trouva pas la réponse et cessa de la chercher lorsqu'elle posa de nouveau les yeux sur la tombe : elle venait de penser à quelque chose.

— Sin, je crois que nous ne nous posons pas la bonne question. Renonçons à les tuer, mais enfermons-les ! Comment t'y es-tu pris pour les piéger l'autre fois ?

— Il a fallu trois dieux sumériens et une psalmodie.

— Dommage qu'on n'ait plus qu'un dieu sumérien, commenta Kish dans un soupir.

— Non, corrigea Acheron, nous en avons bel et bien trois : Zakar, Sin et Katra.

Sin resta sans voix quelques instants. Le raisonnement d'Acheron était brillant. En sauvant la vie de Kat, il avait peut-être sauvé l'humanité tout entière !

— L'échange de sang !

— Oui, confirma Acheron. Maintenant, Kat partage du sang sumérien avec toi. Elle peut faire office de troisième dieu sumérien.

Sin sourit à la jeune femme, dont le regard était soudain plein d'espoir. Puis il se tourna vers Zakar.

Pour la première fois depuis le début de ce cauchemar, il se disait qu'ils avaient une bonne chance de survie.

— Zakar, te rappelles-tu exactement comment on les a piégés ?

— Oui, mais la Baguette est cassée. Nous avons besoin d'autre chose qui ferait office de clé.

— Et la *sfora* ? demanda Kat. Ne marcherait-elle pas ?

— Je ne sais pas, dit Sin, mais on peut tenter le coup.

Kat détacha son collier et le lui tendit.

— Que devons-nous faire ?

Sin donna la *sfora* à Zakar, guida Kat jusqu'à la tombe, lui fit signe de s'immobiliser au centre, tandis que lui-même allait se placer à une extrémité et Zakar à l'autre. Puis il commença une incantation en sumérien.

— Je suis le seul, l'unique, le guide de tous les Démons de la terre...

Zakar continua :

— Nous convoquons les forces qui nous ont créés, qui nous ont donné naissance...

— Autrefois et aujourd'hui...

— Nous protégeons et défendons...

— Prêts à donner notre vie pour les autres...

Sin et Zakar continuèrent l'incantation à l'unisson.

Pétrifiée, Kat fixait les doigts des Dimmes : ils agrandissaient les fissures dans le roc. De l'autre côté de la porte, les cris de Kessar et de son armée enflaient. Dans quelques minutes, les Démons allaient débouler en masse dans la caverne.

La *sfora* devint rouge écarlate.

— Zakar ! hurla Kessar. Libère les Dimmes !

La voix de Zakar se fêla.

Reste avec moi, mon frère, lui ordonna Sin par télépathie.

Kessar ne cessait pas d'appeler à l'aide Zakar, qui chantait avec de moins en moins d'énergie. Lentement, il abaissa la main qui tenait la *sfora*. Les Dimmes éclatèrent de rire.

Très inquiète, Kat interrogea Sin du regard.

— Ne bouge pas. Nous devons rester exactement là où nous sommes pour que ça marche, dit-il.

Son frère respirait par à-coups. Kessar le harcelait sans répit. Pourtant, Zakar lâcha entre ses dents serrées :

— Je ne te laisserai plus prendre le contrôle sur moi. Je ne suis pas l'un des vôtres ! Je ne trahirai pas mon frère. Plus jamais.

Kat priait de toutes ses forces pour que Zakar tienne bon.

Mais le Gallu se faisait de plus en plus insistant. Il était sur le point de prendre possession de Zakar. Dans une poignée de secondes, tout serait joué et…

Acheron vint se placer devant Zakar et lui murmura quelque chose à l'oreille.

Les yeux de Zakar virèrent soudain au blanc. Sa main se releva, portant haut la *sfora*, et il reprit sa psalmodie avec une vigueur et une ferveur renouvelées.

Un vent furieux souffla soudain dans la salle, si violent que les Dolophoni tombèrent les uns sur les autres. Xirena replia ses ailes sur son dos ; Kat fut aveuglée par ses cheveux qui lui fouettaient le visage. Le phénomène était inouï : les bourrasques lui arrachaient presque ses vêtements, mais elle ne vacillait même pas. Elle avait l'impression d'être enracinée dans le sol. Au grondement du vent se mêlaient les vociférations des Dimmes et les incantations de Sin et de Zakar.

Une vive lumière éclaira soudain la caverne : les Gallus venaient de briser la porte.

— À l'attaque ! hurla Deimos en se précipitant vers eux.

En un éclair, ce fut le chaos, mais Kat, Zakar et Sin n'interrompirent pas leur tentative de refoulement des Dimmes. La *sfora* devint encore plus lumineuse une fraction de seconde avant que l'une des Dimmes ne s'échappe. Kat se baissa lorsque la créature se jeta sur elle, réussissant à l'éviter.

— Laisse-la ! lui cria Sin. Continue l'incantation. Scelle la tombe sur les autres. On s'occupera de celle-là après.

La bataille faisait rage tout autour d'elle, mais Kat parvint à se concentrer et, lentement, la tombe se referma. Le temps sembla suspendre son vol jusqu'au moment où les cris des Dimmes cessèrent enfin.

Le front baigné de sueur, Zakar appuya la *sfora* contre la serrure, qui se verrouilla d'elle-même, puis il s'effondra par terre. Kat s'apprêtait à aller vers lui quand elle vit Kessar se débarrasser de l'un des Dolophoni pour se jeter sur Sin.

Il le poignarda dans le dos, à hauteur du cœur.

— Non ! Oh, grands dieux, non !

Kessar éclata d'un rire démoniaque.

Juste avant de s'effondrer, Sin écarquilla des yeux épouvantés, et Kat s'aperçut alors que Kessar s'était emparé de l'épée de Sin, cette arme forgée par les Sumériens, la seule susceptible de tuer les Gallus... mais aussi de tuer Sin.

La vision brouillée par la fureur, Kat expédia une décharge de foudre à Kessar, et une autre encore... Elle ne cessa de le foudroyer que lorsqu'il fut à terre. Mais elle avait concentré toute son attention sur lui. Elle n'avait donc pas vu le Démon qui l'attaqua par-derrière. Elle tomba, se releva dans la seconde et affronta ce nouvel adversaire. Faisant apparaître une dague dans sa main, elle tenta de frapper le Démon, qui esquiva l'attaque et essaya de la mordre. Elle lui balaya les jambes d'un coup de pied et lui planta la lame entre les deux yeux.

Kessar. Maintenant, c'était lui qu'elle allait tuer !

Mais il n'était plus là. Sin, en revanche, oui. Baignant dans son sang.

Elle se précipita auprès de lui et le prit dans ses bras. Il tremblait de tout son corps. Elle posa la main sur sa blessure et, horrifiée, constata qu'elle ne se refermait pas. Que se passait-il ? C'était incompréhensible.

— Il a été frappé avec une arme sumérienne, dit Acheron en s'agenouillant. Une arme destinée à tuer les dieux de son panthéon.

Elle regarda son père et fit quelque chose qu'elle n'avait jamais fait jusqu'alors : elle supplia.

— Guéris-le, je t'en prie. Je ferai n'importe quoi si tu...

— Je ne peux pas, Katra. Je suis impuissant.

— Mais il ne peut pas mourir, ne le comprends-tu pas ? S'il te plaît, papa, s'il te plaît... Aide-le !

Le cœur brisé, Acheron entendit le désespoir et l'amour qui faisaient vibrer la voix de sa fille. Elle était prête à tout pour sauver l'homme qu'elle aimait. Il se rappela le temps lointain où lui-même éprouvait ces sentiments-là pour Artémis. Cet amour s'était retourné contre lui, l'avait détruit, damné.

Il pouvait donner à Kat le savoir nécessaire pour sauver Sin, mais si l'ex-dieu se révélait semblable à Artémis ? S'il la rendait malheureuse ? Plus tard, Kat, en se souvenant de cet instant, maudirait-elle son passé comme il le faisait lui-même ? Se haïrait-elle d'avoir été victime de l'amour, d'avoir limité son univers à cet homme, d'avoir jugé que rien, à part lui, ne comptait ?

Mais elle voulait Sin. De quel droit l'aurait-il empêchée de se sacrifier pour lui ?

Il contrôlait le destin, oui, mais le cœur était son propre maître, qu'il ait tort ou raison, pour le pire ou le meilleur.

Il était au supplice, dévasté de chagrin. Il serra les dents. Que faire ? Protéger sa fille d'un avenir peut-être catastrophique ou accéder à son souhait ?

Il n'avait pas le choix, décida-t-il. La décision appartenait à Kat, pas à lui. La vie n'était qu'une succession de choix. À chacun d'en assumer les conséquences.

Mais, par pitié, que Sin ne lui fasse pas de mal ! Que Kat n'ait jamais à regretter d'avoir aimé, comme lui le regrettait si amèrement. Par pitié...

Il prit une profonde inspiration, puis déclara :

— Donne-lui tes pouvoirs, Katra.

— Quoi ? Mais je n'ai pas celui de me guérir moi-même !

— Je sais. Mais tes pouvoirs te viennent des Atlantes et du panthéon grec. Ils ne sont pas sumériens. Ils annihileront les effets de la dague. Cela le sauvera, crois-moi. Mais sache bien ceci, ma fille : ce don que tu vas faire à Sin ne sera pas temporaire. Il sera irrévocable.

Kat resta sans voix. Sans ses pouvoirs, elle serait sans défense, vulnérable. Faible.

— Non, Kat, souffla alors Sin. Ne fais pas cela pour moi.

Ce furent ces mots qui décidèrent Kat.

Elle se pencha sur lui et l'embrassa en invoquant tous ses pouvoirs, jusqu'à ceux qui étaient nichés au plus profond de son être, et les laissa la fuir pour que Sin les fasse siens.

Il ferma les yeux en sentant la puissance de Kat couler en lui. Soudain, les sons lui paraissaient amplifiés, ses sensations décuplées. Il avait toujours su que les pouvoirs de Kat étaient immenses, mais n'avait pas imaginé à quel point.

Ce qu'elle venait d'abandonner pour lui...

Dire que jamais elle ne s'était servie à mauvais escient de tant de forces, n'avait jamais fait de mal à personne... Cette pensée lui coupa le souffle et accrut encore l'amour qu'il lui portait.

Elle recula et le regarda. Il prit son visage entre ses paumes et le fixa, émerveillé. Katra, la plus belle âme qu'il lui eût été donné de rencontrer.

— Je t'aime, Kat.

— Je sais.

Régénéré, il se leva. Kat et Acheron l'imitèrent.

À la seconde où ils furent debout, les Démons disparurent.

— Oh, allez, bande de lâches ! s'écria Sin.

Ils s'étaient tous volatilisés.

Deimos essuya ses joues souillées pendant que ses amis achevaient les Démons blessés.

— Est-ce que quelqu'un a vu où est passée la Dimme ? demanda-t-il.

Personne ne répondit. Tous durent admettre qu'ils n'avaient pas remarqué son départ.

— Bon sang, c'est emmerdant, dit Deimos.

— Pas de mon point de vue, remarqua Kish. Du moment qu'on a survécu, c'est une belle journée.

— Il a raison, approuva Xypher. Croyez-en la seule personne ici présente qui soit réellement morte !

Sin s'approcha de Zakar, qui, bien que debout lui aussi, continuait à trembler et à transpirer.

— Le Démon est toujours en moi, murmura-t-il.

— Je sais, dit Sin en l'étreignant affectueusement. Et nous n'allons pas le laisser gagner.

Kat considéra les dégâts autour d'eux. Il y avait des cadavres de Démons partout. Les Dolophoni qui avaient été touchés soignaient leurs blessures. C'était une chance d'avoir pu contenir la bataille dans cette caverne. Mais qu'en serait-il la prochaine fois ?

— Une seule Dimme peut-elle déclencher la fin du monde ? demanda-t-elle.

— Pas aussi facilement que sept le pourraient, répondit Sin. Celle-là sera peut-être facile à attraper : elle ne connaît personne et elle est affamée.

Pourvu que Sin ait raison, songea Kat.

— Quand elles attaquent, font-elles muter ceux qu'elles mordent ?

— Non. Elles les tuent, c'est tout.

— Et c'est positif, je présume ?

M'Adoc s'adressa à Sin.

346

— Nous allons patrouiller dans les rêves. Nous surveillerons les Gallus qui pourraient nous conduire à elle.

— Et moi, je vais prévenir les Chasseurs de la Nuit, les Chthoniens et tous les écuyers, pour qu'ils soient vigilants, intervint Acheron.

— Je suppose que c'est tout ce que nous pouvons faire, dit Kat dans un soupir, après avoir regardé le carnage autour d'elle. Cela, et lécher nos blessures.

— Oui, mais on a quand même sauvé le monde, aujourd'hui, remarqua Kish. On devrait se réjouir.

— Moi, je me réjouis, dit Sin. Toutefois, je me sentirais beaucoup mieux si nous retrouvions Kessar, son armée et la Dimme. Et si nous les éliminions tous.

Kat se pressa contre lui.

— Sûr que nous nous sentirions *tous* mieux…

Sin noua ses doigts aux siens avant de demander à Acheron :

— Pouvez-vous les localiser ?

— Non. Je ne les vois pas sur mon radar. La meilleure défense que nous puissions leur opposer, Sin, c'est toi.

Les sourcils froncés, il s'approcha lentement du couple étroitement enlacé.

— Si tu t'avises de faire du mal à Katra, il n'y aura pas de dieu qui tienne : je te collerai mon pied aux fesses !

— Ne vous inquiétez pas, Acheron. Je donnerais ma vie pour elle.

— Bien. N'oublie jamais ça et tu auras une belle et douce existence.

Les Chasseurs de Songes et les Dolophoni s'en allèrent un par un.

— Xypher ? appela Kat alors que lui aussi s'éloignait.

— Oui ?

— Je vais immédiatement parler à Hadès pour qu'il te rende ta liberté.

— Oooh ! Je vais avoir le droit d'être humain pendant un mois. Je n'en peux plus d'attendre…

Derrière le ton moqueur, Kat perçut la note d'espoir et d'impatience.

Il disparut. Kat tendit la main à Xirena.

— Es-tu prête à rentrer à Kalosis ?

— Je suis toujours prête. Dans ce monde, il y a trop d'humains à mon goût. Ce ne serait pas embêtant si je pouvais en manger quelques-uns. Mais c'est interdit, alors c'est trop difficile pour moi. Renvoie-moi chez moi, que je fasse du shopping, Katra.

— Bon, j'y vais aussi, annonça Acheron. Je jetterai un coup d'œil sur vous de temps à autre. Sinon, vous savez où me trouver.

Sin hocha la tête, puis s'adressa à son frère.

— Allez, Zakar, rentrons à la maison.

— Pas tout de suite. J'ai besoin de rester seul pour réfléchir à deux ou trois trucs.

— Mais où comptes-tu aller ?

— Aucune idée. Le monde a changé… et moi aussi. Il faut que je trouve ma place. Ne t'en fais pas. On reste en contact.

Kat perçut la tristesse de Sin lorsque son frère s'éclipsa.

— Il fera ce qu'il a dit, Sin. Rien d'autre.

— Je sais. N'empêche, c'est dur de le voir partir comme ça. Mais j'espère qu'il trouvera ce qu'il cherche.

Il avait appuyé la tête contre celle de Kat. Elle lui caressa la joue, puis alla récupérer la *sfora*. Elle semblait si petite, maintenant, si insignifiante… Pourtant, elle avait empêché la destruction du monde.

— Nous avons contenu cette crise, dit-elle. J'ai hâte de voir ce qui va arriver maintenant.

— Hé ! On peut y aller ? demanda Kish en sortant de l'ombre.

— Oui. On rentre chez nous, dit Sin en prenant la main de Kat.

Kessar regardait ce qui restait des siens. Ils avaient atrocement souffert, aujourd'hui, mais ils n'étaient pas défaits. La situation avait beau être difficile, il ne perdait pas espoir.

Il avait vécu des moments bien pires que celui-là.

Il laissa ses Démons panser leurs blessures et s'installer dans les nouvelles cavernes où il les avait emmenés.

Mais il était las de se cacher. Pour repartir à l'attaque, il aurait besoin d'un allié. De quelqu'un qui soit aussi furieux et avide de sang que lui. Qui haïsse les humains autant que lui, sinon davantage.

Le vieil adage lui revint à l'esprit : les ennemis de mes ennemis sont mes amis...

Il dessina un cercle sur le sol, puis un dragon à l'intérieur du cercle. L'ancien symbole d'une race maudite qui avait été autrefois l'ennemi suprême.

La guerre créait des alliances si étranges...

— Strykerius ! cria-t-il.

Une fumée épaisse sortit du cercle et forma l'image d'un homme que Kessar n'avait pas vu depuis des siècles. Grand, tout en muscles, les cheveux noirs et courts, il affichait une expression mauvaise qui reflétait parfaitement celle de Kessar.

— Je te croyais mort, dit Stryker d'un ton méprisant.

Kessar enleva ses lunettes en riant. Ainsi, Stryker put voir ses yeux rouge rubis.

— Je suis bien vivant... et il faut qu'on discute.

Épilogue

Un mois plus tard

Kat se nicha plus étroitement contre Sin. Elle n'aimait rien tant que le contact intime de ses muscles puissants contre sa peau nue lorsqu'ils étaient au lit. Elle aurait volontiers passé l'éternité de cette façon.

Mais cela faisait maintenant quatorze heures qu'ils étaient couchés et, tôt ou tard, il faudrait qu'ils se lèvent : le travail au casino les attendait, et il restait toujours des Gallus à éliminer.

Ils n'avaient pas trouvé où se cachait la Dimme. Apparemment, la Démone se tenait tranquille. Kat se demandait si c'était ou non une bonne chose. Elle était soulagée que la Dimme ne tue pas d'humains pour se distraire, mais elle savait qu'elle serait obligée, à un moment ou à un autre, de tuer quelqu'un pour se nourrir. Puis quelqu'un d'autre... Elle ne cesserait ses massacres que lorsqu'ils lui auraient mis la main dessus.

Elle soupira. Le portable de Sin sonnait.

— Damien, dit-elle, reconnaissant la sonnerie.

— Probablement, admit Sin en roulant vers elle pour frotter le bout de son nez contre le sien.

Elle l'emprisonna entre ses bras et ses jambes. Il la fit basculer sur lui et gémit de plaisir quand son corps pesa sur le sien.

— Tu ne réponds pas ? demanda-t-elle.

— Si, peut-être. Mais il y a quelque chose que je veux faire d'abord.

— Oh, oh ! Je croyais que tu l'avais déjà fait.

Il darda dans les siens des yeux brûlants de désir.

— Pas encore.

Et il l'embrassa passionnément.

Kat se délectait des saveurs de sa bouche quand elle ressentit comme une décharge électrique : les pouvoirs de Sin passaient en elle. Elle essaya de se dérober, mais il la maintint solidement contre lui, jusqu'à ce qu'elle ait retrouvé l'intégralité de son ancienne puissance.

Il la lâcha et la regarda, l'air un peu inquiet. Il avait eu peur de lui faire mal.

— Ça a marché ? Tu as tout récupéré ?

Elle hocha la tête.

— Bien. Depuis que tu me les as donnés, je cherchais un moyen de te rendre tes pouvoirs. Tu sais que ce n'est pas facile de contrôler tant d'énergie.

— Je sais. C'est ainsi que par accident, parce que j'étais jeune et inexpérimentée, j'ai pris tous les pouvoirs d'un Sumérien, il y a bien longtemps. Et j'ai failli le tuer.

— C'est pour cela que je craignais qu'il ne m'arrive la même chose avec toi. Mais j'ai tenté le coup, parce que je tenais à ce que tu redeviennes celle que tu as toujours été.

— Pourquoi ?

— Parce que je t'aime et que je ne veux rien te prendre. Tout ce que je veux, c'est que tu aies une vie aussi belle que celle que tu m'as offerte.

— J'imagine que cela signifie que tu renonces à te venger d'Artémis ?

Une lueur diabolique brilla soudain dans les yeux ambrés de Sin. Une lueur qui ne s'allumait que lorsqu'il mijotait quelque chose.

— Non, pas complètement.

— Qu'entends-tu par là ?

Il haussa les épaules avant de lui effleurer les lèvres d'un baiser.

— J'ai renoncé à la tuer. J'ai trouvé un meilleur moyen de me venger.

— Et c'est ?

Il riva ses sublimes prunelles dans celles de Kat et déclara :

— J'ai hâte de voir sa tête quand tu lui annonceras qu'elle va être grand-mère.

Kat éclata de rire. Ce serait la plus jolie et la plus efficace des vengeances.

— Dans ce cas, habille-toi, mon chéri, et allons savourer ta revanche.

Glossaire

Acheron Parthenopaeus : atlante immortel, chef des Chasseurs de la Nuit. Né en 9584 av. J.-C. sur l'île grecque de Didymos, fils du roi Acarion et de la reine Aara (sa mère porteuse). Ses parents naturels sont Archon et Apollymi. Ses professions de foi et ses sorts lient à jamais et ont parfois des conséquences inattendues. Grand et naturellement blond, il teint ses cheveux de différentes couleurs et s'habille, la plupart du temps, dans le style gothique. Il a l'air d'avoir vingt et un ans et habite Katoteros. Personne ne sait quoi que ce soit de lui, et il aime qu'il en aille ainsi. Il est, en réalité, un tueur de dieu et un dieu atlante aux pouvoirs dont nul ne soupçonne l'ampleur. Il refuse de répondre à toute question d'ordre personnel et ne revient jamais sur sa parole, quoi qu'il advienne. Souvent appelé Ash par les Chasseurs de la Nuit et Artémis, *akri* par Simi et T-Rex par Talon.

Acte de vengeance : en échange de leurs âmes, Artémis accorde aux Chasseurs de la Nuit vingt-quatre heures pour se venger de ceux qui ont saccagé leur vie d'humains. Au terme de ces vingt-quatre heures, ils appartiennent à la déesse et commencent leur entraînement de Chasseurs, sous la houlette d'Acheron.

Adelfos : mot grec signifiant « frère ».

Akri : terme atlante pour « seigneur et maître ».

Alastor : Démon qui parfois s'allie aux Garous pour semer la discorde. Chargé par Bryani, la mère de Vane, dans *Jeux nocturnes*[1], d'envoyer Bride dans le passé en Angleterre, vers l'an 500.

Alexion : mot grec signifiant « défenseur ».

Amanda Hunter : l'une des filles Devereaux, jumelle de Tabitha. A toujours aspiré à être une femme tout à fait normale, à la différence de ses sœurs. Mais le surnaturel la rattrape dans *Les Démons de Kyrian*[2]. Devenue sorcière, elle épouse Kyrian Chasseur (ex-Kyrian de Thrace), et ensemble ils ont une fillette, Marissa.

Apollites : race créée par le dieu grec Apollon. Plus beaux et plus forts que les humains, ses représentants sont dotés de grands pouvoirs psychiques.

Apollon aimait ses créatures et voulait qu'elles remplacent les humains. Les Apollites furent envoyés sur l'Atlantide, où ils s'unirent à des Atlantes. Un jour, la reine mi-apollite, mi-atlante, dans une crise de jalousie, envoya les siens tuer la maîtresse grecque d'Apollon, une humaine, et leur fils. Pour se venger, Apollon frappa le peuple assassin de trois malédictions.

D'abord, parce qu'ils avaient maquillé leur crime en accident mortel dû à un animal, ils seraient condamnés à se nourrir du sang des leurs. Leurs bouches se garnirent donc de crocs et leur vision devint aussi précise que celle des grands prédateurs.

Ensuite, plus jamais ils ne pourraient sortir à la lumière du jour.

Enfin, lors de leur vingt-septième anniversaire (âge auquel avait péri la maîtresse d'Apollon), ils se

---

1. Éditions J'ai lu, n° 8394.
2. Éditions J'ai lu, n° 7821.

désintégreraient lentement et dans d'atroces souffrances sur une période de vingt-quatre heures, jusqu'à
finir en poussière.

De nos jours, un grand nombre d'Apollites vivent
incognito, parmi les humains, pendant que d'autres se
sont rassemblés en communautés.

Apollymi : déesse atlante connue sous le nom de Destructrice. Elle protège, et emploie, des Démons spathis
et a pour gardes du corps un groupe d'une trentaine
d'Illuminatis, en plus des Démons charontes. Elle est
l'épouse d'Archon et la mère d'Apostolos. Depuis des
siècles, elle est enfermée à Kalosis, d'où elle voit le
monde des hommes ainsi que les autres dieux, mais
sans pouvoir intervenir. Toutefois, elle peut contrôler
les Charontes.

Apostolos : fils d'Apollymi. Alias Acheron.

Archon : équivalent atlante de Zeus. Fils de Chaos, il
a commencé par rétablir l'ordre dans le monde créé par
son père. Mari d'Apollymi, il a ordonné la mise à mort
d'Apostolos et enfermé sa femme à Kalosis.

Artémis : la déesse grecque de la chasse, passionnée,
souvent survoltée, elle est la créatrice des Chasseurs de
la Nuit. Ses deux centres d'intérêt sont son confort et
Acheron Parthenopaeus.

Astrid : nymphe et fille de Thémis, déesse de la justice. Elle est l'un des juges immortels et impartiaux qui
sont envoyés sur la Terre pour obliger les Chasseurs
rebelles à respecter les règles et les châtier. Une fois
accusé de quelque faute par l'Olympe, un Chasseur doit
prouver son innocence. Dans la mesure où les dieux ne
portent pas d'accusations sans raison, Astrid connaît le
découragement. Après des siècles de pratique, elle
perd espoir. Il lui semble que jamais elle ne rencon-
trera de Chasseur innocent, jusqu'à ce qu'elle fasse la

connaissance de Zarek de Moesia. Leur histoire est racontée dans *Le Loup blanc*[1].

Atlantide : ancienne nation insulaire à la civilisation très avancée. Possède son propre panthéon de dieux. Elle a sombré dans la mer Égée il y a douze mille ans.

Atropos : la plus âgée des trois Parques. Chargée de couper le cordon de la vie. Fille de Thémis et sœur d'Astrid.

Bill et Selena Laurens : Bill est avocat et entretient des relations étroites avec des politiciens. Il travaille parfois pour les Chasseurs de la Nuit, mais est davantage lié aux Garous qu'aux Chasseurs. Sa femme Selena est médium. Elle tire les cartes dans Jackson Square à La Nouvelle-Orléans. Elle est l'une des sœurs Devereaux et la meilleure amie de Grace Alexander, à laquelle elle a donné le livre enchanté (voir les premiers chapitres de *L'Homme maudit*[2]). Impulsive et émotive, elle est l'antithèse de Bill.

Blue Blood Squires : l'aristocratie des écuyers. Ils viennent de familles au sang bleu où l'on est écuyer de père en fils.

Blood Rite Squires : on fait appel à eux pour exécuter des Chasseurs de la Nuit félons ou des écuyers humains qui trahissent. Ils portent une marque sur la paume : une toile d'araignée.

Bride McTierney : propriétaire humaine de la boutique *Lilas et Dentelles*, sur Iberville Street, dans le Quartier français. Elle habite un appartement derrière le magasin et est l'héroïne de *Jeux nocturnes*.

---

1. Éditions J'ai lu, n° 7979.
2. Éditions J'ai lu, n° 7687.

Bryani Kattalakis : Garou arcadienne, mère de Fang, Fury, Anya, Dare et Star. Elle porte trois vilaines cicatrices sur le visage.

Elle est une Sentinelle. Déteste Vane et son père katagaria qui l'a contrainte à devenir sa compagne. Elle vit dans l'Angleterre médiévale.

Callabrax : Chasseur de la Nuit originaire de Sparte. L'un des trois premiers Chasseurs créés par Artémis, les deux autres étant Kyros et Ias.

Callyx : Apollite qui veut se venger de Zarek, à qui il impute la mort de sa femme, dans *Le Loup blanc*. La plus récente réincarnation de Thanatos.

Camulus : dieu gaulois de la guerre, contraint de prendre sa retraite. Il réclame le droit de récupérer son état de dieu.

Carson Whitethunder : faucon-garou arcadien. Vétérinaire résident du *Sanctuaire*, à La Nouvelle-Orléans. Il prend l'avis du docteur Paul McTierney lorsqu'il se trouve face à un cas particulièrement difficile.

Cassandra Peters : mi-humaine, mi-apollite, elle est la dernière descendante en ligne directe du dieu Apollon. Fille de Jefferson Peters et sœur de Phoebe et Nia. La famille Peters est menacée par une prophétie selon laquelle si tous ses membres meurent, le sort qui frappe les Apollites sera caduc. Les Peters sont donc chassés par les Démons spathis, qui aspirent à retrouver leur liberté. Mais la vérité, c'est que si la lignée Peters s'éteignait, la Terre et ses habitants disparaîtraient aussi. Cassandra est l'héroïne de *La Descendante d'Apollon*[1].

Chasseurs de la Nuit : guerriers immortels qui, étant humains, ont péri alors que leur heure n'était pas arrivée.

---

1. Éditions J'ai lu, n° 8154.

Lorsqu'un homme ou une femme meurt injustement, son âme crie vengeance. Les âmes qui crient le plus fort sont entendues de l'Olympe. Celles dont les protestations de désespoir arrivent jusqu'à Artémis se voient proposer un accord. « Donnez-moi votre âme, acceptez de combattre les Démons et de sauver les humains. Je ferai alors de vous des immortels », dit la déesse.

Une fois le marché conclu, le nouveau Chasseur est marqué du sceau d'Artémis, un arc et une flèche, et a le droit de commettre son Acte de Vengeance. Ensuite, il est entraîné et formé par Acheron Parthenopaeus, et, une fois prêt, assigné à un endroit sur terre. Le chasseur passe ensuite l'éternité à combattre les Démons et autres créatures du mal. Comme les Démons, les Chasseurs ont des crocs et ne supportent pas la lumière du jour. Ils ne peuvent donc sortir qu'au crépuscule. Ils dorment dans la journée. Le soleil peut tuer les Chasseurs de la Nuit, ainsi que la décapitation ou un dépeçage total. Transpercer la marque d'Artémis, l'arc et la flèche, peut également causer leur mort. Mais Acheron ne les en a pas informés, de peur qu'ils ne paniquent, ne se concentrent sur ce risque lorsqu'ils se battent et, de ce fait, ne deviennent vulnérables. Il craint aussi que les Démons ne l'apprennent et ne se servent de ce talon d'Achille pour tuer les Chasseurs.

Artémis paie très cher les services de ses Chasseurs. Ils sont donc tous richissimes. Elle leur fournit aussi des serviteurs humains, les écuyers.

Pour un Chasseur, le seul moyen de se libérer de l'autorité d'Artémis est de rencontrer une personne dotée d'une belle âme qui l'aimera assez pour passer le test auquel la soumet la déesse. Cette personne doit prendre le médaillon qui contient l'âme du Chasseur et le garder pressé contre l'arc et la flèche tatoués jusqu'à ce que l'âme regagne le corps du Chasseur. Le médaillon est fait de lave bouillante et brûle la main de l'humain qui le tient. Si celui-ci lâche la pierre chaude, l'âme tombe dans le néant. Un terrible sort attend alors le Chasseur : il sera piégé pour l'éternité dans un univers de misère physique et morale absolue. Il deviendra une Ombre. Mais si l'humain réussit le test, ne retire pas sa main dont la lave consume les chairs, le Chasseur redevient mortel et reprend sa vie à l'âge où il l'avait perdue.

Chasseur de la Nuit renégat : immortel qui a brisé le code d'honneur des Chasseurs et doit donc mourir. Chassé par les Blood Rite Squires ou Thanatos.

Chasseurs-de-la-Nuit.com : site des Chasseurs et des écuyers, qui leur permet de communiquer sur l'Internet sous couvert d'un jeu de rôle.

Chasseurs de Rêves : enfants du dieu grec du sommeil. Certains d'entre eux sont nés d'une mère humaine, mais la plupart ont été engendrés par la déesse Mist. Ils sont aussi connus sous le nom d'Onerois. Il y a longtemps, l'un des Onerois a joué un mauvais tour au dieu Zeus. En mesure de rétorsion, Zeus a privé les Onerois de toute émotion. Le seul moment où ils peuvent ressentir quelque chose, c'est à travers les rêves des humains, qu'ils suscitent et dans lesquels ils s'immiscent. Certains d'entre eux préfèrent toutefois rester à l'extérieur des rêves, sauf pour exercer leur droit de police sur les songes que créent leurs frères quand il y a lieu. Tous utilisent un préfixe en guise de prénom afin d'être clairement identifiés.

Les M' sont les chefs et font régner l'ordre.

Les V' aident les humains qui souffrent de cauchemars et de troubles du sommeil.

Les D' s'occupent des dieux et des immortels. Un D' est toujours chargé de veiller sur les nouveaux Chasseurs de la Nuit, car ceux-ci sont victimes de cauchemars déclenchés par les souvenirs des épouvantables circonstances de leur mort. Il y aura toujours un D' à proximité du Chasseur au cours de son existence, prêt à intervenir.

Le monde des Chasseurs de Rêves est complexe. Tous sont nés dieux ou demi-dieux. Ils peuvent être de sexe masculin ou féminin. Ils ne se manifestent de façon tangible que dans les rêves les plus fous, sous forme d'amants ou de démons. Parfois, ils tombent amoureux de l'être à qui ils ont procuré des rêves. Ils s'approprient alors leurs émotions et deviennent des Skotis. Les autres Onerois sont chargés de les renvoyer dans le rang et de les punir. Mais peu de Skotis se font prendre et habitent les esprits, à l'insu de tous, en tant que succubes ou incubes.

Cherise Gautier : mère de Nick Gautier, écuyer, qu'elle a mis au monde alors qu'elle n'avait que quinze ans. Belle et généreuse, elle a une quarantaine d'années à l'époque où elle travaille comme barmaid au *Sanctuaire*.

Christopher Lars Eriksson (Chris) : écuyer de Wulf Tryggvason et descendant direct du frère de Wulf. Chris étant le dernier membre survivant de la famille, il est l'unique humain capable de se rappeler qui est Wulf, que les autres gens oublient une seconde après avoir détourné leurs yeux de lui.

Code d'honneur des Chasseurs de la Nuit : honorer Artémis. Ne pas boire de sang d'humain ou d'Apollite. Ne jamais lever la main, ni toucher, d'aucune façon que ce soit, un écuyer. Ne pas entrer en contact avec un ami, un membre de la famille, ou quiconque ayant connu le Chasseur avant sa mort. Abattre tout Démon, sans lui laisser la moindre chance de s'en sortir. Ne jamais révéler ce qu'ils sont. Vivre seuls. Garder la marque d'Artémis cachée.

Colt Theodorakopolus : Garou arcadien occupant la fonction de Sentinelle. Orphelin peu après sa naissance, il a été élevé au *Sanctuaire*.

Compagnons des Garous : chaque Garou, mâle ou femelle, a un partenaire choisi par les Parques. Lorsque le compagnon, ou la compagne, est désigné, une marque apparaît dans la paume des Garous, et cela quelques heures après qu'ils ont fait l'amour. Ensuite, le couple dispose de trois semaines pour refuser l'union. Aucun des deux partenaires ne peut contraindre l'autre à l'accepter. Mais s'il y a accord, ils peuvent procréer. Dans le cas contraire, ils resteront stériles leur vie durant.

Corbin : née reine de la Grèce antique, Corbin s'est mariée et a été veuve prématurément. Elle a lutté pour garder le trône de son mari et a été une souveraine très aimée. Nul ne contestait son autorité jusqu'à ce que son beau-frère passe un pacte avec une tribu de barbares pour qu'ils mettent à sac la ville et la réduise en cendres. Corbin est morte en essayant de sauver ses servantes et leurs enfants lors de l'anéantissement de la ville.

Cronus : dieu grec des heures.

Culte de Pollux : pratiqué par les Apollites qui se résignent à mourir, ainsi que les y condamne le sort jeté par Apollon. Ils ne se suicident pas et ne se métamorphosent pas en Démons.

D'Alerian : un Oneroi, Chasseur de Rêves, fils de Morphée. Il capture des rêves et les envoie dans les esprits de ceux qui dorment. Il aide les Chasseurs de la Nuit à se ressourcer, à s'apaiser, en leur transmettant de doux songes. D'Alerian est un honnête personnage respectueux de toute loi. Il veille constamment sur les Chasseurs et vole à leur secours dès qu'ils ont besoin de soutien. Il est le grand ami d'Acheron.

Danger : Chasseuse de la Nuit, morte durant la Révolution française. Héroïne de *Péchés nocturnes*[1].

---

1. Éditions J'ai lu, n° 8503.

Dante Pontis : panthère-garou propriétaire du night-club *L'Inferno* dans le Minnesota. Dante possède aussi un sanctuaire pour Garous mais n'est pas aussi tolérant que les autres gérants de refuges. Chef du clan Pontis, il supporte mal la contradiction et encore moins qu'on lui marche sur les pieds. Il apparaît pour la première fois dans *La Descendante d'Apollon*. Est le compagnon de la panthère-garou arcadienne Pandora.

Démons : Apollites qui refusent de mourir à vingt-sept ans. Pour prolonger leur vie, ils volent les âmes des humains. Mais ces âmes dérobées ne survivent pas longtemps. Les Démons sont donc obligés de tuer sans cesse des hommes ou des femmes, réussissant par ce biais à être éternels. Tout Apollite qui s'approprie l'âme d'un humain devient un Démon.

Démons akelos : une branche des Démons qui ont juré de ne tuer que les humains coupables de graves crimes et qui méritent la mort.

Démon anaimikos : Démon qui se nourrit du sang des autres Démons, afin d'augmenter ses pouvoirs.

Démons charontes : très ancienne race de Démons que les dieux atlantes ont apprivoisée. Sans crainte, dotés d'extraordinaires pouvoirs, impossibles à modérer, encore moins à maîtriser, ils peuvent s'unir à des dieux, des Chasseurs ou des humains. Une fois cette union réalisée, ils ne quittent plus leur compagnon, prenant la forme d'un tatouage sur leur corps. Ce sont des jouisseurs, capables de manger n'importe quoi, de faire des orgies d'achats et de tuer pour le plaisir. Ils s'ennuient facilement, sont très dangereux et ont constamment faim. Simi est la démone charonte d'Acheron, qui la considère comme sa fille.

Desiderius : redoutable demi-dieu qui est aussi un Démon spathi. Il hait la famille Devereaux. Il apparaît

dans *Les Démons de Kyrian* et *La Prédatrice de la nuit*[1].
Il peut prendre le contrôle des esprits et projeter sur ses
adversaires des éclairs de foudre.

Devereaux : famille très soudée qui compte neuf
sœurs, toutes plus ou moins dotées de pouvoirs parapsychiques. Dans les ouvrages précédents, on a rencontré Selena, la médium, Tabitha, la chasseuse de
vampires, et Amanda.

Dionysos : dieu grec du vin et des excès en tous
genres. Apparaît dans *La Fille du Shaman*[2] sous l'aspect
d'un homme grand aux cheveux noirs, coupés court,
portant un petit bouc bien taillé. Très mauvais conduc-
teur, mieux vaut ne pas lui confier un volant.

Doulos : serviteur humain des Apollites et des Démons.

Écuyers : aides humains des Chasseurs de la Nuit qui,
grâce à eux, ont une apparence de normalité. Un écuyer
habite en principe sous le même toit que le Chasseur
qu'il sert et, aux yeux du monde extérieur, passe pour le
propriétaire de la demeure. L'écuyer veille au confort
de son maître, lui épargne toute tâche ancillaire, tout
souci domestique, de façon que le Chasseur puisse,
l'esprit libre, se consacrer à sa mission : tuer les
Démons. Ils sont le talon d'Achille des Chasseurs car les
Démons savent qu'ils s'attachent à eux. Ils essaient
donc souvent d'atteindre le Chasseur en frappant
l'écuyer. Il est de la responsabilité de l'écuyer de protéger le Chasseur si ce dernier est en danger. Il se charge
éventuellement de son évacuation vers un autre lieu.
L'écuyer n'a pas de pouvoirs parapsychiques ni physi-
ques. Il n'est pas immortel puisque simple être humain.
Il est très grassement rémunéré pour ses services.

---

1. Éditions J'ai lu, n° 8457.
2. Éditions J'ai lu, n° 7893.

Écuyers doriens : descendants du peuple des Doriens (Grèce antique). Ne servent aucun Chasseur de la Nuit en particulier mais sont au service de tout le groupe. Ils s'occupent de satisfaire leurs désirs les plus extravagants – leur faire confectionner des armes destinées à des usages bien précis, par exemple, ou leur procurer des voitures un peu spéciales. Banquiers ou avocats, ils savent tout du monde des Chasseurs de la Nuit et les aident à conserver une apparence de normalité.

Écuyers thetis : police des écuyers, qui veille à ce que ceux-ci obéissent aux lois inhérentes à leur charge. Ils n'ont pas le droit de tuer.

Épée de Cronus : épée de Julien Alexander. Seuls ceux dans les veines desquels coule le sang de Cronus peuvent la toucher sans se brûler.

Erik Tryggvason : fils de Cassandra et Wulf, descendant direct d'Apollon. Surprotégé et adoré par trois hommes : Wulf, Chris et Urian.

Éros et Psyché : époux et dieux grecs du désir sexuel et de l'âme. Souvent vus en train de jouer au billard ou au poker au *Sanctuaire*.

Estes : oncle d'Acheron, Atlante. Frère du roi Icarion. L'a réduit en esclavage, torturé et obligé à se prostituer de l'âge de sept ans, jusqu'à l'âge adulte.

Fang Kattalakis : loup-garou katagaria, friand de plaisanteries sans finesse. Actuellement, il se remet lentement au *Sanctuaire*, sous la tendre garde d'Aimée Peltier, des blessures infligées par un Démon. Il est le frère de Vane et Fury.

Fury Kattalakis : frère de Vane, loup-garou, né sous forme humaine et arcadien jusqu'à la puberté, moment où ses gènes katagarias ont pris le dessus sur ses gènes arcadiens.

Garous : un roi de la Grèce antique, Lycaon, épousa une Apollite, qui lui cacha son terrible secret, à savoir le sort qui frappait ceux de sa race. Elle ne le lui révéla qu'avant de mourir, à vingt-sept ans. Le roi comprit alors que le même destin tragique attendait ses fils : eux aussi trépasseraient lors de leur vingt-septième anniversaire. Pour essayer de conjurer ce maléfice jeté par Apollon, il se livra, grâce à la magie, à des expérimentations, croisant des Apollites avec toutes sortes d'animaux, uniquement les plus puissants et les plus féroces. Il créa ainsi des êtres hybrides : les Arcadiens au cœur d'homme, capables de se changer en bêtes, et les Katagarias au cœur de bête, capables de se changer en humains. Cela fait, le roi choisit les deux plus forts spécimens, loups et dragons, et fusionna ceux-ci avec ses enfants.

Lorsqu'elles découvrirent cela, les Parques entrèrent dans une terrible colère. Lycaon n'avait pas le droit d'interférer dans le cours des choses. Elles lui demandèrent de tuer ses fils, ainsi que tous les êtres qu'il avait créés. Il refusa. Pour le punir, les Parques décidèrent que les deux espèces, Arcadiens et Katagarias, s'entretueraient jusqu'à la nuit des temps. De nos jours, cette guerre se poursuit.

Gilbert : fidèle majordome de Valerius Magnus. Aimerait devenir écuyer.

Grace Alexander : psychologue de métier, très pragmatique, elle a la chance (ou la malchance ?) d'avoir pour meilleure amie Selena Laurens, qui est médium. Grace est l'épouse de Julien Alexander et l'héroïne de *L'Homme maudit*. Comme son mari, elle est immortelle.

Ias de Groesia : l'un des trois premiers Chasseurs de la Nuit créés par Artémis avec Callabrax et Kyros. Il a été cruellement trompé par son épouse.

Illuminatis : Démons spathis gardes du corps d'Apollymi, sous les ordres de Stryker. Trente à quarante membres.

Inferno : connu aussi sous le nom d'*Enfer de Dante*, night-club appartenant à Dante Pontis, situé dans le Minnesota.

Jamie Gallagher : gangster de l'époque de la prohibition devenu Chasseur de la Nuit. Tué parce que, tombé amoureux, il avait voulu rentrer dans le droit chemin.

Jasyn Kallinos : faucon-garou katagaria, l'un des plus redoutables pensionnaires du *Sanctuaire*.

Jefferson Peters : humain, fondateur et propriétaire richissime de l'un des plus grands laboratoires de recherche pharmaceutique au monde.

Julien Alexander : général de la Grèce antique devenu Chasseur de la Nuit. A suivi sa formation de Chasseur en même temps que Kyrian de Thrace dont il était, dans l'armée grecque, le supérieur hiérarchique. Demi-dieu, il a été victime d'un sort jeté par son demi-frère Priape, qui faisait de lui un esclave sexuel. Aujourd'hui, marié à Grace, il enseigne l'histoire de l'Antiquité et la littérature classique aux universités de Tulane et Loyola. Il est le héros de *L'Homme maudit*.

Kalosis : mot atlante pour « enfer ». Apollymi y est enfermée. De là, elle voit le monde des humains mais ne peut l'intégrer. Les Démons spathis y vivent, dans des ténèbres permanentes. Aucun Chasseur de la Nuit n'a le droit d'y entrer, et peu de Garous sont laissés en vie après s'y être rendus. En revanche, les Démons vont et viennent entre Kalosis et la Terre en passant par les tunnels espace-temps.

Katoteros : mot atlante pour « paradis ». Foyer d'Acheron. Tous les Apollites et les Démons rêvent d'avoir le droit d'habiter là.

Katra Agrotera : femme à tout faire d'Apollymi et Artémis, elle joue les gardes du corps auprès de Cassandra Peters dans *La Descendante d'Apollon*. Elle entretient de mystérieux rapports avec Acheron et est connue sous le nom de « l'Abadonna ». Dans *La Prédatrice de la nuit*, Artémis la libère de son service auprès d'Apollymi afin qu'elle puisse aller aider Acheron. Katra est la fille cachée d'Artémis et Acheron.

Kattalakis : nom d'une famille descendant de l'un des fils du roi Lycaon. Ses membres sont soit arcadiens soit katagarias. On compte parmi eux Vane, Fang, Fury, Sebastian, Damos, Makis, Illarion, Bracis, Acmenis, Antiphone, Percy, Markos, Dare, Bryani et Star.

Kell : ancien gladiateur de Dacie, maintenant Chasseur de la Nuit à Dallas. Fabrique des armes pour ses confrères.

Kyrian Hunter : né dans la Grèce antique, prince et héritier du royaume de Thrace, devenu Chasseur de la Nuit. Déshérité par son père pour avoir épousé une prostituée. Général macédonien réputé, il a combattu tout autour de la Méditerranée lors de la quatrième guerre macédonienne contre Rome. Les écrits rapportent qu'il avait réussi à briser la domination de Rome et réclamé les clés de la ville. Si sa femme ne l'avait pas trahi, peut-être eût-il remporté la victoire. Mais elle l'a livré à l'ennemi. Torturé pendant des semaines et enfin mis à mort par le grand-père de Valerius Magnus, son histoire est racontée dans *Les Démons de Kyrian*. Il est le mari d'Amanda et le père de la petite Marissa.

Kyrios : terme de respect atlante. L'équivalent de « lord ».

Kyros de Seklos : Grec de l'Antiquité et Chasseur de la Nuit. L'un des trois premiers créés avec Callabrax et Ias. Cantonné à Aberdeen, dans le Mississippi.

Lachesis : l'une des trois Parques en charge des destinées. Sœur d'Astrid et fille de Thémis.

Laminas : mot atlante pour « refuge », mais sert aussi à désigner le portail qui sépare Kalosis du monde des humains. Souvent emprunté par les Démons spathis, il est également connu sous le nom de tunnel espace-temps. Un *laminas* peut aussi désigner un havre de paix pour Garous. Des sanctuaires de ce genre se trouvent un peu partout sur la Terre. Les Garous s'y réfugient car la paix entre espèces y règne. De surcroît, Apollites comme Démons sont, en ces lieux, à l'abri des Chasseurs de la Nuit.

Limani : havre où les Garous peuvent se réfugier. Arcadiens et Katagarias doivent y cohabiter en paix. Voir « sanctuaire » et « laminas ».

Liza : écuyère d'origine dorienne qui tient un magasin de poupées sur Royal Street à La Nouvelle-Orléans. Elle confectionne des poupées sur commande et des armes très spéciales pour les Chasseurs de la Nuit.

Loki : dieu norvégien, très rusé.

Lycaon : roi qui se servit de la magie pour créer les différentes races de Garous.

Maison Peltier : adjacente au bar, la maison est un refuge pour les Garous qui ont besoin de se cacher. Là, ils peuvent prendre forme animale sans crainte d'être découverts et leurs petits sont en sécurité. La maison est dotée de davantage d'alarmes que Fort Knox et est constamment gardée par au moins deux membres de la famille Peltier.

Marguerite d'Aubert Goudeau : fille d'un sénateur de Louisiane et d'une reine de beauté cajun. Elle aspire à échapper à sa classe sociale car elle en déteste les carcans et les préjugés. Étudiante à l'université de Tulane, elle a intégré un groupe de travail avec Nick Gautier. Héroïne de *L'Homme-tigre*[1].

Marissa Hunter : l'enfant de Kyrian et Amanda possède d'extraordinaires pouvoirs. Elle est le chouchou d'Acheron et de Simi.

Markus Kattalakis : loup-garou katagaria. A tenté par la coercition de faire de Bryani sa compagne et a échoué. Père de Vane, Fang et Fury, entre autres.

Marla Divine : drag-queen, amie de Tabitha Devereaux. Adore dérober les manteaux des hommes.

Marvin le singe : seul véritable animal du *Sanctuaire*. Adore Wren Tigarian.

McTierney : famille humaine liée au monde des Garous. Ses membres : Joyce, la mère, Paul, le père, et les enfants, Bride, Deirdre et Patrick. Paul est un très célèbre vétérinaire de La Nouvelle-Orléans. Il prône la castration des mâles. La famille possède plusieurs animaux familiers : Titus, un rottweiler, Professeur et Marianne, deux chats, et Bart, un alligator. En outre, les McTierney recueillent toutes sortes d'animaux errants ou abandonnés.

Morginne : Chasseuse de la Nuit qui a trahi Wulf Tryggvason en procédant à un échange d'âmes et qui lui a jeté un terrible sort : tous les humains, à l'exception des membres de sa famille (voir Christopher Eriksson), l'oublient à la seconde où ils détournent les yeux de lui.

---

1. Éditions J'ai lu, n° 8534.

Morphée : dieu du sommeil, père de nombreux Onerois.

Morrigan : déesse celtique. Talon lui a juré loyauté durant sa vie d'humain. Mais il semblerait qu'elle l'ait abandonné bien avant qu'il meure. Elle est la grand-mère de Sunshine Runningwolf.

Nia Peters : sœur à moitié apollite de Cassandra. Morte avec sa mère le jour où des Démons spathis ont fait exploser leur voiture.

Nynia : fille d'un pêcheur celte et premier amour de Talon, lorsqu'il était humain. Talon l'a épousée en dépit du désaccord de son clan. Elle est morte en couches.

Nyx : déesse grecque de la nuit.

Olympe : demeure des dieux grecs.

Ombres : ce que deviennent les Chasseurs de la Nuit tués qui ne retrouvent pas instantanément une âme. La vie d'une Ombre est un éternel martyre. L'Ombre, invisible, constamment affamée et assoiffée, ne peut entrer en contact avec quiconque. Ce supplice permanent finit par rendre les Ombres démentes. Elles hurlent en vain pour tenter d'attirer l'attention.

Omegrion : le Conseil régissant les Garous. L'équivalent du Congrès chez les humains. Chaque branche des Arcadiens et des Katagarias y a un représentant. On y élabore les lois et veille à préserver les sanctuaires. On s'occupe également de les créer.

Oracles : êtres qui communiquent avec les dieux.

Orasia : déesse atlante du sommeil.

Otto Carvalletti : mi-mafioso italien, mi-Blue Blood Squire, diplômé avec mention de Princeton. Il porte un tatouage noir en forme de toile d'araignée à l'arrière de ses phalanges. Maintenant au service de Valerius à

La Nouvelle-Orléans. Il feint la stupidité et s'habille de façon voyante, avec un mauvais goût très prononcé, dans le seul but d'agacer son maître.

Peltier : famille d'ours-garous katagarias qui tiennent *Le Sanctuaire*, un bar de motards de La Nouvelle-Orléans. Les parents, Nicolette et Aubert, ont de nombreux enfants dont nous connaissons surtout Dev, Kyle, Rémi, Serre, Étienne, Cherif, et la fille unique, Aimée. Les Peltier ont décidé de fonder *Le Sanctuaire* afin de créer un refuge sûr pour leurs petits après que deux d'entre eux, Bastien et Gilbert, eurent été tués par des Sentinelles arcadiennes.

Phaser : arme de Sentinelle arcadienne destinée à frapper les Katagarias. Plus puissante qu'un *taser*, elle projette une redoutable décharge électrique sur l'adversaire, ce qui annihile aussitôt chez lui tout pouvoir magique. Le Katagaria ne peut plus se stabiliser sous forme humaine ni animale et passe alternativement de l'une à l'autre. Une décharge bien ciblée aboutit à la perte du corps chez le Katagaria, qui devient un être désincarné, un fantôme.

Phoebe Peters : à moitié apollite, sauvée de l'accident qui a coûté la vie à sa mère et sa sœur Nia. Après la mort de celles-ci, Urian a fait de Phoebe un Démon. Vit à Elysia avec Urian, qu'elle a épousé.

Pontis : famille de panthères-garous katagarias. Parmi ses membres, on trouve Dante, Roméo, Léo.

Priape : dieu à la fois des Grecs et des Romains, demi-frère de Julien Alexander.

Runningwolf's club : club situé sur Canal Street, à La Nouvelle-Orléans, et tenu par Starla et Daniel Runningwolf.

Ryssa : princesse grecque qui était l'une des maîtresses préférées d'Apollon. Elle lui a donné un fils, ce qui a rendu folle de jalousie la reine des Apollites, laquelle a envoyé une escouade d'Apollites pour assassiner Ryssa et l'enfant. Ordre leur fut donné de maquiller la tuerie de façon qu'elle apparaisse comme l'œuvre d'un animal. Cet acte est à l'origine de la malédiction qui frappe les Apollites. Sœur d'Acheron et Styxx. A aidé Acheron à se libérer du joug d'Estes.

Saga : déesse norvégienne de la poésie.

Le Sanctuaire : bar de La Nouvelle-Orléans, propriété des Peltier, où sont accueillies toutes les espèces. Les combats y sont proscrits, et s'entre-tuer y est absolument interdit.

Sasha : compagnon loup-garou katagaria d'Astrid dans *Le Loup blanc*. La plupart du temps sous sa forme animale.

Savitar : personnage encore plus mystérieux qu'Acheron, on dit que c'est lui qui a appris au chef des Chasseurs de la Nuit à développer ses pouvoirs. Il dirige le Conseil de l'Omegrion. Fasciné par l'océan et les vagues, il adore le surf et porte la plupart du temps une combinaison de plongée ou un bermuda et un tee-shirt de surfeur. Personne, pas même Acheron, ne sait quoi que ce soit sur lui. Il est extrêmement puissant et dangereux. Les trois quarts de son corps sont couverts de tatouages.

Sentinelles : les plus forts des Garous. Chargés de chasser et d'exécuter les Tueurs.

Sfora : sphère magique que les habitants de Katoteros utilisent pour observer les autres lieux de vie, y compris la terre, territoire des humains. Ceux qui sont espionnés ont parfois la sensation d'avoir un regard rivé sur eux.

Simi : le Démon charonte d'Acheron. Peut se manifester sous la forme d'une humaine ou d'un Démon. Elle habite dans un tatouage sur le biceps d'Acheron. Vieille de plusieurs milliers d'années, elle a pourtant l'apparence d'une gamine d'à peine vingt ans. Acheron la considère comme sa fille. Elle adore la viande grillée (humaine ou animale), le cinéma et les émissions de téléachat. Déteste qu'on lui dise non.

Simi est également le mot charonte pour « bébé ».

Sin : dieu sumérien de la lune et de la fertilité. Employé par Acheron comme Chasseur de la Nuit. Grand amour de Katra.

Skoti : Chasseur de Rêves qui a mal tourné et crée dans l'esprit des humains endormis des cauchemars, supprime leur capacité d'émotion et de créativité. Incube ou succube, il vit ses fantasmes sexuels par l'intermédiaire des dormeurs.

Spathis : Démons guerriers. Gardiens d'Apollymi et ses favoris, un peu comme des animaux de compagnie. Après leur mort, ils peuvent se réincarner si quelqu'un se donne la peine de le faire (voir Illuminatis).

Stratis : soldats katagarias qui combattent les Arcadiens. L'équivalent des Sentinelles.

Strykerius (Stryker) : chef et entraîneur des Démons spathis d'Apollymi. Fils d'Apollon, il s'est retourné contre son père après que celui-ci eut jeté un mauvais sort à sa race. Fils adoptif d'Apollymi et père d'Urian. Il hait Acheron et complote sans cesse pour tuer ceux qui sont chers à l'Atlante.

Styxx : frère jumeau humain d'Acheron. Ses forces et celles de son frère sont en parfaite interconnexion. Il ne peut donc mourir si Acheron ne meurt pas. Cela fait des siècles que Styxx abhorre son jumeau.

Sundown : Chasseur de la Nuit américain, ancien cow-boy du XIXᵉ siècle. De son vrai nom William Jessup « Jess » Brady. Orphelin à cinq ans, élevé à la dure par un prêtre qui s'occupait de l'orphelinat local. À onze ans, il s'est enfui vers l'ouest du pays, où il a vite appris que la vie était difficile et injuste pour un garçon sans famille. À seize ans, devenu bandit, il vivait de vols, de parties de cartes et d'attaques de trains. Le jour de ses noces, il a été abattu d'une balle dans le dos par son témoin et meilleur ami, qui voulait toucher la prime offerte par le shérif pour la tête de Jess. Actuellement, Sundown est cantonné à Reno, dans le Nevada.

Sunshine Runningwolf : fille de Starla et Daniel. Esprit libre et artiste de grand talent. Vend ses œuvres dans Jackson Square. Adore la couleur rose. Héroïne de *La Fille du Shaman*. Épouse de Talon Runningwolf.

Tabitha Devereaux : chasseuse de Démons et vampires. Tient *La Boîte de Pandore*, une boutique pour adultes sur Bourbon Street. Dotée d'une grande capacité d'empathie et soupe au lait. Jumelle d'Amanda Hunter (épouse de Kyrian) et épouse de Valerius Magnus.

Talon Runningwolf : Celte, Chasseur de la Nuit, fils d'un druide et d'une reine celte, il était chef de clan. Après la mort de sa tante, son oncle, sa femme et son fils, il a appris que les dieux l'avaient frappé d'une malédiction. Pour les apaiser, il a accepté d'être sacrifié. Mais les membres de son clan l'ont dupé : lorsqu'il a été ligoté sur l'autel, ils ont tué sa sœur sous ses yeux et se sont ensuite retournés contre lui. Devenu Chasseur de la Nuit, il est doté, entre autres, du pouvoir de télékinésie. Il perd ses pouvoirs sous le coup d'une forte émotion. Héros de *La Fille du Shaman* et mari de Sunshine.

Talpinas : à une époque, écuyers et écuyères dont la seule fonction était de satisfaire les besoins sexuels des

Chasseurs hommes ou femmes. Supprimés depuis longtemps par Artémis.

Tessera : groupe de quatre Garous que l'on envoie chasser ceux de leur espèce.

Thanatos : mot grec pour « mort ». Nom d'un Apollite choisi par Artémis, auquel la déesse donne des pouvoirs spéciaux, afin qu'il tue les Chasseurs de la Nuit renégats. Au fil des siècles, il y a eu plusieurs Thanatos.

Thémis : déesse grecque de la justice, mère d'Astrid et des Parques.

Trelosa : maladie incurable proche de la rage. Affecte les Arcadiens comme les Katagarias.

T-Rex : irrespectueux surnom donné à Acheron par Talon.

Tueurs : Garous katagarias devenus fous à la puberté, lors de la survenue de leurs pouvoirs. Ils deviennent des tueurs aveugles et sans merci. Similaire à la rage, la folie dont ils sont atteints (la *trelosa*) est une maladie sans traitement. Ils sont chassés et abattus par les Sentinelles.

Tunnels espace-temps : voies de communication magiques entre Kalosis et le monde des humains, souvent utilisées par les Démons spathis pour échapper aux Chasseurs de la Nuit.

Urian : Démon spathi réincarné. Autrefois fils aîné de Stryker et désormais son seul fils survivant. Il a fait partie des Illuminatis et était le mari de Phoebe Peters. Mais Stryker a tué Phoebe et tranché la gorge d'Urian, qui avait aidé Cassandra Peters. Depuis ce jour, Urian, quand besoin est, s'allie à Acheron et aux Chasseurs de la Nuit.

Vane Kattalakis : loup-garou arcadien, né katagaria, devenu arcadien à la puberté. Héros de *Jeux nocturnes*.

Valerius Magnus : Chasseur de la Nuit de la Rome antique, fils d'un sénateur. Général durant son existence humaine, il a remporté des victoires en Grèce, en Gaule et en Bretagne. Il ne s'entend guère avec les autres Chasseurs, la plupart d'entre eux étant originaires de pays vaincus par les Romains. Il est donc victime d'ostracisme de la part de ses collègues. Il est très BCBG, snob, élitiste. Affecté à la protection de La Nouvelle-Orléans, il est le héros de *La Prédatrice de la nuit*. Zarek est son demi-frère.

Wren Tigarian : Garou katagaria qui peut se changer en tigre blanc, en léopard des neiges ou en une combinaison des deux. Il vit au *Sanctuaire* depuis la mort mystérieuse et violente de ses parents. Il y travaille comme serveur et préposé au nettoyage. Introverti, il est extrêmement dangereux et déteste tout le monde à trois exceptions près : Nick Gautier, le singe Marvin et Aimée Peltier, les seuls êtres auxquels il parle. Héros de *L'Homme-tigre*.

Wulf Tryggvason : Chasseur de la Nuit, ancien Viking que sa témérité a poussé à entrer en contact avec une Chasseuse aux pouvoirs impressionnants, Morginne. Elle lui a joué un terrible tour en échangeant son âme avec la sienne. Il est le seul Chasseur à n'avoir jamais accompli son Acte de Vengeance. La substitution d'âmes a rendu ses pouvoirs très différents de ceux des autres Chasseurs. Le plus terrible de tous, pour lui, est l'amnésie qu'il déclenche chez ceux qui l'approchent. Aucun humain ni animal ne se rappelle Wulf dans les cinq minutes qui suivent son départ. Seuls ceux de son sang peuvent se souvenir de lui. Héros de *La Descendante d'Apollon*, mari de Cassandra Peters et père d'Erik Tryggvason. Le dieu Loki détient son âme.

Xirena : Démone charonte, amie de Simi.

Zakar : frère jumeau de Sin.

Zarek de Moesia : Chasseur de la Nuit, enfant non désiré d'une esclave grecque et d'un sénateur romain. Peu après sa naissance, sa mère l'a remis à une servante, en lui ordonnant de tuer l'enfant. Mais la servante a eu pitié et est allée remettre le bébé au père, lequel ne tenait pas davantage que la mère à se charger de ce fils bâtard. C'est ainsi que Zarek est devenu le souffre-douleur de la noble famille romaine Magnus.

Zarek ne fait confiance à personne, évite les contacts avec les autres Chasseurs de la Nuit. Lorsqu'il ne peut y échapper, il les approche ou leur parle, mais de très mauvaise grâce, et il fait preuve à leur égard d'un profond mépris. Il conteste tout ordre qui lui est donné, même ceux d'Artémis, ce qui lui a valu un bannissement en Alaska, où il périt d'ennui, les Démons y étant rares et le froid polaire. On craint que, ses nerfs finissant par le lâcher, il ne déchaîne ses pouvoirs à l'encontre des humains. Il est marié à Astrid. Son histoire est racontée dans *Le Loup blanc*.

Découvrez les prochaines nouveautés
des différentes collections J'ai lu pour elle

AVENTURES
&PASSIONS

Le 1er février

Inédit *L'inferno Club - 1 - Caresses diaboliques* cx
Gaelen Foley
De retour à Londres, après deux ans d'absence, le marquis de
Rotherstone espère rétablir la réputation de sa famille en épousant
une demoiselle exemplaire et en fréquentant la haute société. Quand
on lui dresse la liste des jeunes célibataires, c'est Daphné Starling qui
retient son attention. Le marquis ne peut résister à ses charmes, mais
la jeune femme s'inquiète. Qui est-il vraiment et quel est ce lieu secret
qu'il fréquente, surnommé l'Inferno Club ?

Inédit *Les carnets secrets de Miranda* cx **Julia Quinn**
Après l'échec de son mariage, le vicomte Turner, est bien décidé à faire
une croix sur l'amour. Il y a pourtant une femme susceptible d'éveiller
son intérêt, une femme qu'il ne cesse de croiser ces derniers temps...
Miranda Cheever, l'amie d'enfance de sa petite sœur. Miranda, la
gamine insignifiante à qui Turner a autrefois offert un journal intime,
en lui promettant qu'un jour elle deviendrait jolie. Miranda,
aujourd'hui des plus séduisantes...

Inédit *Les frères Malory - 10 - Mariés par devoir* cx
Johanna Lindsey
Il y a neuf ans, quand son père l'a fiancé de force à la fille d'un riche
marchand londonien, Richard Allen a fui l'Angleterre, déterminé à
diriger sa vie. Aux Caraïbes, où il a rejoint une bande de pirates, il a
sillonné les mers sous une fausse identité. De retour à Londres, il rencontre une superbe jeune femme... qui n'est autre que Julia Miller, sa
fiancée !

Un héritage compromettant ⌘ **Leslie Lafoy**
À Belize, depuis la disparition de son mari en pleine jungle, Seraphina vit sans le moindre argent... et est en charge de trois petites orphelines ! Quand elle reçoit une lettre d'Angleterre, adressée au père des fillettes, la chance semble lui sourire. Car l'enveloppe contient deux cents livres ! Bien décidée à les emmener chez leur oncle, Seraphina part pour Londres. Leur oncle... Carden Reeves, le plus célèbre libertin de toute la ville !

Le 15 février

Les sœurs d'Irlande - 2 - Anna, la bohème ⌘ **Laurel McKee**
Irlande, 1799. Jeune frivole et espiègle, Anna Blacknall est d'une beauté sans pareil. Dans les salons de Dublin, elle est courtisée de tous mais elle ne peut se résigner à épouser l'un de ses prétendants. Quand elle se rend dans un club licencieux où est organisé un bal, elle se retrouve très vite dans les bras d'un mystérieux Irlandais, aux yeux émeraude. Et, bien qu'il soit masqué, son baiser passionné semble à Anna étrangement familier...

Les Lockhart - 1 - Le dragon maudit ⌘ **Julia London**
Écosse, 1449. Après dix ans dans l'armée, Liam Lockhart rentre chez lui, auprès d'une famille pauvre et démunie. Depuis des siècles, la lignée des Lockhart fonde tous ses espoirs dans une légende... Celle d'une statuette antique, un dragon d'or incrusté de rubis. Apparemment, elle serait aujourd'hui aux mains des Anglais. Aller à Londres et la voler, voilà la mission de Liam. Une tâche bien difficile qui se corse quand il croise la belle Ellen Farnsworth...

Le 1ᵉʳ février

FRISSONS

Du suspense et de la passion

Inédit *Un mariage en noir* ↝ **Linda Howard**

En plein hiver, Gabriel, fils du sheriff de la ville, doit aller aider sa voisine Lolly. Le gel et la glace ont brouillé les lignes et personne n'arrive à la joindre. Gabriel aperçoit des hommes armés chez elle. Comment faire pour la tirer de là alors que la tempête de neige fait rage au dehors ?

Inédit *Untraceable* ↝ **Laura Griffin**

La détective privée Alexandra Lovell sait manier les logiciels et effacer la trace des gens, afin qu'ils recommencent leur vie en sûreté. Battue par son mari, Melanie Bess était une de ses clientes. Lorsque cette femme se volatilise littéralement, Alexandra va mettre tout en œuvre pour la retrouver. Aidée de son ténébreux coéquipier, la détective devra faire vite si elle ne veut pas disparaître à son tour.

Le 15 février

Passion intense

Des romans légers et coquins

Les frères McCloud - 1 -
Derrière les portes closes ∞ **Lisa Marie Rice**
Expert en surveillance, Seth Mackey espionne la vie du millionnaire Victor Lazar et de ses innombrables maitresses. La dernière en date est d'ailleurs très différente. Raine Cameron est belle, vulnérable, innocente. Nuit après nuit, au fur et à mesure qu'il l'observe sur ses écrans vidéo, Seth sent s'éveiller en lui une ardente passion. Mais il ne peut se permettre la moindre erreur. Seth en est persuadé, Lazar a tué son demi-frère. Il lui faut donc mener l'enquête dans le plus grand secret car sa vie est en jeu. Et pas seulement la sienne...

Désir brûlant ∞ **Nicole Jordan**
Presque toutes les nuits, Raven Kendrick fait un rêve... un rêve érotique dans lequel elle est sur une plage exotique avec l'amant de ses rêves.
Raven débarque à Londres où elle doit épouser un illustre duc. Le jour de son mariage, elle est mystérieusement enlevée. Le frère de son ravisseur, Kell Lasseter, vole à son secours. Et, pour réparer les torts causés par son frère, il la demande en mariage. Raven accepte car seule cette union arrangée pourrait sauver sa réputation, mais un ardent désir va les unir malgré eux... D'autant que Kell ressemble intensément à l'amant torride qui hante les nuits de Raven...

CRÉPUSCULE

L'exécutrice - 4 -
L'Orchidée et l'Araignée ∞ **Jennifer Estep**

Me voilà, Gin Blanco, redoutable tueuse à gages connue sous le nom de l'Araignée. J'ai une cible bien précise : Mab Monroe, une élémentale de Feu. Cette dernière a engagé l'un des assassins les plus dangereux pour me piéger. Elektra LaFleur, habile et efficace, détentrice d'une magie élémentale mortelle, aussi puissante que mes propres pouvoirs. Ce qui signifie donc qu'une seule de nous deux restera en vie... Et Elektra a une deuxième mission : tuer ma petite sœur, l'inspectrice Bria Coolidge. Gros problème : Bria n'a aucune idée que je suis sa sœur... ou plutôt le meurtrier qu'elle traque depuis des semaines. Or, ce que Bria ne sait pas pourrait faire bien des victimes...

Et toujours la reine du roman sentimental :

Barbara Cartland

« Les romans de Barbara Cartland nous transportent dans un monde passé, mais si proche de nous en ce qui concerne les sentiments. L'amour y est un protagoniste à part entière : un amour parfois contrarié, qui souvent arrive de façon imprévue.
Grâce à son style, Barbara Cartland nous apprend que les rêves peuvent toujours se réaliser et qu'il ne faut jamais désespérer. »

Angela Fracchiolla, lectrice, Italie

Le 1er février
Une trop jolie écossaise

Le 15 février
Qui êtes-vous, Alexander ?

9828

Composition
FACOMPO

Achevé d'imprimer en Slovaquie
par Novoprint SLK
le 6 décembre 2011.

Dépôt légal : décembre 2011.
EAN 9782290038321

ÉDITIONS J'AI LU
87, quai Panhard-et-Levassor, 75013 Paris

Diffusion France et étranger : Flammarion